과학 고수들의 필독서

자연계를 선택할 학생이라면, 단연 하이탑!!

High Top

3권

지구과학 I

이 책의 구성과 특징

지금껏 선생님들과 학생들로부터 고등 과학의 바이블로 명성을 이어온 하이탑의 자랑거리는 바로,

- 기초부터 심화까지 이어지는 튼실한 내용 체계
- 백과사전처럼 자세하고 빈틈없는 개념 설명
- 내용의 이해를 돕기 위한 풍부한 자료
- 과학적 사고를 훈련시키는 논리정연한 문장

이었습니다. 이러한 전통과 장점을 이 책에 이어 담았습니다.

1 개념과 원리를 익히는 단계

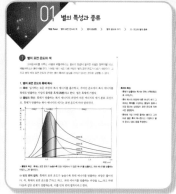

●개념 정리

여러 출판사의 교과서에서 다루는 개념들을 체계적으로 다시 정리하여 구성하였습니다.

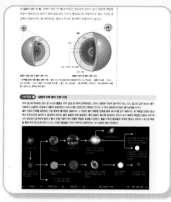

●시선 집중

중요한 자료를 더 자세히 분석하거나 개념을 더 잘 이해할 수 있도록 추가로 설명하였습니다.

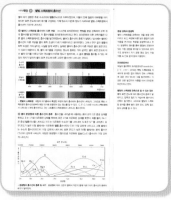

●시야 확장

심도 깊은 내용을 이해하기 쉽도록 원리나 개념을 자세히 설명하였습니다.

●탐구

교과서에서 다루는 탐구 활동 중에서 가장 중요한 주제를 선별하여 수록하고, 과정과 결과를 철저히 분석하였습니다.

●집중 분석

출제 빈도가 높은 주요 주제를 집중적으로 분석하고, 유제를 통해 실제 시험에 대비할 수 있도록 하였습니다.

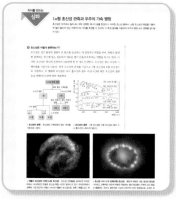

●심화

깊이 있게 이해할 필요가 있는 개념은 따로 발췌하여 심화 학습할 수 있도록 자세히 설명하고 분석하였습니다.

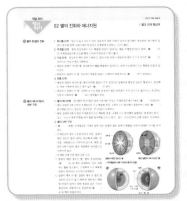

●**개념 모아 정리하기**
각 단원에서 배운 핵심 내용을 빈칸에 채워 나가면서 스스로 정리하는 코너입니다.

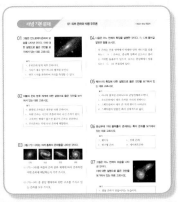

●**개념 기본 문제**
각 단원의 기본적이고 핵심적인 내용의 이해 여부를 평가하기 위한 코너입니다.

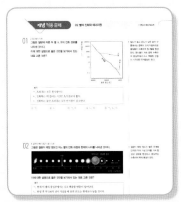

●**개념 적용 문제**
기출 문제 유형의 문제들로 구성된 코너입니다. '고난도 문제'도 수록하였습니다.

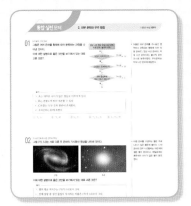

●**통합 실전 문제**
중단원별로 통합된 개념의 이해 여부를 확인함으로써 실전을 대비할 수 있도록 구성하였습니다.

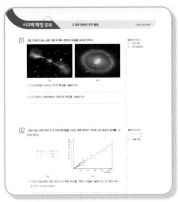

●**사고력 확장 문제**
창의력, 문제 해결력 등 한층 높은 수준의 사고력을 요하는 서술형 문제들로 구성하였습니다.

●**논구술 대비 문제**
논구술 시험에 출제되었거나, 출제 가능성이 높은 예상 문제로서, 답변 요령 및 예시 답안과 함께 제시하였습니다.

●**정답과 해설**
정답과 오답의 이유를 쉽게 이해할 수 있도록 자세하고 친절한 해설을 담았습니다.

"
하이탑은
과학에 대한 열정을 지닌 독자님의
실력이 더욱 향상되길 기원합니다.
"

Contents
이 책의 차례 - 지구과학

"자세하고 짜임새 있는 설명과 수준 높은 문제로 실력의 차이를 만드는 High Top"

1권

고체 지구의 변화

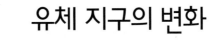

유체 지구의 변화

우주의 신비

III

우주의 신비

1
별과 외계 행성계

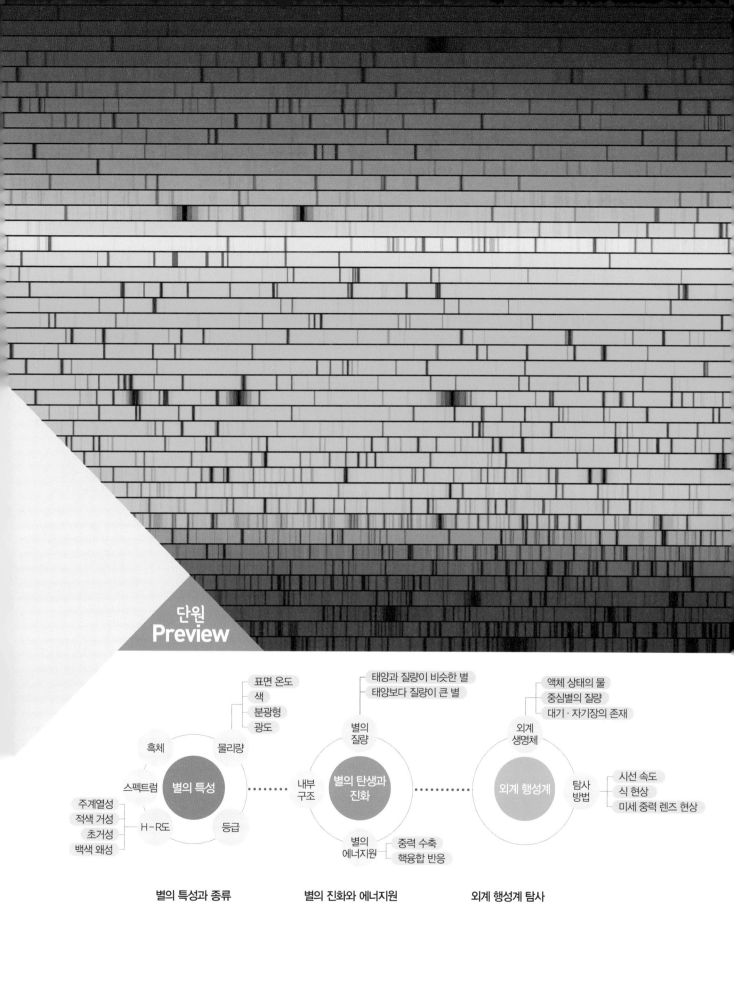

별의 특성

표면 온도
색
분광형
광도

물리량

흑체

스펙트럼

주계열성
적색 거성
초거성
백색 왜성

H-R도

등급

내부
구조

**별의 탄생과
진화**

태양과 질량이 비슷한 별
태양보다 질량이 큰 별

별의
질량

별의
에너지원

중력 수축
핵융합 반응

외계 행성계

외계
생명체

액체 상태의 물
중심별의 질량
대기·자기장의 존재

탐사
방법

시선 속도
식 현상
미세 중력 렌즈 현상

별의 특성과 종류   별의 진화와 에너지원   외계 행성계 탐사

01 별의 특성과 종류

학습 Point 별의 표면 온도와 색 > 별의 분광형 > 별의 광도와 크기 > H−R도와 별의 종류

① 별의 표면 온도와 색

오리온자리를 이루는 리겔과 베텔게우스는 겉보기 등급이 같지만 리겔은 청백색을 띠고, 베텔게우스는 붉은색을 띤다. 이처럼 색이 서로 다른 까닭은 별의 표면 온도가 다르기 때문이다. 그리고 별의 색과 표면 온도의 관계는 별이 흑체의 성질을 가지고 있다는 것으로 설명할 수 있다.

1. 별의 표면 온도와 흑체 복사

(1) **흑체:** 입사하는 모든 파장의 복사 에너지를 흡수하고, 주어진 온도에서 복사 에너지를 최대로 방출하는 가상의 물체를 흑체(黑體)라고 한다. 별은 흑체에 가깝다.

(2) **플랑크 곡선:** 흑체가 방출하는 복사 에너지의 파장에 따른 에너지의 세기 분포 곡선으로, 흑체가 방출하는 복사 에너지의 세기는 표면 온도에 따라 달라진다.

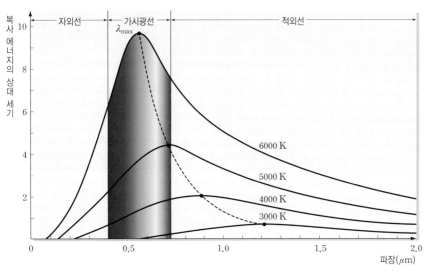

▲ **플랑크 곡선** 흑체는 표면 온도가 높을수록 모든 파장에서 더 많은 에너지를 방출하고, 최대 에너지를 방출하는 파장(λ_{max})이 짧아진다.

(3) **빈의 변위 법칙:** 흑체의 표면 온도가 높을수록 최대 에너지를 방출하는 파장은 짧아진다. 즉, 흑체의 표면 온도를 T라고 하고, 최대 에너지를 방출하는 파장을 λ_{max}라고 하면 다음과 같은 관계가 성립하는데, 이를 빈의 변위 법칙이라고 한다.

$$\lambda_{max} = \frac{a}{T} \ (a = 2.898 \times 10^3 \, \mu m \cdot K)$$

> **흑체의 특징**
> - 흑체가 방출하는 복사는 연속 스펙트럼으로 나타난다.
> - 흑체 복사의 파장에 따른 에너지 세기 그래프는 흑체를 구성하는 물질의 종류나 모양 등과는 상관없이 표면 온도에 의해서만 결정된다.
> - 흑체에 가장 가까운 물체는 별이다. 그러므로 별은 흑체 복사한다고 가정하고 별의 온도나 광도 등을 추정한다.

2. 별의 색

빈의 변위 법칙에 따르면 표면 온도가 높은 별일수록 짧은 파장 영역에서 복사 에너지를 많이 방출하므로 파란색을 띠고, 표면 온도가 낮은 별일수록 긴 파장 영역에서 복사 에너지를 많이 방출하므로 붉은색을 띤다.

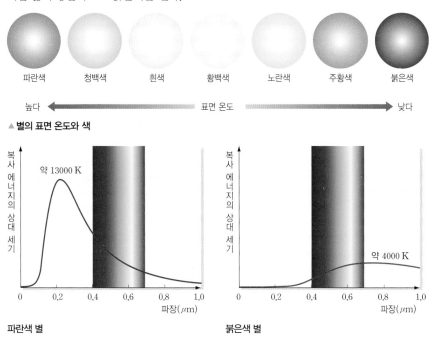

▲ 별의 표면 온도와 색

파란색 별

붉은색 별

▲ **파란색 별과 붉은색 별의 파장에 따른 에너지의 세기** 표면 온도가 높은 별일수록 최대 에너지를 방출하는 파장이 짧다. 따라서 표면 온도가 높은 별일수록 가시광선 중 파장이 짧은 파란 빛이 우세하여 파란색으로 보인다.

3. 색지수

(1) **안시 등급과 사진 등급을 이용한 색지수:** 천체의 색에 대한 정량적인 척도를 색지수 (color index)라고 한다. 맨눈으로 측정한 별의 밝기를 안시 등급(m_V)이라고 하고, 사진으로 촬영한 별의 밝기를 사진 등급(m_P)이라고 하며, 사진 등급과 안시 등급의 차이 (m_P-m_V)를 색지수로 사용한다. 이러한 색지수는 별까지의 거리와는 상관없이 별의 표면 온도로만 결정된다. 표면 온도가 높은 별은 파장이 짧은 파란색 영역에서 에너지를 보다 많이 방출하므로 사진 등급이 안시 등급보다 작아서 색지수는 (−)가 되고, 표면 온도가 낮은 별은 파장이 긴 노란색이나 붉은색 파장 영역에서 에너지를 보다 많이 방출하므로 사진 등급이 안시 등급보다 커서 색지수는 (+)가 된다. 표면 온도가 약 10000 K인 흰색의 별은 안시 등급과 사진 등급이 같아서 색지수가 0이다.

(2) **U, B, V 등급을 이용한 색지수**

① **U, B, V 등급:** 특정한 파장의 빛만 투과하는 예리한 필터를 사용하면 별의 색을 보다 정확하게 측정할 수 있는데, 주로 U, B, V 3종류의 필터를 사용한다. U필터는 파장이 짧은 자외선만 통과시키고, B 필터는 파란색의 빛만 통과시키며, V 필터는 우리 눈에 민감한 노란색의 빛만 통과시킨다. U, B, V 각 필터를 통과한 빛의 밝기를 정한 겉보기 등급을 각각 U, B, V 등급이라고 한다.

안시 등급과 사진 등급

우리 눈은 노란색(파장 약 0.54 μm) 부근의 빛에 민감하지만 사진 건판은 파란색(파장 약 0.42 μm) 부근의 빛에 더 민감하다. 따라서 육안으로 관측한 별의 밝기인 안시 등급과 사진으로 촬영한 별의 밝기인 사진 등급은 서로 다르게 나타난다.

② U, B, V 등급과 색지수: U, B, V 등급에서 B 등급은 사진 등급(m_P)과 비슷하고, V 등급은 안시 등급(m_V)과 비슷하다. 각 필터를 통해 관측한 별의 등급 차이인 $(U-B)$ 또는 $(B-V)$를 색지수로 사용하는데, U 필터의 경우 대기의 영향을 많이 받으므로 $(B-V)$ 값을 많이 이용한다.

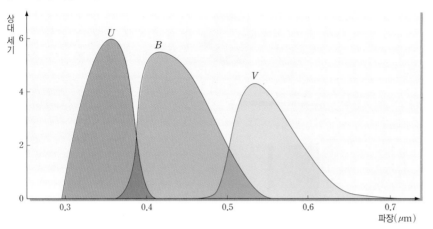

▲ **U, B, V 필터의 측정 파장** U(Ultraviolet) 필터는 파장 $0.36\ \mu m$ 부근의 빛만을 통과시키고, B(Blue) 필터는 파장 $0.42\ \mu m$ 부근의 빛만을 통과시키며, V(Visible) 필터는 파장 $0.54\ \mu m$ 부근의 빛만을 통과시킨다.

시선 집중 ★ **색지수($B-V$)와 별의 표면 온도**

고온의 별일수록 파장이 짧은 파란 빛이 상대적으로 강하고, 노란 빛이 더 약하다. 따라서 B 영역에서 측정한 등급이 작고, V 영역에서 측정한 등급이 커서 색지수($B-V$)는 ($-$)값을 나타낸다. 반대로 표면 온도가 낮은 별은 색지수가 ($+$)값을 나타낸다. 색지수($B-V$)는 별의 분광형이 O형과 B형일 경우 ($-$)이고, A형일 경우 0이며, F형~M형일 경우 ($+$)이다. 태양의 색지수($B-V$)는 약 0.66이다. 즉, 태양은 B 영역에서 측정한 등급이 V 영역에서 측정한 등급보다 크다(어둡다).

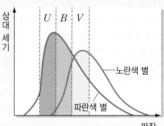

오른쪽 그림에서 파란색 별은 B 필터를 통과한 별빛이 V 필터를 통과한 별빛보다 더 밝다. 즉, 사진 등급(B 등급)이 안시 등급(V 등급)보다 작으므로, 색지수($B-V$)가 ($-$)값인 고온의 별이다. 노란색 별은 B 필터를 통과한 별빛보다 V 필터를 통과한 별빛이 더 밝다. 즉, 사진 등급(B 등급)이 안시 등급(V 등급)보다 크므로, 색지수($B-V$)가 ($+$)값인 저온의 별이다.

② **별의 분광형**

별빛을 프리즘에 통과시키면 파장이 긴 붉은색에서부터 파장이 짧은 보라색까지 여러 가지 빛으로 나뉜다. 이와 같이 파장에 따라 여러 가지로 나뉘는 빛의 띠를 스펙트럼이라고 한다. 별빛의 스펙트럼을 분석하면 별의 여러 가지 특성을 알 수 있다.

1. 스펙트럼의 종류

빛의 스펙트럼은 크게 연속 스펙트럼과 선 스펙트럼으로 구분할 수 있다. 선 스펙트럼은 다시 방출선 스펙트럼과 흡수선 스펙트럼으로 구분한다.

(1) **연속 스펙트럼:** 흑체가 모든 파장에 걸쳐 복사 에너지를 방출하는 스펙트럼으로, 연속 스펙트럼은 모든 파장 영역에서 빛이 연속적인 띠로 나타난다. **예** 백열등 불빛의 스펙트럼

(2) **선 스펙트럼:** 특정한 파장 영역에서만 나타나는 스펙트럼으로, 방출선 스펙트럼(또는 방출 스펙트럼)과 흡수선 스펙트럼(또는 흡수 스펙트럼)이 있다.

① **방출선 스펙트럼:** 기체가 고온으로 가열되면 특정한 파장 영역에서만 빛이 밝게 나타나는데, 이를 방출선이라고 한다. 방출선이 나타나는 스펙트럼을 방출선 스펙트럼이라고 한다. 예 수소나 헬륨 등의 기체 방전관에서 나오는 빛의 스펙트럼

② **흡수선 스펙트럼:** 별이 방출하는 빛 중 특정 파장 영역의 빛을 저온의 기체가 흡수하면 해당 파장 영역에서 스펙트럼의 세기가 약해져 어두운 선으로 나타난다. 이를 흡수선이라고 하며, 흡수선이 나타나는 스펙트럼을 흡수선 스펙트럼이라고 한다. 흡수선 스펙트럼은 연속 스펙트럼을 배경으로 검은색의 선으로 나타난다. 예 햇빛 스펙트럼의 흡수선

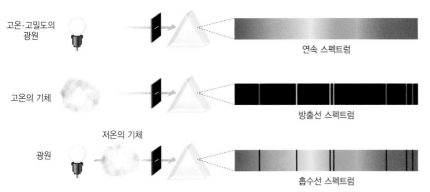

▲ **여러 가지 스펙트럼**

2. 별의 분광형과 표면 온도

별은 표면 온도에 따라 스펙트럼 흡수선의 위치와 세기가 다르게 나타나므로 이를 기준으로 별을 분류할 수 있다. 이렇게 분류한 것을 별의 분광형 또는 스펙트럼형이라고 한다. 별의 분류 체계 연구 초기에는 수소 흡수선의 종류와 세기를 기준으로 별의 분광형을 A, B, C, …, P의 16개로 나누었으나, 오늘날에는 O, B, A, F, G, K, M형의 7개 분광형으로 나타낸 하버드 분광 분류계를 사용한다. 이 중에서 표면 온도는 O형(파란색)이 가장 높고, M형(붉은색)으로 갈수록 낮아진다. 각 분광형은 0에서 9까지 10단계로 세분할 수 있다. 태양의 경우 표면 온도가 약 5800 K이며, 분광형은 G2형이다.

스펙트럼 그래프 비교

• 연속 스펙트럼

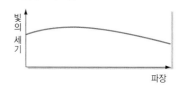

• 방출선 스펙트럼

• 흡수선 스펙트럼

하버드 분광 분류계
20세기 초에 미국 하버드 천문대의 피커링(Pickering, E. C., 1846~1919)과 캐넌(Cannon, A. J., 1863~1941)이 중심이 되어 만든 별의 분류 체계이다. 표면 온도에 따른 스펙트럼의 특징으로 별을 O, B, A, F, G, K, M의 7개로 나누었고, 각각은 고온의 별을 0, 저온의 별을 9로 하여 10등급으로 세분하였다.

분광형	색	표면 온도	스펙트럼
O	파란색	27000 K 이상	
B	청백색	10000 K~27000 K	
A	흰색	7200 K~10000 K	
F	황백색	6000 K~7200 K	
G	노란색	5100 K~6000 K	
K	주황색	3700 K~5100 K	
M	붉은색	3700 K 이하	

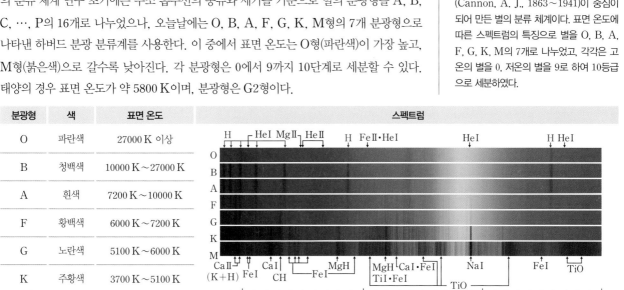

▲ **별의 분광형에 따른 표면 온도와 스펙트럼의 모습**

별의 대기 성분은 주로 수소(H)와 헬륨(He)으로 이루어졌으며, 이들이 전체 질량의 대부분을 차지하지만 표면 온도에 따라 대기를 구성하는 기체 원소의 이온화 정도가 다르므로 별빛 스펙트럼에서 흡수선이 다르게 나타난다.

❶ 별마다 스펙트럼 흡수선이 다른 까닭 1814년에 프라운호퍼는 햇빛을 분광 관측하여 수백 개의 흡수선을 발견하였다. 이 흡수선들을 프라운호퍼선이라고 한다. 프라운호퍼 이후 과학자들은 다른 별의 스펙트럼에서도 흡수선을 발견하였는데, 별마다 흡수선의 종류가 달랐다. 당시에는 별마다 흡수선이 다른 까닭을 별의 화학 조성이 다르기 때문이라고 생각하였다. 그러나 연구 결과 별들의 화학 조성은 거의 같다는 사실을 알게 되었다. 실제로 별마다 흡수선이 다른 까닭은 별의 표면 온도가 다르기 때문이다. 즉, 별의 대기층을 구성하는 원소의 종류는 거의 같지만, 별의 표면 온도에 따라 별의 대기를 이루고 있는 원소들의 이온화 정도가 달라지며, 그 결과 별빛을 흡수할 수 있는 파장의 위치가 달라져 별의 표면 온도에 따른 고유한 흡수선이 나타나는 것이다.

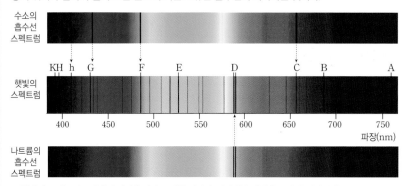

▲ **햇빛의 스펙트럼** 태양의 대기층에서 특정한 파장의 빛이 흡수되어 흡수선이 나타난다. 그러므로 햇빛 스펙트럼의 흡수선으로부터 태양 대기에 포함되어 있는 원소를 알 수 있다. C, F, G, h선은 수소의 스펙트럼에서 나타나는 4개의 흡수선이고, D는 나트륨의 스펙트럼에서 나타나는 흡수선이다.

❷ 별의 분광형에 따른 흡수선의 종류 흡수선을 나타낼 때 사용하는 로마 숫자 I은 중성 상태를 뜻하고, II는 1가로 이온화된 상태를 뜻하며, III은 2가로 이온화된 상태를 뜻한다. 예를 들어, He I은 중성 헬륨(He)을 나타내고, H II는 이온화된 수소(H^+)를 나타내며, Si III은 Si^{2+}를 나타낸다. 표면 온도가 높은 O형 별에서는 이온화된 헬륨 흡수선(He II)이 가장 강하게 나타나고, A형 별에서는 수소의 흡수선(H I)이 가장 강하게 나타나며, 표면 온도가 낮은 M형 별에서는 분자 흡수선(TiO)이 강하게 나타난다. 태양은 분광형이 G형이므로 이온화된 칼슘(Ca II) 흡수선이 가장 강하게 나타난다.

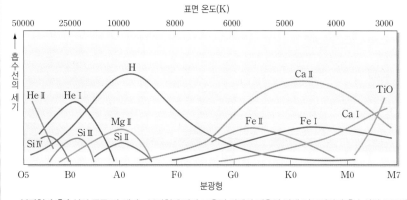

▲ **분광형과 흡수선의 종류 및 세기** 분광형에 따라 고온의 별에서 저온의 별에 이르기까지 흡수선의 종류와 세기가 달라진다.

분광 관측과 분광학
별의 스펙트럼을 관측하는 것을 분광 관측이라고 하고, 파장에 따른 빛과 물질의 상호작용을 연구하는 학문을 분광학이라고 한다. 분광학의 원리를 통해 물질에 포함되어 있는 각종 성분을 찾아낼 수 있으므로, 분자 구조 분석이나 자기 공명 영상 검사, 미술 작품 속 안료 분석 등에 이용된다.

프라운호퍼선
독일의 물리학자 프라운호퍼(Fraunhofer, J. V., 1787~1826)는 햇빛 스펙트럼을 자세하게 분석한 결과 햇빛의 연속 스펙트럼에 검은 선이 있다는 것을 발견하였다. 이 검은 선은 발견자의 이름을 따서 프라운호퍼선이라고 한다.

별빛의 스펙트럼 관측으로 알 수 있는 정보
별의 표면 온도에 따라 흡수선의 종류가 달라지고, 압력과 밀도가 커질수록 흡수선의 선폭이 증가한다. 그러므로 별빛의 스펙트럼 분석을 통해 별의 표면 온도, 압력, 밀도 등의 상태를 알 수 있다.

③ 별의 광도와 크기

별의 표면 온도는 별빛의 스펙트럼 관측을 통해 알 수 있고, 별의 광도는 절대 등급을 통해 알 수 있다. 별의 표면 온도와 별의 광도를 알면 별의 크기를 구할 수 있다.

1. 별의 광도

광도(光度)는 별의 모든 표면에서 모든 방향으로 단위 시간 동안 방출하는 복사 에너지의 총량을 뜻한다.

(1) **포그슨 공식:** 포그슨은 1등성이 6등성보다 약 100배 밝다는 사실을 알아내었다. 즉, 5등급 간의 밝기 비는 약 100이므로 1등급 간의 밝기 비는 $100^{\frac{1}{5}} = 2.512$배이다. 겉보기 등급이 m_1, m_2인 두 별의 겉보기 밝기를 각각 l_1, l_2라고 하면 두 별의 등급과 밝기 사이에는 다음과 같은 관계가 성립하는데, 이를 포그슨 공식이라고 한다.

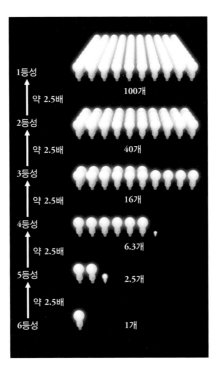

▲ 별의 등급과 밝기 관계

$$100^{\frac{1}{5}(m_2-m_1)} = 10^{\frac{2}{5}(m_2-m_1)} = \frac{l_1}{l_2}$$

$$m_2 - m_1 = -2.5\log\frac{l_2}{l_1}$$

(2) **절대 등급과 광도의 관계:** 별의 실제 밝기는 절대 등급으로 나타내며, 별이 방출하는 에너지양인 광도에 따라 다르므로 두 별의 절대 등급 M_1, M_2와 광도 L_1, L_2를 사용하여 포그슨 공식을 다음과 같이 나타낼 수 있다.

$$M_2 - M_1 = -2.5\log\frac{L_2}{L_1}$$

여기에 태양의 광도($L_\odot$)와 태양의 절대 등급($M_\odot$)을 적용하면, 별의 절대 등급(M)과 광도(L)의 관계를 다음과 같이 나타낼 수 있다.

$$M - M_\odot = -2.5\log\frac{L}{L_\odot}$$

(3) **슈테판·볼츠만 법칙:** 흑체는 표면 온도가 높아질수록 모든 파장에서 더 많은 양의 에너지를 방출한다. 표면 온도 T인 흑체가 단위 시간 동안 단위 면적에서 방출하는 복사 에너지양 E의 관계는 다음과 같으며, 이를 슈테판·볼츠만 법칙이라고 한다.

$$E = \sigma T^4 \ (\text{슈테판·볼츠만 상수 } \sigma = 5.67\times10^{-8}\,\mathrm{W\cdot m^{-2}\cdot K^{-4}})$$

포그슨(Pogson, N. R., 1829~1891)
영국의 천문학자로, 한 별에 의한 빛의 영향력이 완전히 없어지는 망원경 렌즈 구경의 면적을 비교하여 별빛의 밝기 차이를 결정하였다.

별의 반지름을 R라고 하고, 별의 표면 온도를 T라고 하면, 별이 단위 시간 동안 단위 면적에서 방출하는 에너지(E)는 슈테판·볼츠만 법칙에 의해 σT^4이다. 그런데 별의 광도(L)는 별의 모든 표면으로부터 매초 방출되는 에너지의 총량이므로, σT^4에 별의 표면적($4\pi R^2$)을 곱한 값과 같다.

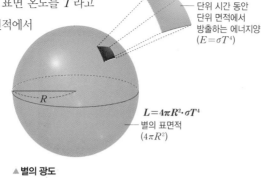

단위 시간 동안 단위 면적에서 방출하는 에너지양 ($E=\sigma T^4$)

$L=4\pi R^2\cdot\sigma T^4$
별의 표면적 ($4\pi R^2$)

▲ 별의 광도

$$L=4\pi R^2\cdot\sigma T^4$$

2. 별의 크기

별의 광도 L을 알고, 별의 표면 온도 T를 알면 별의 반지름 R를 구할 수 있다.

$$L=4\pi R^2\cdot\sigma T^4 \implies R=\frac{1}{2T^2}\sqrt{\frac{L}{\pi\sigma}}$$

시야확장 ➕ 별의 2차원 분광 분류(별의 표면 온도와 광도에 따른 분광 분류)

별의 분광형을 통한 분류 방법으로는 별의 특성을 정확하게 파악하기 어렵다. 표면 온도와 색이 같아 분광형이 같더라도 광도가 다르면 스펙트럼의 특징이 서로 다를 수 있기 때문이다. 그리하여 모건과 키넌은 별의 광도를 세분하여 표면 온도와 광도를 모두 고려하는 항성 분류법을 고안하였는데, 이 분류법을 M-K 분류법이라고 한다.

M-K 분류법에 따르면 별을 표면 온도(분광형)와 광도에 따라 I부터 VI까지 6개의 광도 계급으로 나눈다. 광도 계급은 광도를 기준으로 하지만 별의 반지름도 나타내는데, 광도 계급 I로 갈수록 반지름과 광도가 크고, 광도 계급 VI으로 갈수록 반지름과 광도가 작아진다. 초거성은 광도 계급이 I, 거성은 광도 계급 II와 III, 준거성은 광도 계급 IV, 주계열성은 광도 계급 V이며, 준왜성은 광도 계급 VI이다.

태양은 표면 온도가 약 5800 K인 주계열성에 속한다. 분광형에서 노란색을 띠며 표면 온도가 5800 K인 별은 G2이고, 주계열성은 광도 계급 V이다. 그러므로 태양은 G2V형에 해당한다.

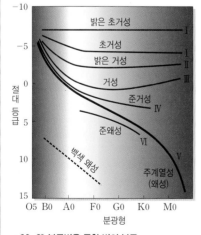

▲ M-K 분류법을 통한 별의 분류

광도 계급	반지름	별의 종류
I	크다	초거성
II		밝은 거성
III		거성
IV		준거성
V		주계열성 (왜성)
VI	작다	준왜성

별의 반지름 구하는 과정

별의 반지름은 $R\propto\dfrac{\sqrt{L}}{T^2}$이므로, 별의 반지름($R$)을 구하기 위해서는 별의 표면 온도($T$)와 광도($L$)를 알아야 한다.

• 별의 표면 온도: 별빛의 스펙트럼을 분석하여 분광형을 알아내면 표면 온도를 구할 수 있다.
• 별의 광도: 별의 절대 등급은 별까지의 거리와 겉보기 등급을 측정하여 구할 수 있고, 태양의 광도 $L_\odot=3.9\times10^{26}$ W이다. 그러므로 별의 절대 등급을 알아낸 후 태양의 절대 등급과 비교하면 태양에 대한 상대적 광도를 구할 수 있다.

슈테판·볼츠만 법칙을 이용하여 태양의 반지름 구하기

태양의 광도($L_\odot$)는 약 3.9×10^{26} W이고, 표면 온도($T_\odot$)는 약 5800 K이므로, 태양의 반지름($R_\odot$)은 다음과 같이 약 70만 km임을 알 수 있다.

$$\begin{aligned}R_\odot&=\frac{1}{2T_\odot{}^2}\sqrt{\frac{L_\odot}{\pi\sigma}}\\&=\frac{1}{2\times(5800)^2}\sqrt{\frac{3.9\times10^{26}}{\pi\times5.67\times10^{-8}}}\\&\fallingdotseq7\times10^5\text{ km}\end{aligned}$$

M-K 분류법(M-K classification)

1940년대에 미국 여키스 천문대의 모건(Morgan, W. W., 1906~1994)과 키넌(Keenan, P. C., 1908~2000), 켈먼(Kellman, E., 1911~2007)이 고안한 항성 분류법으로, 여키스 분류법(Yerkes spectral classification)이라고도 한다.

광도 계급

별의 광도 계급 I을 밝은 초거성 Ia와 초거성 Ib로 세분할 수 있다. 그리고 별의 광도 계급 VI을 준왜성(VI)과 백색 왜성(VII 또는 D)으로 구분하여 7개의 계급으로 구분하기도 한다.

4 H-R도와 별의 종류

별의 분광형과 절대 등급은 별의 대표적인 물리량이라고 할 수 있다. 따라서 두 물리량을 축으로 하는 H-R도를 작성하면 특성이 비슷한 종류로 별들을 구분할 수 있으며, 이들의 다양한 물리적 특성(표면 온도, 광도, 반지름 등)을 쉽게 파악할 수 있다.

1. H-R도

탐구 020쪽

약 33000개의 별들을 표면 온도와 절대 등급에 따라 배열한 도표로, 이 도표를 작성한 헤르츠스프룽과 러셀의 이름에서 첫 글자를 딴 것이다.

(1) **H-R도의 특징**: 별들은 H-R도의 특정 영역에서 집단을 이루며 분포하고, 왼쪽 아래에서 오른쪽 위로 갈수록 반지름이 커진다.

① H-R도의 가로축: 별의 표면 온도 또는 분광형이나 색지수로 나타내며, 왼쪽으로 갈수록 온도가 높아진다.

② H-R도의 세로축: 별의 절대 등급 또는 광도로 나타내며, 위로 갈수록 밝은 별이다.

(2) **H-R도의 역할**: H-R도를 통해 분광형이 알려진 별의 절대 등급을 추정할 수 있고, 겉보기 등급을 관측하여 별의 거리를 구할 수 있으며, 별의 물리적 성질뿐만 아니라 별의 진화 등을 연구하는 데도 중요한 역할을 한다.

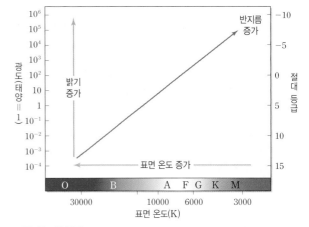

▲ H-R도의 특징

2. H-R도와 별의 종류

별들은 H-R도상에서 무질서하게 분포하는 것이 아니라 크게 4개의 영역으로 나누어 분포하고 있다. H-R도에서 4개의 영역에 분포하는 별들은 각각 주계열성, 거성(적색 거성), 초거성, 백색 왜성이다.

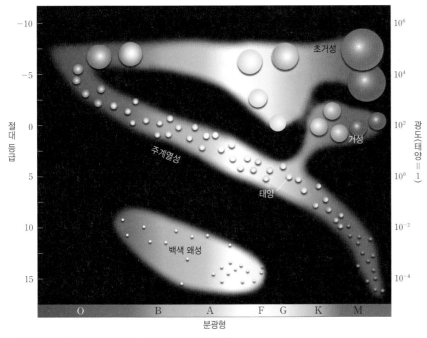

▲ H-R도와 별의 분류(별의 크기는 실제 비례와 맞지 않음.)

헤르츠스프룽(Hertzsprung, E., 1873~1967)

덴마크의 천문학자로, 별의 색, 절대 등급, 고유 운동, 시차, 변광성, 쌍성, 성단 등 광범위한 분야에 걸쳐 연구하였다. 특히 세페이드 변광성을 이용하여 마젤란은하까지의 거리를 결정하고, 별의 등급과 표면 온도 및 분광형과의 관계를 나타내는 헤르츠스프룽-러셀도(H-R도)를 작성하는 등 중요한 공헌을 하였다.

러셀(Russell, H. N., 1877~1957)

미국의 천문학자로, 1913년에 별의 분광형과 절대 등급 사이에 일정한 관계가 있음을 도표로 나타내었다. 이 관계는 이미 덴마크의 헤르츠스프룽에 의해 발견된 것이지만, 러셀도 독자적으로 알아내었기 때문에 헤르츠스프룽과 러셀이 정리한 도표를 헤르츠스프룽-러셀도, 줄여서 H-R도라고 한다. 러셀은 이 H-R도를 통하여 항성의 진화 단계를 추정하고, 천체 물리학의 기초를 마련하였다.

(1) **주계열성**: 별의 약 90 %가 H-R도의 왼쪽 위에서 오른쪽 아래로 향하며 이어지는 좁은 띠 영역에 분포하는데, 이 영역의 별들을 주계열성이라고 한다. 별은 일생의 약 90 %를 주계열성으로 보내며, 대표적인 주계열성으로는 태양, 시리우스 A 등이 있다.

① 주계열성의 에너지원: 주계열성의 에너지원은 수소 핵융합 반응으로 헬륨 원자핵을 만들 때 방출하는 에너지이다. 수소 핵융합 반응으로 별 내부의 압력이 커지면 밖으로 미는 힘이 작용하고, 이는 별이 중력 수축하는 힘과 평형을 이루어 별이 일정한 크기를 유지하게 한다.

② H-R도상에서 주계열성의 위치와 특징: 주계열성에 속하는 별들은 H-R도의 왼쪽 위에 분포할수록 표면 온도와 광도가 높고, 반지름과 질량이 크다. 반대로 별들이 H-R도의 오른쪽 아래에 분포할수록 표면 온도와 광도가 낮고, 반지름과 질량이 작다.

• 주계열성의 질량과 반지름 관계: 주계열성의 반지름 R와 질량 M은 대체로 $R \propto M^{0.8}$의 관계가 있다. 즉, 주계열성의 질량이 클수록 반지름이 크다.

• 주계열성의 질량과 광도 관계: 주계열성의 질량이 클수록 중심부의 온도가 높으므로 광도가 크다. 주계열성의 광도는 질량의 1.8제곱~4제곱에 비례한다.

• 주계열성의 질량과 수명 관계: 주계열성의 질량이 클수록 에너지를 많이 소모하므로 수명이 짧아진다.

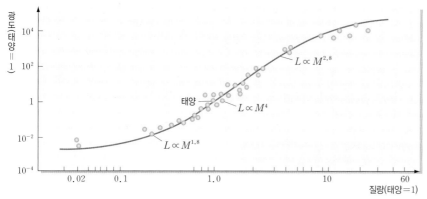

▲ **주계열성의 질량과 광도 관계** 주계열성의 광도는 질량에 비례한다.

분광형	O	B	A	F	G	K	M
표면 온도(K)	40000	20000	8500	6500	5800	4500	3200
반지름(태양=1)	10	5	1.7	1.3	1.0	0.8	0.3
질량(태양=1)	50	10	2.0	1.5	1.0	0.7	0.2
광도(태양=1)	100000	1000	20	4	1.0	0.2	0.01

▲ **주계열성의 물리량 비교**

(2) **적색 거성**: 주계열 단계 이후 별의 중심핵에서는 수소 핵융합이 더 이상 일어나지 못한다. 그러나 중심핵을 둘러싼 껍질에서 수소 핵융합 반응이 일어나면서 에너지가 방출되어 별의 겉 부분이 팽창하기 시작한다. 핵융합이 중단된 중심부의 헬륨 핵은 중력 수축하고, 별의 바깥 부분이 팽창하여 별의 크기가 커지면 표면 온도가 낮아져 붉은색을 띠는데, 이 단계의 별을 적색 거성이라고 한다. 적색 거성에 속하는 별은 전체 별 중에서 1 % 미만이며, 대표적인 적색 거성으로는 아르크투루스, 알데바란 A 등이 있다.

주계열성으로서의 태양
태양은 지구와 매우 가깝기 때문에 대단히 밝고 질량이 큰 별이라고 생각하기 쉽지만, 실제로는 표면 온도가 약 5800 K에 불과하므로 광도는 그리 크지 않다. 태양의 분광형은 G2이고, 겉보기 등급은 −26.7, 절대 등급은 4.80이다.

① H-R도상에서 적색 거성의 위치: 적색 거성은 H-R도에서 주계열의 오른쪽 위의 영역에 분포한다.

② 적색 거성의 표면 온도, 질량, 광도 관계: 적색 거성은 표면 온도가 낮아 붉은색으로 보이지만 광도는 매우 커서, 태양의 10배~1000배에 이른다. 표면 온도가 낮은 데도 광도가 큰 까닭은 반지름이 매우 크기 때문이다.

③ 적색 거성의 크기와 평균 밀도: 적색 거성의 반지름은 태양의 10배~100배에 이른다. 적색 거성은 질량에 비해 반지름이 매우 크기 때문에 주계열성보다 평균 밀도가 작다.

(3) **초거성**: 태양보다 수십 배 이상 무거운 별은 중심핵의 수소가 몇 백만 년 이내에 소진된다. 수소가 고갈되면 거성과 마찬가지로 별의 중심핵이 중력 수축하고 바깥 부분은 팽창하여 초거성이 된다. 대표적인 초거성에는 북극성, 리겔 A, 안타레스, 베텔게우스 등이 있다.

① H-R도상에서 초거성의 위치: 초거성은 H-R도에서 적색 거성보다 위쪽에 분포하며, 광도와 반지름이 적색 거성보다 크다.

② 초거성의 표면 온도, 질량, 광도 관계: 초거성의 광도는 태양의 수만 배 ~ 수십만 배에 이른다. 표면 온도는 낮으나 광도가 높은 것으로 보아 크기가 매우 크다는 것을 알 수 있다. 분광형은 B형인 청색 초거성부터 M형인 적색 초거성까지 있는데, 만약 광도가 비슷하다면 표면 온도는 청색 초거성이 더 높고, 반지름은 적색 초거성이 훨씬 크다.

③ 초거성의 크기와 평균 밀도: 초거성의 반지름은 주계열성의 300배~500배에 이르며, 1000배가 넘는 것도 있다. 질량에 비해 반지름이 매우 커서 적색 거성보다 평균 밀도가 작다.

별의 반지름과 평균 밀도 비교
- 별의 반지름: 백색 왜성 < 주계열성 < 적색 거성 < 초거성
- 별의 밀도: 백색 왜성 > 주계열성 > 적색 거성 > 초거성

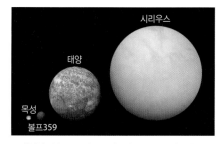

주계열성 볼프 359는 목성보다 조금 큰 정도의 주계열성이고, 시리우스는 태양보다 큰 주계열성이다.

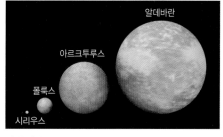

적색 거성 주계열성인 시리우스보다 크기가 훨씬 큰 폴룩스, 아르크투루스, 알데바란은 적색 거성이다.

초거성 리겔은 청색 초거성, 안타레스는 적색 초거성으로, 적색 거성 알데바란보다 크다.

▲ **주계열성, 적색 거성, 초거성의 크기 비교**

(4) **백색 왜성**: 백색 왜성은 크기가 지구 정도이며, 별의 대부분이 탄소(일부 산소)로 이루어져 있다. 표면 온도가 비교적 높아 흰색으로 보인다.

① H-R도상에서 백색 왜성의 위치: H-R도에서 주계열의 왼쪽 아래에 분포하며, 광도는 주계열성보다 작고 표면 온도는 주계열성보다 높다.

② 백색 왜성의 표면 온도, 질량, 광도 관계: 백색 왜성은 표면 온도가 약 10000 K으로 높으므로 백색으로 보이며, 분광형이 대부분 A형이다. 표면 온도에 비해 반지름이 작으므로 광도는 매우 작다.

③ 백색 왜성의 크기와 평균 밀도: 백색 왜성의 반지름은 태양 반지름의 약 $\frac{1}{100}$배로, 지구와 크기가 비슷하지만 질량은 태양과 비슷하다. 그러므로 백색 왜성의 평균 밀도는 태양의 약 100만 배에 이를 만큼 매우 크다.

백색 왜성과 태양, 지구와의 크기 비교
백색 왜성의 반지름은 지구와 비슷하며, 태양의 약 $\frac{1}{100}$배이다.

과정이 살아 있는 탐구

태양 주변의 별 자료를 이용하여 H–R도 작성하기

H–R도를 그리고, H–R도상에서 별을 분류하여 별의 물리적 특징을 해석할 수 있다.

과정

표는 별의 분광형과 절대 등급을 나타낸 것이다. 모눈종이의 가로축을 분광형으로 하고, 세로축을 절대 등급으로 하여 H–R도를 작성한 후 별들의 위치에 따라 몇 개의 집단으로 분류하고, 특징을 알아보자.

별 이름	절대 등급	분광형
① 데네브	−7.5	A2
② 리겔	−6.6	B8
③ 민타카	−5.4	O9
④ 카노푸스	−5.4	A9
⑤ 베텔게우스	−5.0	M2
⑥ 폴라리스(북극성)	−4.1	F7
⑦ 벨라트릭스	−2.8	B2
⑧ 카펠라	−0.8	G6
⑨ 레굴루스	−0.6	B7
⑩ 아르크투루스	−0.6	K2
⑪ 베가(직녀)	−0.6	A0

별 이름	절대 등급	분광형
⑫ 폴룩스	1.1	K0
⑬ 시리우스 A	1.5	A1
⑭ 알타이르(견우)	2.1	A7
⑮ 프로키온 A	2.8	F5
⑯ 미라	3.0	M7
⑰ 태양	4.8	G2
⑱ 센타우르스 B	6.2	K1
⑲ 백조자리 A	7.5	K5
⑳ 시리우스 B	11.3	A2
㉑ 프로키온 B	13.3	F5
㉒ 바너드	13.3	M4

유의점

- 가로축에서는 왼쪽으로 갈수록 표면 온도가 높은 분광형으로 나타낸다.
- 세로축에서는 위로 갈수록 별의 광도가 커지므로, 위로 갈수록 절대 등급이 작아지도록 나타낸다.

결과

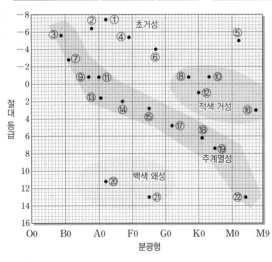

구분	표면 온도	광도	반지름
초거성	다양	매우 크다	매우 크다
적색 거성	낮다	크다	크다
주계열성	다양	다양	다양
백색 왜성	조금 높다	작다	매우 작다

정리

- 태양 주변의 별들 중에서 주계열성에 포함된 별이 가장 많다.
  ➡ 별은 일생의 대부분을 주계열 단계에서 보내기 때문에 H–R도에서 주계열성의 수가 가장 많다.
- 별의 반지름은 초거성 > 적색 거성 > 주계열성 > 백색 왜성 순이다. ➡ H–R도에서 오른쪽 위로 갈수록 별의 크기가 크다.

탐구 확인 문제

> 정답과 해설 **142**쪽

01 탐구에 대한 설명으로 옳은 것만을 보기에서 있는 대로 고르시오.

보기
ㄱ. H–R도에서 위로 갈수록 별이 방출하는 에너지양이 많다.
ㄴ. 초거성은 주계열성보다 반지름이 크다.
ㄷ. 적색 거성은 백색 왜성보다 표면 온도가 높다.

02 진화 과정에서 젊은 별들로 이루어진 어느 성단의 H–R도를 작성하였다.

(1) 이 성단의 H–R도에서 대부분의 별들이 위치하는 영역을 쓰시오.

(2) 이 성단의 H–R도에 나타나는 별들의 질량과 수명의 관계를 쓰시오.

01 별의 특성과 종류

① 별의 표면 온도와 색

1. **별의 표면 온도와 흑체 복사**   별은 흑체에 가까운 성질을 가지며, 이로부터 별의 온도나 광도 등을 추정할 수 있다.
   - (**❶**   ) 곡선: 흑체가 방출하는 복사 에너지의 파장에 따른 에너지 세기 분포 곡선으로, 흑체가 방출하는 복사 에너지의 세기는 표면 온도에 따라 달라진다.
   - 빈의 변위 법칙: 흑체가 최대 에너지를 방출하는 파장(λ_{max})은 흑체의 표면 온도(T)가 높을수록 (**❷**   ). ➡ $\lambda_{max} = \dfrac{a}{T}$ ($a = 2.898 \times 10^3 \, \mu m \cdot K$)
2. **별의 색**   별은 표면 온도가 높을수록 짧은 파장의 빛을 많이 방출하므로 (**❸**   )색을 띠고, 표면 온도가 낮을수록 긴 파장의 빛을 많이 방출하므로 (**❹**   )색을 띤다.
3. **색지수**   별의 색을 나타내는 척도로, 표면 온도가 (**❺**   ) 별은 색지수가 (−)를 나타내고 표면 온도가 (**❻**   ) 별은 색지수가 (+)를 나타낸다.

② 별의 분광형

1. **별빛의 스펙트럼**   별빛의 스펙트럼은 표면 온도에 따라 흡수선의 위치와 세기가 다르다.
2. **별의 분광형과 표면 온도**   스펙트럼 흡수선의 종류와 세기를 기준으로 O, B, A, F, G, K, M형으로 분류하며, 표면 온도는 (**❼**   )형(파란색)이 가장 높고, (**❽**   )형(붉은색)으로 갈수록 낮아진다.

③ 별의 광도와 크기

1. **별의 광도**   광도(L)는 별의 모든 표면에서 모든 방향으로 단위 시간 동안 방출하는 복사 에너지의 총량을 뜻한다.
   - 포그슨 공식: 두 별의 겉보기 등급 m_1, m_2와 겉보기 밝기 l_1, l_2 사이에는 $m_2 - m_1 = -2.5 \log \dfrac{l_2}{l_1}$의 관계가 성립하는데, 이를 포그슨 공식이라고 한다.
   - (**❾**   ) 법칙: 흑체는 표면 온도(T)가 높아질수록 모든 파장에서 더 많은 양의 에너지(E)를 방출한다. ➡ $E = \sigma T^4$ (슈테판·볼츠만 상수 $\sigma = 5.67 \times 10^{-8} \, W \cdot m^{-2} \cdot K^{-4}$)
2. **별의 크기**   별의 광도 L과 별의 표면 온도 T를 알면 별의 반지름 R는 $L = 4\pi R^2 \cdot \sigma T^4$의 관계를 이용하여 구할 수 있다.

④ H−R도와 별의 종류

1. **H−R도**   가로축을 (**❿**   )(또는 표면 온도), 세로축을 (**⓫**   )(또는 광도)으로 나타낸 도표이다.
2. **별의 종류**   H−R도의 별들을 크게 네 종류로 분류할 수 있다.
   - (**⓬**   ): H−R도의 왼쪽 위에서 오른쪽 아래로 이어지는 좁은 띠 영역에 분포하며, 별의 약 90 %가 여기에 속한다.

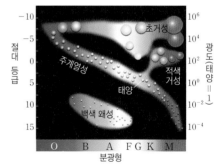

▲H−R도와 별의 종류

   - 적색 거성: H−R도에서 주계열의 오른쪽 위에 분포하는 별로, 표면 온도가 낮아 (**⓭**   )색이고 광도는 매우 크다.
   - (**⓮**   ): H−R도에서 적색 거성보다 위쪽에 분포하는 별로, 광도와 반지름이 적색 거성보다 대체로 크다.
   - (**⓯**   ): H−R도에서 주계열의 왼쪽 아래에 분포하는 별로, 표면 온도가 높아 백색으로 보이지만 광도는 매우 작다.

01 그림 (가)~(다)에 해당하는 스펙트럼의 종류를 각각 쓰시오.

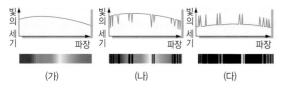

02 별의 분광형에 대한 설명으로 옳은 것만을 보기에서 있는 대로 고르시오.

> 보기
> ㄱ. 태양의 분광형은 G2 V형이다.
> ㄴ. 별의 표면 온도에 따라 스펙트럼에 나타난 흡수선의 위치와 세기가 다르다.
> ㄷ. 분광형이 O형인 별은 붉은색으로 보이고, M형으로 갈수록 파랗게 보인다.
> ㄹ. 분광형과 밀접한 관련이 있는 물리량은 별까지의 거리이다.

03 그림은 반지름이 R이고, 표면 온도가 T인 어느 별이 단위 시간 동안 단위 면적에서 방출하는 에너지양 E를 나타낸 것이다.

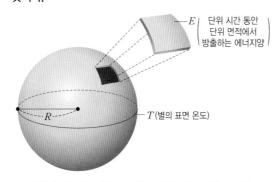

(1) 빈칸에 들어갈 값을 쓰시오. (단, σ는 상수이다.)

$$E = \sigma(\quad)$$

(2) 별이 단위 시간 동안 전체 표면에서 방출하는 에너지양 L을 구하시오.

(3) 별의 반지름 R를 L, T로 나타내시오.

04 다음은 별의 여러 가지 물리량을 나열한 것이다.

> (가) 질량   (나) 광도
> (다) 평균 밀도   (라) 분광형
> (마) 반지름   (바) 표면 온도
> (사) 절대 등급

(1) (가)~(사) 중 H-R도에서 가로축 물리량으로 적합한 것을 모두 쓰시오.

(2) (가)~(사) 중 H-R도에서 세로축 물리량으로 적합한 것을 모두 쓰시오.

05 그림은 태양 주변의 별들을 H-R도에 나타낸 것이다.

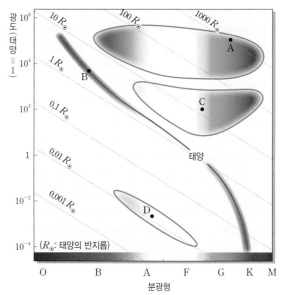

(1) A~D가 속해 있는 별의 종류를 각각 쓰시오.

(2) A~D를 표면 온도가 높은 것부터 순서대로 쓰시오.

(3) A~D를 절대 등급이 작은 것부터 순서대로 쓰시오.

01 ⟩ 플랑크 곡선과 슈테판·볼츠만 법칙

그림은 두 별 A, B가 단위 시간 동안 단위 면적에서 방출하는 에너지의 상대적인 세기를 파장에 따라 나타낸 것이다. 이에 대한 설명으로 옳은 것만을 보기에서 있는 대로 고른 것은? (단, A와 B의 절대 등급은 같다.)

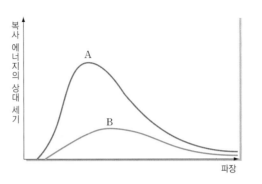

• 별은 표면 온도에 따라 각 파장에서 방출하는 복사 에너지양이 다르고, 그에 따라 별의 색도 달라진다. 표면 온도가 높은 별일수록 최대 에너지를 방출하는 파장이 짧아져 파란색으로 보인다.

보기
ㄱ. 표면 온도는 A가 B보다 높다.
ㄴ. 광도는 A와 B가 같다.
ㄷ. 반지름은 A가 B보다 크다.

① ㄱ   ② ㄷ   ③ ㄱ, ㄴ   ④ ㄴ, ㄷ   ⑤ ㄱ, ㄴ, ㄷ

02 ⟩ 별의 분광형

표는 별 (가)~(라)의 분광형과 스펙트럼을 나타낸 것이다.

별	분광형	스펙트럼
(가)	A	
(나)	B	
(다)	G	
(라)	M	

이에 대한 설명으로 옳은 것만을 보기에서 있는 대로 고른 것은?

• 별의 분광형은 별빛의 스펙트럼 흡수선을 비교하여 O, B, A, F, G, K, M의 순서로 나타낸 것이다. 별의 표면 온도는 O형이 가장 높고, M형으로 갈수록 낮아진다.

보기
ㄱ. (가)는 붉은색으로 보인다.
ㄴ. 별의 표면 온도는 (나)가 가장 높다.
ㄷ. 태양의 스펙트럼은 (다)보다 (라)와 비슷할 것이다.

① ㄱ   ② ㄴ   ③ ㄱ, ㄴ   ④ ㄱ, ㄷ   ⑤ ㄴ, ㄷ

고난도

03 ⟩ 분광형과 스펙트럼 흡수선의 상대적 세기

그림은 별의 분광형에 따른 스펙트럼 흡수선의 상대적인 세기를 나타낸 것이다.

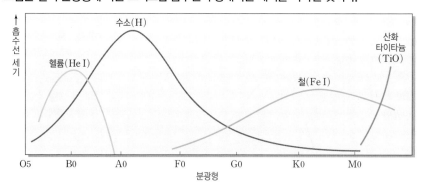

이에 대한 설명으로 옳은 것만을 보기에서 있는 대로 고른 것은?

> 보기

ㄱ. 별의 스펙트럼 흡수선들은 별의 중심부에서 특정한 파장의 빛이 흡수되기 때문에 나타난다.

ㄴ. 파란색 별일수록 분자 흡수선이 잘 나타난다.

ㄷ. 태양 스펙트럼에서는 철 흡수선이 수소 흡수선보다 강하게 나타난다.

① ㄱ   ② ㄷ   ③ ㄱ, ㄴ   ④ ㄴ, ㄷ   ⑤ ㄱ, ㄴ, ㄷ

• 표면 온도가 높은 O형 별과 B형 별의 스펙트럼에서는 헬륨 흡수선이 강하고, A형 별에서는 수소 흡수선이 강하다. 표면 온도가 낮은 M형 별에서는 산화 타이타늄 흡수선이 강하게 나타난다.

04 ⟩ 파장에 따른 에너지 세기 분포

그림은 두 별 ㉠과 ㉡의 파장에 따른 에너지의 상대 세기와 U, B, V 필터를 투과하는 파장 영역을 나타낸 것이다.

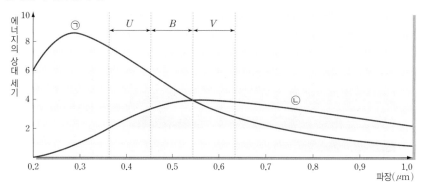

이에 대한 설명으로 옳은 것만을 보기에서 있는 대로 고른 것은?

> 보기

ㄱ. ㉠은 ㉡보다 표면 온도가 높다.

ㄴ. ㉠은 U 등급이 B 등급보다 작다.

ㄷ. ㉡의 색지수 $(B-V)$는 $(+)$값을 나타낸다.

① ㄱ   ② ㄷ   ③ ㄱ, ㄴ   ④ ㄴ, ㄷ   ⑤ ㄱ, ㄴ, ㄷ

• U, B, V 필터를 통과한 빛을 이용하여 정한 별의 겉보기 등급을 각각 U 등급, B 등급, V 등급이라고 하며, 두 등급의 차, 즉 $(U-B)$ 또는 $(B-V)$를 색지수라고 한다.

05 〉표면 온도와 광도에 따른 분광 분류

다음은 분광형과 절대 등급에 따라 별들을 6개의 계급으로 구분하는 **M−K 분류법**을 나타낸 것이다.

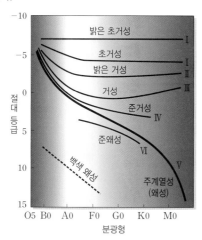

광도 계급	별의 종류
Ⅰ	초거성
Ⅱ	밝은 거성
Ⅲ	거성
Ⅳ	준거성
Ⅴ	주계열성
Ⅵ	준왜성

• 별은 표면 온도뿐만 아니라 광도에 따라서도 스펙트럼에 차이가 나타난다. 1940년대에 모건과 키넌은 표면 온도와 광도를 모두 고려하여 별들을 2차원적으로 분류한 M−K 분류법을 고안하였다.

이에 대한 설명으로 옳은 것만을 보기에서 있는 대로 고른 것은?

> **보기**
> ㄱ. 별의 표면 온도가 같아도 광도에 따라 스펙트럼의 특징이 다르게 나타난다.
> ㄴ. 광도 계급 Ⅰ형에서 Ⅵ형으로 갈수록 별의 반지름이 커진다.
> ㄷ. M−K 분류법에 따르면 태양은 G2V형에 속한다.

① ㄱ   ② ㄴ   ③ ㄱ, ㄴ   ④ ㄱ, ㄷ   ⑤ ㄴ, ㄷ

06 〉별의 물리량

표는 별 (가)~(다)의 물리량을 나타낸 것이다.

별	절대 등급	분광형	질량(태양=1)
(가)	( )	B3	15.0
(나)	5.0	G2	1.0
(다)	10.0	A0	( )

• 절대 등급이 작은 별일수록 광도가 크며, 별의 반지름은 광도와 표면 온도로부터 구할 수 있다.

이에 대한 설명으로 옳은 것만을 보기에서 있는 대로 고른 것은?

> **보기**
> ㄱ. 절대 등급은 (가)가 (나)보다 작다.
> ㄴ. 단위 면적에서 단위 시간 동안 방출하는 에너지양은 (나)가 (다)보다 많다.
> ㄷ. 반지름은 (다)가 가장 작다.

① ㄱ   ② ㄴ   ③ ㄷ   ④ ㄱ, ㄷ   ⑤ ㄴ, ㄷ

07 〉별의 물리량 비교
그림은 오리온자리를, 표는 이 별자리를 구성하는 별 (가)~(라)의 특징을 나타낸 것이다.

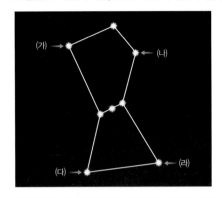

별	절대 등급	분광형
(가)	−5.1	M2
(나)	−2.7	B2
(다)	−4.7	B0
(라)	−6.7	B8

이에 대한 설명으로 옳은 것만을 보기에서 있는 대로 고른 것은?

보기
ㄱ. H−R도에서 가장 아래쪽에 위치한 별은 (나)이다.
ㄴ. 최대 에너지를 방출하는 파장(λ_{max})은 (다)가 가장 길다.
ㄷ. 별의 반지름은 (가)가 (다)보다 작다.

① ㄱ   ② ㄴ   ③ ㄱ, ㄷ   ④ ㄴ, ㄷ   ⑤ ㄱ, ㄴ, ㄷ

• 별의 표면 온도(분광형)와 광도 사이의 관계를 나타낸 그래프를 H−R도라고 한다. H−R도에서 왼쪽으로 갈수록 표면 온도가 높고, 위쪽으로 갈수록 광도가 커진다.

08 〉별의 종류와 특징
그림은 H−R도에 별 X, Y와 태양의 위치를 나타낸 것이다.
이에 대한 설명으로 옳은 것만을 보기에서 있는 대로 고른 것은?

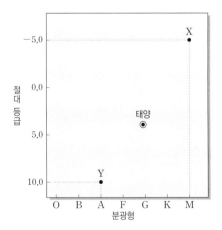

• H−R도에서 왼쪽 위부터 오른쪽 아래까지 띠처럼 이어진 영역의 별들을 주계열성이라고 한다. 주계열성의 오른쪽 위에 적색 거성과 초거성이 분포하고, 왼쪽 아래에 백색 왜성이 분포한다.

보기
ㄱ. X는 주계열성이다.
ㄴ. Y는 태양보다 표면 온도가 높다.
ㄷ. 별의 밀도는 X>태양>Y 순이다.

① ㄱ   ② ㄴ   ③ ㄱ, ㄷ   ④ ㄴ, ㄷ   ⑤ ㄱ, ㄴ, ㄷ

그림 (가)는 주계열성의 질량–광도 관계를, (나)는 주계열성의 색지수와 절대 등급을 나타낸 것이다.

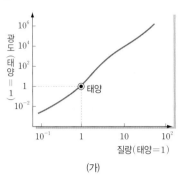

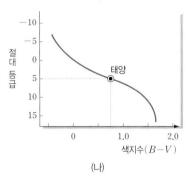

(가)   (나)

주계열성에 대한 설명으로 옳은 것만을 보기에서 있는 대로 고른 것은?

> 보기

ㄱ. 질량이 클수록 별이 방출하는 에너지양이 많다.

ㄴ. 표면 온도가 높을수록 절대 등급이 작다.

ㄷ. 색지수가 클수록 반지름이 크다.

① ㄱ   ② ㄷ   ③ ㄱ, ㄴ   ④ ㄴ, ㄷ   ⑤ ㄱ, ㄴ, ㄷ

10 > H–R도와 별의 종류

그림은 태양 주변의 별들을 H–R도에 나타낸 것이다.
이에 대한 설명으로 옳은 것만을 보기에서 있는 대로 고른 것은?

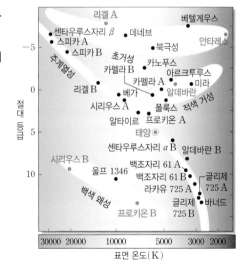

> 보기

ㄱ. 태양 주변의 별들은 주계열성이 가장 많다.

ㄴ. 리겔 A는 태양보다 광도가 작다.

ㄷ. 반지름은 알데바란 A가 안타레스보다 크다.

ㄹ. 색지수는 시리우스 B가 프로키온 B보다 작다.

① ㄱ, ㄴ   ② ㄱ, ㄹ   ③ ㄷ, ㄹ   ④ ㄱ, ㄴ, ㄷ   ⑤ ㄴ, ㄷ, ㄹ

• H–R도에서 왼쪽 위부터 대각선 방향으로 오른쪽 아래까지 띠처럼 이어진 영역에 별의 80 % ~ 90 % 가 분포하는데, 이 별들을 주계열성이라고 한다. 태양은 주계열성에 속한다.

• 별의 종류는 크게 주계열성, 적색 거성, 초거성, 백색 왜성으로 구분할 수 있다.

02 별의 진화와 에너지원

학습 Point 　별의 탄생과 진화 　〉　별의 에너지원과 내부 구조

 ## 1 별의 탄생과 진화

　별은 성운에서 탄생하고, 수명을 다하면 다시 성운으로 돌아간다. 태양 역시 보통의 별처럼 성운에서 태어났고, 먼 미래에 다시 성운으로 돌아갈 것이다.

1. 원시별 단계

밀도가 높고 온도가 낮은 성운은 주로 분자 상태의 수소로 구성된다. 원시별은 이러한 성운에서 중력 수축이 일어나 만들어지며, 중력 수축이 계속 진행됨에 따라 주계열성이 된다.

(1) **원시별의 탄생 조건:** 성간 물질이 비교적 밀집되어 구름처럼 보이는 성운에서 탄생한다. 특히 온도가 낮고, 어둡게 보이는 저온 고밀도의 암흑 성운은 중력 수축하여 원시별이 탄생하기에 좋은 조건을 가지고 있다.

▲ 원시별이 탄생하는 암흑 성운(독수리 성운)

(2) **원시별의 탄생과 성장:** 저온 고밀도의 성운에서 물질들이 중력에 의해 수축하여 원시별이 된다. 원시별에서는 중력 수축이 계속되어 크기가 줄어들고, 중심부의 온도가 상승한다.

① **원시별의 반지름 변화:** 중력 수축이 일어나는 동안 원시별의 내부에서 기체 압력에 따라 밖으로 밀어내는 힘보다 자체 중력이 더 커서 반지름이 계속 작아진다.

② **원시별의 질량과 성장:** 원시별의 질량이 클수록 중력 수축이 빠르게 일어나 주계열에 빨리 도달하며, 주계열의 왼쪽 상단에 위치한다. 질량이 태양의 약 0.08배보다 작은 원시별은 중심부의 온도가 핵융합 반응을 할 수 있을 만큼 높아질 수 없기 때문에 주계열성이 될 수 없다.

원시별

성운 내부에 위치한 지름 약 10000 AU의 어둡고 둥근 천체를 구상체라고 한다. 가스와 먼지의 집합체인 구상체가 계속 수축하여 원시별이 된다고 알려져 있다. 원시별이 중력 수축하면 내부 온도가 점차 상승한다. 별이 원시별 단계에 머무는 시간은 비교적 짧기 때문에 H-R도에서 원시별은 많이 나타나지 않는다.

원시별이 탄생하는 곳

허블 우주 망원경으로 독수리 성운을 촬영한 사진을 보면, 성운 내부에서 별이 만들어지고 있음을 알 수 있다. 아래 그림의 작고 어두운 부분(동그라미 표시)에서 고밀도의 구상체를 발견했으며, 이것을 '증발하는 기체 구상체(Evaporating Gaseous Globules, EGG)'라고 한다. 이 EGG의 내부에서 원시별이 만들어지고 있다.

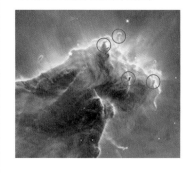

- 질량이 매우 큰 원시별: 광도는 비교적 유지되고, 표면 온도는 크게 상승하여 주계열 왼쪽 상단에 도달한다.
- 질량이 태양 정도인 원시별: 처음에는 광도가 크게 감소하고, 나중에 표면 온도가 상승하여 주계열에 도달한다.
- 태양 질량의 약 0.1배인 원시별: 광도가 크게 감소하고, 표면 온도는 약간 상승하는 경로로 주계열 오른쪽 하단에 도달한다.

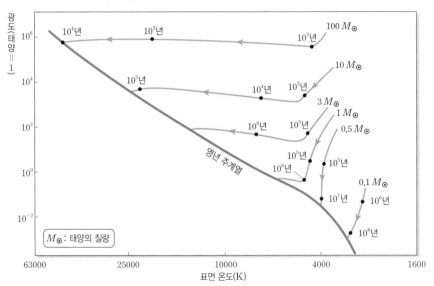

▲ 질량에 따른 원시별의 진화 경로

전주계열(前主系列) 단계
별이 주계열 단계에 들어가기 전의 단계로, 이 시기는 성운이 중력 수축을 시작한 후 원시별 내부의 수소가 본격적으로 핵융합을 시작하기 전까지에 해당한다. 전주계열 단계에서 원시별은 서서히 빛을 내기 시작한다.

태양 질량의 약 0.08배 이하인 원시별의 진화
모든 원시별이 주계열에 이르는 것은 아니다. 태양 질량의 약 0.08배보다 작은 원시별들은 중심부의 온도가 핵반응을 일으킬 수 있는 약 1000만 K만큼 높아지지 않는다. 이러한 원시별들은 오랫동안 수축을 계속하고, 결국은 평균 밀도가 매우 높은 갈색 왜성이 되어 점차 식어가면서 수명을 다한다.

영년 주계열
원시별이 전주계열 단계를 지나 주계열에 막 진입한 단계로, 이때부터 별의 나이를 세기 시작한다.

2. 주계열 단계

중심부에서 수소 핵융합 반응이 일어나는 별을 주계열성이라고 한다. 대부분의 원시별의 중심부 온도가 약 1000만 K에 도달하면 중심부에서 수소 핵융합 반응이 시작되어 주계열성이 된다. 별은 이 단계에서 일생의 약 90 %를 머무른다. 그러므로 관측되는 별 중에는 주계열성이 가장 많다. 주계열성의 중심부에서 수소 핵융합 반응이 매우 안정적으로 일어나므로, 내부 기체가 밖으로 미는 힘과 중력이 평형을 이루어 별의 크기가 일정하게 유지된다.

(1) **주계열성의 질량과 광도:** 질량이 큰 주계열성일수록 중심부의 온도가 높고 수소 핵융합 반응에 의해 생성되는 에너지양이 많으므로 표면 온도가 높고 광도가 크다. H – R도에서 왼쪽 위에 위치할수록 질량이 크다.

(2) **주계열성의 수명:** 별은 일생의 대부분을 주계열 단계에 머물기 때문에 주계열 기간이 별의 수명을 결정한다. 질량이 큰 별일수록 중심부에서 수소 핵융합 반응의 연소 효율이 높으므로 연료인 수소를 빨리 소모한다. 따라서 질량이 큰 별은 질량이 작은 별에 비해 수명이 짧다.

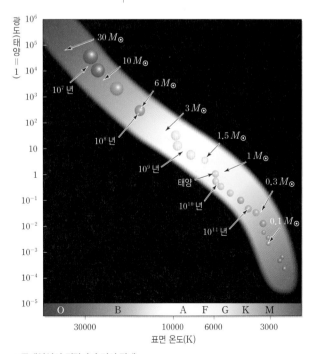

▲ 주계열성의 질량과 수명의 관계

3. 거성 단계

별의 중심핵에서 수소 연료가 고갈되면 중력과 평형을 이루고 있던 내부 기체의 압력이 줄어들기 때문에 별의 중심부는 수축하고, 이 과정에서 열에너지가 발생하여 중심부 바로 바깥에 있는 층에서 수소 핵융합 반응을 시작한다. 그 결과 별의 겉 부분이 팽창하면서 크기가 커지는 거성 단계에 이른다. 이 단계에서 H–R도상의 진화 경로는 별의 질량에 따라 달라진다.

(1) 태양과 질량이 비슷한 별

① 적색 거성: 별의 중심부에서 수소 핵융합 반응이 끝나고 헬륨으로 이루어진 중심핵이 수축하기 시작한다. 이 과정에서 발생한 열에너지가 바깥으로 전달되어 중심핵을 둘러싼 외곽 수소층의 온도가 크게 상승하면 외곽 수소층에서 수소 핵융합 반응이 빠르게 진행된다. 그 결과 별이 급속도로 팽창하여 광도가 증가하고 표면 온도가 낮은 적색 거성이 된다.

② 헬륨 핵융합 적색 거성(헬륨 중심핵 핵융합 별): 적색 거성의 중심핵이 수축하여 온도가 약 1억 K에 이르게 되면 헬륨 핵융합 반응이 일어나서 탄소가 생성되며 에너지를 방출한다. 이 과정에서 중심핵이 팽창하며 수소 핵융합이 일어나고 있는 외곽 수소층을 바깥쪽으로 밀어내므로, 그 온도와 수소 핵융합률이 낮아지며 별의 바깥층이 수축한다. 이때 별의 크기와 광도는 적색 거성일 때에 비하여 줄어들게 된다. 이러한 별을 헬륨 핵융합 적색 거성이라고 한다.

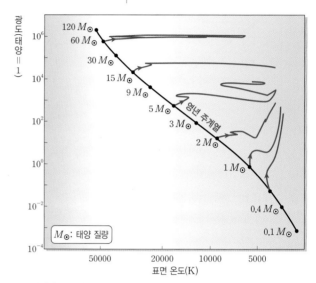

▲ 주계열성에서 거성으로의 진화

(2) 태양보다 질량이 큰 별

질량이 매우 큰 별은 거성 단계에서 반지름과 광도가 적색 거성보다 훨씬 큰 초거성이 된다. 초거성 중심부의 온도는 적색 거성보다 높기 때문에 헬륨보다 무거운 원소들의 핵융합 반응이 일어난다. 중심부로 갈수록 탄소와 산소, 네온, 마그네슘, 규소가 만들어지며, 최종적으로 철까지 생성되어 중심부로 갈수록 무거운 원소로 이루어진 여러 겹의 양파 껍질과 같은 구조가 된다.

철로 이루어진 핵이 더 이상 핵융합하지 않는 까닭

별 중심에서 최종적으로 만들어지는 원소는 철이다. 철 원자핵은 다른 원자핵에 비해 안정하기 때문에 철의 핵융합 반응이 일어나려면 에너지를 흡수하여 더 불안정한 원자핵이 되어야 한다.

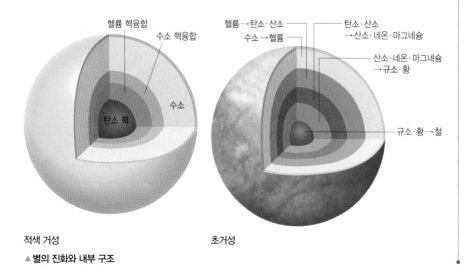

적색 거성

초거성

▲ 별의 진화와 내부 구조

4. 최종 단계

별이 거성 단계의 마지막 시기에 가까워지면 매우 불안정한 상태가 되며, 질량에 따라 별의 최후를 맞이한다.

(1) 태양과 질량이 비슷한 별

① 행성상 성운: 적색 거성의 마지막 단계에 이른 별은 크기가 매우 커서 표면 중력이 작으므로 바깥층을 이루는 물질을 공간으로 방출한다. 이러한 물질이 모여 별의 외곽에서 행성상 성운을 이룬다. 중심부의 별은 성운의 기체를 이온화시켜 성운이 밝게 빛나게 한다.

② 백색 왜성: 행성상 성운의 중심부가 계속 수축하여 만들어진 별로, 헬륨 핵융합으로 생성된 탄소 핵은 질량이 크지 않기 때문에 중심부에서 더 이상 핵융합이 일어나지 않는다. 탄소로 이루어진 중심핵은 계속 수축하여 밀도가 매우 높으며, 중력 수축으로 생성되는 에너지를 서서히 방출하면서 수축한다. 질량이 작은 별의 진화 마지막 단계에서 나타난다.

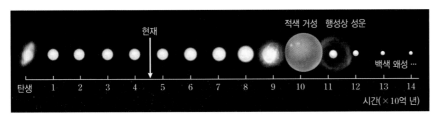

▲ **태양의 진화와 최후**   태양의 수명은 약 100억 년으로 예상하는데, 태양계가 형성된 지 약 45억 년이 지났으므로 앞으로 태양은 대략 50억 년 후에 중심핵의 수소를 모두 소비하고 주계열을 떠나 적색 거성으로 진화할 것이다. 그후 행성상 성운을 형성하고 백색 왜성으로 일생을 마감할 것으로 예상한다. (그림의 크기는 실제 비율과 맞지 않음.)

(2) 태양보다 질량이 큰 별

① 초신성 폭발: 중심핵의 질량이 태양 질량의 약 1.4배 이상인 별은 중심부에서 철이 생성되면 더 이상 핵융합 반응이 일어나지 못하여 급격하게 수축하며 폭발한다. 이를 초신성 폭발이라고 한다. 초신성 폭발이 일어날 때는 매우 짧은 시간 동안 막대한 양의 에너지가 발생한다.

② 중성자별과 블랙홀: 초신성 폭발이 일어나면 별의 외곽층은 우주 공간으로 흩어지고, 중심부는 심하게 수축하여 중성자별 또는 블랙홀을 만든다.

• 중성자별: 태양 질량의 약 1.4배~약 3배인 중심핵이 수십 km 정도의 크기로 수축하여 만들어진다. 대부분이 중성자로 이루어져 있으며, 매우 빠르게 자전한다.

• 블랙홀: 태양 질량의 약 3배 이상인 중심핵이 중성자별보다 심하게 수축하면 빛도 빠져 나갈 수 없는 블랙홀이 만들어진다.

▲ **초신성(SN 1987A) 폭발 전과 후**   초신성이 폭발할 때 방출되는 에너지양은 태양이 100억 년 동안 방출하는 총 에너지의 100배 이상이다.

▲ **초신성의 잔해(게성운)**   황소자리 방향에 있는 초신성의 잔해로, 성운 중심에는 지름 약 30 km의 중성자별이 있다.

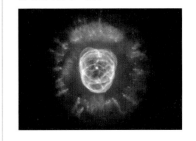

2 별의 에너지원과 내부 구조

아인슈타인의 질량-에너지 등가 원리가 알려지기 전까지 태양 에너지의 근원은 수수께끼였다. 오늘날에는 태양 내부에서 일어나는 핵융합 반응으로 에너지가 생성된다는 것이 알려졌지만, 19세기까지만 하더라도 태양이 불타오르는 거대한 석탄 덩어리라고 생각하기도 하였다.

1. 별의 에너지원

별이 막대한 에너지를 생성하는 과정은 원시별, 주계열성, 거성 등 별의 진화 단계에 따라 다르다.

(1) **원시별의 에너지원:** 성간 물질이 중력에 의해 수축되어 원시별이 만들어지는 과정에서 위치 에너지가 감소하며 에너지가 방출되는데, 이를 중력 수축 에너지라고 한다. 중력 수축 에너지의 일부는 복사 에너지로 방출되고, 그 나머지가 원시별 내부의 온도를 높이는 데 사용된다. 중력 수축 에너지는 성운이 수축하여 별이 만들어지는 초기 단계에서는 별의 중요한 에너지원으로 사용되고, 별의 중심부에서 핵융합 반응이 일어날 수 있도록 온도를 높이는 역할을 한다.

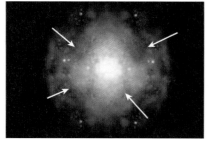

성운 수축

원시별 형성

원시별 내부의 온도와 밀도 상승

▲ **원시별이 만들어지는 과정**

(2) **주계열성의 에너지원:** 온도가 1000만 K 이상인 주계열성의 중심부에서는 수소 핵융합 반응이 일어난다. 이 반응에서 헬륨 원자핵 1개의 질량은 수소 원자핵 4개의 질량을 합한 것보다 약 0.7 % 작아 질량 결손이 발생하는데, 아인슈타인의 질량-에너지 등가 원리에 따라 줄어든 질량이 에너지로 전환된다.

핵융합 에너지
원자핵이 합쳐지는 과정에서 감소한 질량이 에너지로 변환되면서 방출되는 에너지를 핵융합 에너지라고 한다. 핵융합 반응은 수소 핵융합 반응에서 시작하여 여러 단계의 핵융합 반응을 차례로 거치면서 H → He → C → O → Ne → ⋯ → Fe과 같이 점점 무거운 원소를 만들어낸다. 그런데 별은 질량에 따라 중심부의 온도가 다르기 때문에 핵융합 반응이 어디까지 진행될 것인지는 별의 질량에 따라 결정된다.

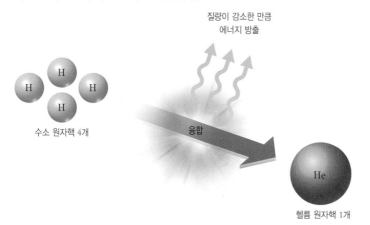

질량이 감소한 만큼
에너지 방출

수소 원자핵 4개

융합

He

헬륨 원자핵 1개

▲ **수소 핵융합 반응** 수소 원자핵 4개가 융합하여 헬륨 원자핵 1개를 생성한다. 이때 질량-에너지 등가 원리 $E=\Delta mc^2$에 따라 질량 감소량만큼 에너지가 발생한다.

① 수소 핵융합 반응의 종류: 주계열성 중심핵에서 일어나는 수소 핵융합 반응에는 중심부의 온도에 따라 양성자−양성자 반응과 탄소·질소·산소 순환 반응이 있다.

• 양성자−양성자 반응(P−P 반응): P−P 반응에서는 양성자와 양성자가 직접 충돌하여 헬륨 원자핵을 만든다. 즉, 6개의 수소 원자핵이 차례로 반응하여 1개의 헬륨 원자핵과 2개의 수소 원자핵을 생성한다. 질량이 태양의 약 2배보다 작아서 중심부 온도가 1800만 K보다 낮은 별에서 우세하게 일어난다.

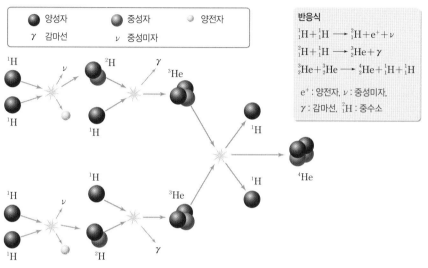

반응식

$$^{1}_{1}H + ^{1}_{1}H \longrightarrow ^{2}_{1}H + e^+ + \nu$$
$$^{2}_{1}H + ^{1}_{1}H \longrightarrow ^{3}_{2}He + \gamma$$
$$^{3}_{2}He + ^{3}_{2}He \longrightarrow ^{4}_{2}He + ^{1}_{1}H + ^{1}_{1}H$$

e^+ : 양전자, ν : 중성미자,
γ : 감마선, $^{2}_{1}H$: 중수소

▲ 양성자−양성자 반응(P−P 반응)

• 탄소·질소·산소 순환 반응(CNO 순환 반응) : 4개의 수소 원자핵이 1개의 헬륨 원자핵을 만드는 과정에서 탄소 핵, 질소 핵, 산소 핵이 참여하는 반응으로, 질량이 태양의 약 2배보다 커서 중심부 온도가 1800만 K보다 높은 별에서 우세하게 일어난다. 이때 탄소, 질소, 산소는 촉매 역할을 한다.

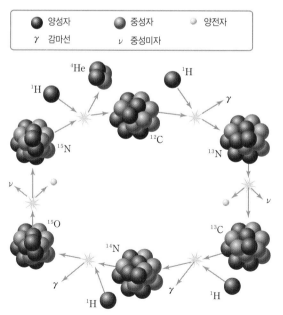

반응식

$$^{12}_{6}C + ^{1}_{1}H \longrightarrow ^{13}_{7}N + \gamma$$
$$^{13}_{7}N \longrightarrow ^{13}_{6}C + e^+ + \nu$$
$$^{13}_{6}C + ^{1}_{1}H \longrightarrow ^{14}_{7}N + \gamma$$
$$^{14}_{7}N + ^{1}_{1}H \longrightarrow ^{15}_{8}O + \gamma$$
$$^{15}_{8}O \longrightarrow ^{15}_{7}N + e^+ + \nu$$
$$^{15}_{7}N + ^{1}_{1}H \longrightarrow ^{12}_{6}C + ^{4}_{2}He$$

▲ 탄소·질소·산소 순환 반응(CNO 순환 반응)

P−P 반응과 CNO 순환 반응의 비교
CNO 순환 반응에서 탄소 원자핵, 질소 원자핵, 산소 원자핵은 촉매 역할을 할 뿐이므로 반응에 의해 최종적으로 생성되는 원자핵의 종류는 P−P 반응과 동일하다.

별 중심부의 온도와 수소 핵융합 반응의 효율
H−R도에서 태양 질량의 2배 이하인 주계열 하단부의 별은 중심부 온도가 1800만 K 이하로, P−P 반응이 우세하고, H−R도에서 태양 질량의 2배 이상인 주계열 상단부의 별은 중심부 온도가 1800만 K 이상으로, CNO 순환 반응이 우세하게 일어난다. 태양의 경우 중심부 온도가 대략 1500만 K이므로 P−P 반응이 더 우세하게 일어난다.

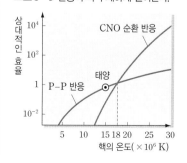

② 태양의 수소 핵융합 반응과 태양의 수명: 태양은 전체 질량 중 수소와 헬륨이 약 98 %를 차지하고 있다. 중심부의 온도는 약 1500만 K이며, 질량은 약 2×10^{30} kg이다. 태양 전체 질량의 10 % 미만을 차지하는 중심핵에서만 수소 핵융합 반응이 일어날 수 있다.

• 태양 중심부의 수소 핵융합과 질량 결손: 수소 원자핵 4개의 질량은 $4 \times (1.6864 \times 10^{-27})$ kg $= 6.7456 \times 10^{-27}$ kg이고, 헬륨 원자핵 1개의 질량은 약 6.6954×10^{-27} kg이다. 따라서 수소 핵융합 과정의 질량 결손 $\Delta m = (6.7456 - 6.6954) \times 10^{-27} = 5.02 \times 10^{-29}$ kg이고, 수소 원자핵 질량에 대한 질량 결손 비율은 $\dfrac{\Delta m}{m} = \dfrac{5.02 \times 10^{-29}}{6.7456 \times 10^{-27}} \fallingdotseq 0.0074 \fallingdotseq 0.7 \%$이다.

• 태양의 광도와 태양의 수명: 태양의 질량은 약 2×10^{30} kg이고, 이 중 수소 핵융합에 참여할 수 있는 중심핵의 질량은 태양 전체 질량의 약 10 %에 이른다. 따라서 태양의 중심핵에서 수소 핵융합으로 생성 가능한 에너지양($E_\odot$)은 다음과 같다.

$$E_\odot = \Delta m c^2 = (2 \times 10^{30} \text{ kg}) \times 0.1 \times 0.007 \times (3 \times 10^8 \text{ m/s})^2 = 1.26 \times 10^{44} \text{ J}$$

• 태양의 수명: 현재 태양의 광도($L_\odot$) 3.9×10^{26} W를 지속적으로 유지한다면 태양이 에너지를 방출할 수 있는 지속 시간, 즉 태양의 수명(t)은 다음과 같다.

$$t = \frac{E_\odot}{L_\odot} = \frac{1.26 \times 10^{44}}{3.9 \times 10^{26}} \fallingdotseq 3.23 \times 10^{17} \text{(s)} \fallingdotseq 1.0 \times 10^{10} \text{(년)}$$

그러므로 태양은 약 100억 년 동안 현재의 광도를 유지할 수 있다. 태양의 현재 나이가 약 50억 년이므로, 앞으로 태양은 주계열 단계에서 약 50억 년 동안 현재와 같은 에너지를 방출할 수 있다.

(3) **거성의 에너지원:** 질량이 태양과 비슷한 적색 거성의 경우, 헬륨 핵융합 반응까지 일어날 수 있다. 적색 거성보다 질량이 훨씬 큰 초거성은 중심부의 온도가 더 높기 때문에 계속적인 핵융합 반응에 의해 네온, 마그네슘, 규소, 철까지 만들어진다.

① **헬륨 핵융합 반응:** 중심부의 온도가 1억 K 이상이 되면 헬륨 핵융합 반응이 시작된다. 두 개의 헬륨 원자핵이 핵융합을 하여 베릴륨(Be) 원자핵을 만든다. 베릴륨 원자핵은 매우 불안정하여 다시 헬륨 원자핵으로 분열되는데, 분열되기 전에 헬륨 원자핵과 핵융합을 하여 탄소 원자핵을 만든다.

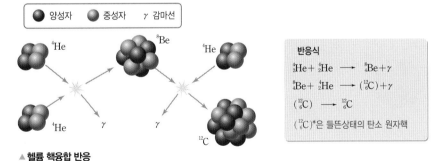

반응식

$${}^{4}_{2}\text{He} + {}^{4}_{2}\text{He} \longrightarrow {}^{8}_{4}\text{Be} + \gamma$$
$${}^{8}_{4}\text{Be} + {}^{4}_{2}\text{He} \longrightarrow ({}^{12}_{6}\text{C})^* + \gamma$$
$$({}^{12}_{6}\text{C})^* \longrightarrow {}^{12}_{6}\text{C}$$

$({}^{12}_{6}\text{C})^*$은 들뜬상태의 탄소 원자핵

▲ **헬륨 핵융합 반응**

② **탄소 핵융합 반응:** 헬륨이 탄소로 변하면 주로 탄소만 남아 있는 중심핵의 수축이 일어나면서 탄소와 헬륨이 산소를 만드는 새로운 반응이 일어난다. 질량이 태양 정도인 별은 내부 온도가 높지 않아 더 이상의 핵반응이 일어날 수 없지만, 질량이 더 큰 별들은 진화가 계속되면서 중심부의 온도가 상승하므로 보다 무거운 원자핵을 만드는 핵융합 반응을 일으킨다. 질량이 큰 별의 내부에서는 핵융합 반응에 의해 최종적으로 철(Fe)이 생성된다.

온도가 약 1000만 K 이상일 때 수소 핵융합이 일어날 수 있는 까닭

수소 원자핵(양성자)은 (+) 전하를 띠며, 일반적인 환경에서는 수소 원자핵 사이의 척력 때문에 서로 결합할 수 없다. 그러나 태양 내부와 같이 온도가 약 1000만 K 이상인 뜨거운 곳에서는 입자들이 빠르게 움직여 척력을 극복하고 결합할 수 있다.

단위 참고
$1 \text{ kg} \cdot \text{m}^2/\text{s}^2 = 1 \text{ J}$
$1 \text{ W} = 1 \text{ J/s}$

핵융합 반응	주 연료	주요 생성물	반응 온도
수소	수소	헬륨	1×10^7 K 이상
헬륨	헬륨	탄소	1×10^8 K 이상
탄소	탄소	산소, 네온, 나트륨, 마그네슘	8×10^8 K
네온	네온	산소, 마그네슘	1.5×10^9 K
산소	산소	마그네슘에서 황까지	2×10^9 K
규소	마그네슘에서 황까지	철 근처의 원소들	3×10^9 K

▲ 별의 내부에서 일어나는 주요 핵융합 반응

시야 확장 ➕ 핵분열과 핵융합

일반적인 화학 반응은 원자핵이 변화하지 않고 원자들이 결합하거나 결합이 끊어질 때 전자의 위치가 변화하는 것이지만 핵반응은 원자핵이 변화하는 반응이다. 핵반응에는 원자핵을 나누어 에너지를 만드는 핵분열 반응과, 2개 혹은 그 이상의 핵을 하나의 더 큰 핵으로 결합하는 핵융합 반응이 있다. 핵분열 반응은 어느 원자핵이 중성자와 충돌하여 작은 원자핵으로 쪼개지는 반응이다. 이 과정에서 질량 결손이 일어나 에너지가 방출된다. 핵발전소에서는 우라늄이나 플루토늄과 같은 큰 원자핵을 분열시키는 핵분열 반응으로 에너지를 생성한다. 핵융합은 가벼운 원자핵들이 융합하여 더 무거운 원자핵으로 합쳐지는 반응이다. 이 과정에서 반응 후 생성된 원자핵의 질량은 반응 전 원자핵들의 질량의 합보다 작다. 즉, 질량 결손이 발생한 것인데, 이러한 질량 결손에 의해 에너지가 생성된다. 태양의 중심부에서는 수소가 융합하여 헬륨을 만드는 핵융합 반응으로 에너지를 방출한다.

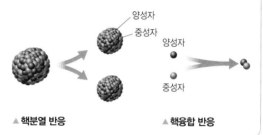

▲ 핵분열 반응　　▲ 핵융합 반응

2. 별의 내부 구조

별의 내부는 밀도가 큰 중심부와 밀도가 희박한 대기로 이루어진다. 별의 내부에서는 온도, 압력, 밀도, 광도 등이 중심으로부터의 거리에 따라 각 지점에서 평형을 이루고 있다. 별의 진화 과정에 따라 이러한 평형 상태가 깨지면 별의 내부 구조는 항상 평형 상태를 유지하려는 방향으로 변화한다. 그 결과 별은 진화 도중에 크기가 커지거나 작아지는 현상이 나타난다. 별의 에너지 발생이 질량에 따라 크게 달라지므로, 별의 내부 구조는 질량에 따라 결정된다.

⑴ **정역학 평형 상태**: 별의 내부에서는 별의 중심부 쪽으로 수축하려는 힘인 중력과 핵융합 반응으로 내부 온도가 상승하여 바깥쪽으로 팽창하는 기체 압력이 평형을 이룬다. 이러한 상태를 정역학 평형 상태라고 한다. 정역학 평형 상태에서는 별의 중심부로 갈수록 온도가 높아져 기체 압력이 증가하므로, 안쪽에서 바깥쪽으로 압력 차에 의한 힘(압력 경도력)이 발생한다. 별은 중력이 더 우세하면 수축하고, 압력 차에 의한 힘이 더 우세하면 팽창한다.

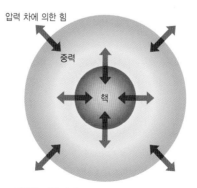

▲ **정역학 평형 상태**

원자량이 큰 원자일수록 핵융합 반응이 일어날 수 있는 온도가 높은 까닭

핵융합 반응이 일어나기 위해서는 원자핵끼리 충돌해야 한다. 원자핵은 동일한 전기를 띠고 있기 때문에 전기적 반발력의 장벽을 넘어설 만큼의 운동 에너지가 필요하다. 이때 원자량이 클수록 양성자의 수가 증가하므로 전기적 반발력도 크게 작용한다. 따라서 원자량이 큰 원자핵이 핵융합을 하기 위해서는 더 큰 속도로 충돌해야 하고, 이를 위해서 온도가 더 높아야만 한다.

별 내부에서의 에너지 전달 방식

열 전달 방식에는 전도, 대류, 복사가 있다. 이 중 전도는 주로 고체 상태의 물질에서 분자의 진동에 의해 열이 전달되는 방식이다. 대류는 가열된 유체가 이동하면서 열을 전달하는 방식이다. 복사는 전자기파의 형태로 직접 전달되는 방식이다. 따라서 유체 상태인 별의 내부에서는 복사 또는 대류의 형태로 에너지가 전달된다.

(2) **주계열성의 내부 구조와 에너지 전달**: 태양을 포함한 주계열성은 수축이나 팽창을 하지 않고 일정한 형태를 유지하는 정역학 평형 상태에서 안정적으로 빛을 낸다.

① **질량이 태양 정도인 주계열성**: 질량이 태양 정도인 별은 핵융합 반응을 일으키는 중심핵을 에너지가 복사되어 나가는 복사층과, 대류에 의해 에너지가 전달되어 나가는 대류층이 차례로 둘러싸고 있다.

• 중심핵(복사핵): 주로 P-P 반응에 의한 수소 핵융합 반응이 일어나며, 대류보다 복사가 우세한 영역이다.

• 복사층: 중심부에서 생성된 에너지가 주로 복사의 형태로 전달되는 영역으로, 별의 중심으로부터 별 반지름의 약 70 %에 이르는 거리까지가 복사층에 해당한다.

• 대류층: 별의 표면에 가까워짐에 따라 온도가 급격하게 낮아지는 영역이며, 대류에 의한 에너지 전달이 우세하다.

② **태양 질량의 2배 이상인 주계열성**: 태양 질량의 2배 이상인 별은 중심부의 온도 차이가 크다. 그러므로 중심부에서 생성된 에너지를 효과적으로 전달하기 위해 중심부에는 대류가 일어나는 핵이 있고, 에너지가 복사의 형태로 전달되는 복사층이 이 핵을 둘러싸고 있다.

• 중심핵(대류핵): 주로 CNO 순환 반응에 의해 에너지를 생성하는 수소 핵융합 반응이 일어난다.

• 복사층: 별의 중심부에서 생성된 에너지가 대부분 복사에 의해 전달되는 영역이다. 질량이 작은 별에 비해 별 내부의 온도가 높아 복사에 의한 에너지 전달이 우세하다.

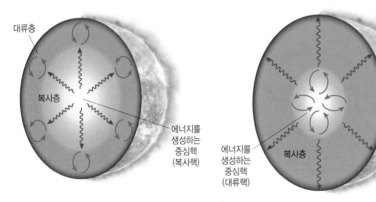

질량이 태양 정도인 주계열성   태양 질량의 2배 이상인 주계열성

▲ **주계열성의 내부 구조와 에너지 전달**

(3) **주계열 단계 이후 별의 내부 구조**: 초거성의 중심부에서는 수소, 헬륨, 탄소, 산소, 네온, 마그네슘, 규소가 차례로 핵융합 반응을 하여, 별의 내부가 양파 껍질과 같은 구조를 가지게 된다. 이때 질량이 매우 큰 별의 중심에서는 마지막으로 철 원자핵이 만들어진다.

① **질량이 태양 정도인 별**: 질량이 태양 정도인 별(적색 거성)의 중심부에서는 헬륨 핵이 중력 수축하여 온도가 더욱 높아진다. 적색 거성 중심부의 온도가 약 1억 K에 도달하면 헬륨 핵융합 반응이 일어나고, 이 핵융합 반응으로 탄소 핵이 생성된다. 이때 헬륨이 연소되는 중심부 바로 바깥쪽에는 수소 핵융합 반응이 일어나는 수소각이 존재한다. 질량이 태양 정도인 별은 중심에서 탄소 핵융합 반응이 진행되기 어렵다.

온도 차이와 내부 구조

깊이에 따른 온도 변화가 큰 경우에는 복사보다 대류를 통해 에너지가 효과적으로 전달된다. 온도 변화가 작은 경우에는 이와 반대가 된다. 예를 들어, 태양은 광구 부근의 외곽층에서 깊이에 따른 온도 변화율이 크기 때문에 대류에 의한 에너지 전달이 우세하여 대류층(쌀알 무늬)이 나타난다.

질량이 큰 주계열성의 중심부에 대류핵이 나타나는 까닭

질량이 큰 주계열성의 수소 핵융합은 CNO 순환 반응이 우세하다. CNO 순환 반응은 온도에 민감하여 중심부로 갈수록 에너지 생산량이 급격하게 높아진다. 따라서 중심핵에서 아래층과 위층의 온도 차가 커지며, 이때 대류에 의한 에너지 전달이 우세해진다.

수소각

수소각이란 거성에서 수소가 모두 고갈되고 헬륨만 남게 된 중심핵을 둘러싼 영역으로, 연소 가능한 수소가 남아 있는 층이다.

② **질량이 매우 큰 별**: 질량이 매우 큰 별(초거성)은 중심부의 온도가 높기 때문에 핵융합 반응이 계속적으로 일어나 양파 껍질 같은 구조가 형성되는데, 최종적으로 철로 구성된 중심핵이 만들어지며, 별 내부에서는 철보다 무거운 원자핵이 만들어지지 않는다.

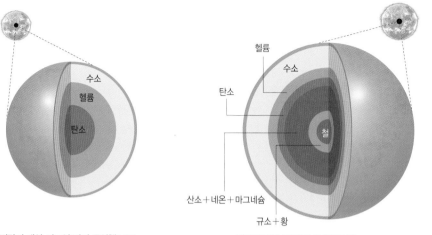

질량이 태양 정도인 별의 중심핵 구조　　　　　**질량이 매우 큰 별의 중심핵 구조**

▲ **주계열 단계 이후 별의 내부 구조**　별의 수소 연소층으부터 중심부까지 수소 연소층 → 헬륨 연소층 → 탄소＋산소 연소층 → 산소＋네온＋마그네슘 연소층 → 황＋규소 연소층 → 철 원자핵이 나타난다. 거성 내부에서 핵융합이 일어나는 영역은 매우 좁다.

시선 집중 ★　**질량에 따른 별의 진화 과정**

우주 공간에 존재하는 원소 중 수소와 헬륨은 우주 생성 초기부터 존재하였다. 그러나 생명체 구성에 필수적인 탄소, 산소, 질소와 같은 원소는 별이 진화하고 소멸하는 과정에서 새롭게 생성되었다. 따라서 별이 없었다면 인류뿐만 아니라 그 어떤 생명체의 탄생도 불가능했을 것이다.

별의 수명과 진화를 결정하는 가장 중요한 물리량은 질량이다. 그 까닭은 별이 핵융합 반응을 통해 에너지를 얻기 때문이다. 즉, 핵융합 반응은 중심부의 온도에 따라 달라지고, 중심부의 온도는 별의 질량에 의해 결정된다. 별의 질량이 클수록 중심부의 온도가 높기 때문에 핵융합 반응에 의한 에너지 생산량이 급격하게 늘어나 별의 수명이 짧아지며 격렬한 폭발로 일생을 마감한다. 별을 이루던 물질들은 대부분 행성상 성운이나 초신성 폭발을 통해 우주 공간으로 퍼져 나가고, 이러한 물질들이 모여 이루어진 성운에서는 다시 새로운 별이 탄생한다.

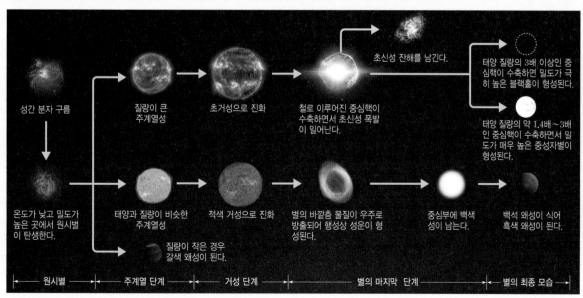

초신성 폭발과 철보다 무거운 원소의 생성

질량이 매우 큰 별은 여러 단계의 핵융합 반응을 거치고, 마지막 단계에서 중심핵이 철로 변하면 더 이상 핵융합 반응이 일어나지 않는다. 핵융합 반응이 일어나지 않으면 중력 수축에 의해 중심핵이 갑자기 붕괴하여 중성자별이나 블랙홀이 되고 외층은 폭발하여 초신성이 되는데, 이때 철보다 무거운 원소들이 순간적으로 만들어진다.

무거운 별의 내부에서는 철까지만 만들어진다. 핵융합 반응이 철 원자핵을 합성하는 단계까지만 일어나기 때문이다. 그 까닭은 무엇일까?

원자핵을 변환시키는 핵반응에는 두 가지가 있다. 가벼운 원소가 융합하여 무거운 원소가 되는 반응과, 무거운 원소가 분열하여 가벼운 원소가 되는 반응이다. 두 과정 모두 반응을 통해 보다 더 안정된 원자핵으로 된다.

수소 핵융합 반응은 수소 원자핵 4개, 즉 4개의 양성자가 2개의 양성자와 2개의 중성자로 된 헬륨 원자핵으로 바뀌는 것이다. 이때 핵자의 개수는 변하지 않는다. 그러나 반응 전 수소 핵자 4개의 질량 합보다 반응 후 헬륨 핵자 4개의 질량 합이 조금 줄어들기 때문에, 즉 헬륨 원자의 핵자당 질량이 수소 원자의 핵자당 질량보다 작기 때문에 융합 반응 과정에서 에너지가 발생한다. 수소 핵융합 반응은 줄어든 질량만큼 에너지를 방출하는 발열 반응인 것이다.

이와 마찬가지로, 무거운 별에서 헬륨이 탄소로 핵융합을 하는 과정에서도 반응 전 헬륨 원자의 핵자당 질량보다 반응 후 탄소 원자의 핵자당 질량이 작으므로 에너지가 발생한다. 핵자당 질량은 수소에서부터 철에 이르기까지 감소하며, 이 과정에서 가벼운 원소가 무거운 원소로 융합하며 핵에너지를 방출한다.

철 원자핵은 모든 원자핵 중에서 핵자당 질량이 가장 작고, 결속이 가장 강하기 때문에 융합 또는 분열을 통해 에너지를 발생할 수 없다. 철 이후부터는 무거운 원소가 가벼운 원소로 분열하며 핵에너지를 방출하므로 철보다 무거운 원자핵이 있다고 해도 핵분열을 통해 다시 철로 돌아간다.

철 원자핵보다 더 무거운 원자핵을 만들기 위해서는 에너지를 더해 주어야 한다. 즉, 흡열 반응이 일어나야 한다.

철이 다른 원소로 핵융합하지 못하더라도 무거운 별 내부에서는 중력 수축이 계속되기 때문에 온도가 급격히 높아진다. 그리고 중력을 견디지 못한 전자는 양성자와 결합하여 중성자를 만들고, 중성미자를 방출한다. 이 반응은 흡열 반응이기 때문에 중심핵의 수축이 더욱 빨라지고 중심핵 바로 바깥쪽 층에서 급격한 수축이 일어난다. 이 층에는 아직 핵융합이 가능한 원자핵이 남아 있으므로 핵융합이 폭발적으로 일어나 별의 외곽층을 날려 버린다. 이를 초신성 폭발이라고 한다.

초신성 폭발 과정에서는 막대한 양의 에너지가 방출되며, 이 에너지의 일부는 철보다 더 무거운 원자핵을 만드는 데 쓰일 수 있다.

핵자
원자핵을 구성하는 양성자와 중성자를 핵자(核子)라고 한다.

핵자당 질량
원자핵의 질량을 핵자의 개수로 나눈 값

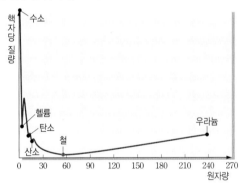

▲ **핵자당 질량의 상대 비교** 핵자당 평균 질량은 수소부터 철까지 감소하고, 철 이후부터는 증가한다.

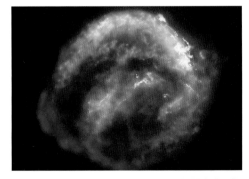

▲ **케플러 초신성의 잔해** 1604년에 독일의 천문학자 케플러는 초신성을 관측하여 기록을 남겼다. 케플러 초신성은 우리나라의 조선왕조실록(선조실록)에도 자세한 관측 기록이 남아 있다.

02 별의 진화와 에너지원

① 별의 탄생과 진화

1. **원시별 단계** 밀도가 높고 온도가 낮은 성운에서 중력 수축이 일어나 원시별이 생성되며, 원시별의 질량이 클수록 중력 수축이 빠르게 일어나 주계열에 도달하는 시간이 짧다.

2. **주계열 단계** 별의 중심부에서 수소 핵융합 반응이 일어나는 별을 주계열성이라고 하며, (❶   )이 큰 주계열성일수록 수소를 빨리 소모하기 때문에 수명이 짧다.

3. **거성 단계** 중심부의 핵은 중력 수축하고, 별의 바깥 부분이 팽창하여 별의 크기가 커지면 (❷   )가 낮아지는 거성 단계로 진화한다.

• 태양과 질량이 비슷한 별: 중심부에서 헬륨 핵융합이 일어나고, 외곽 수소층에서 수소 핵융합 반응이 일어난다.

• 태양보다 질량이 큰 별: 연속적인 핵융합 반응이 진행되어 최종적으로 (❸   )까지 생성된다.

4. **최종 단계**

• 태양과 질량이 비슷한 별: 별의 외곽층 물질이 우주 공간으로 방출되어 행성상 성운이 형성되고, 중심핵은 계속 수축하여 밀도가 매우 높은 (❹   )이 된다.

• 태양보다 질량이 큰 별: 강력한 초신성 폭발 과정에서 별의 외곽층이 우주 공간으로 흩어지고, 중심부는 심하게 수축하여 (❺   ) 또는 블랙홀이 된다.

② 별의 에너지원과 내부 구조

1. **별의 에너지원** 원시별의 에너지원은 중력 수축 에너지이고, 주계열성의 에너지원은 (❻   ) 반응이다.

• 태양 질량의 2배 이하인 주계열성의 수소 핵융합 반응: 4개의 수소 원자핵이 융합하여 1개의 (❼   ) 원자핵을 만드는 양성자–양성자$(P-P)$ 반응이 우세하다.

• 태양 질량의 2배 이상인 주계열성의 수소 핵융합 반응: 4개의 수소 원자핵이 융합하는 과정에서 탄소·질소·산소가 촉매 역할을 하여 헬륨 원자핵을 만드는 탄소·질소·산소(CNO) 순환 반응이 우세하다.

2. **별의 내부 구조**

• (❽   ) 평형: 주계열성은 기체의 압력 차로 발생한 힘과 중력이 평형을 이루어 일정한 크기를 유지한다.

• 주계열성의 내부 구조와 에너지 전달: 질량이 태양 정도인 별의 내부는 중심핵(복사핵), 복사층, 대류층으로 이루어져 있으며, 태양 질량의 2배 이상인 별은 대류핵과 복사층으로 이루어져 있다.

• 주계열 단계 이후 별의 내부 구조

㉠ 질량이 태양 정도인 별: 별의 중심부에는 (❾   )로 된 핵이 존재하며, 바로 위쪽에는 헬륨 연소층이, 그 위쪽에 수소 핵융합 반응이 일어나는 수소각이 존재한다.

㉡ 질량이 매우 큰 별: 질량이 매우 큰 별은 중심부의 온도가 높기 때문에 계속적인 핵융합 반응이 일어나 양파 껍질과 같은 구조가 형성되며, 최종적으로 중심부에 (❿   )로 된 핵이 만들어진다.

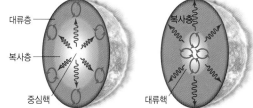

대류층 · 복사층 · 복사층 · 중심핵 · 대류핵

질량이 태양 정도인 별 · **태양 질량의 2배 이상인 별**

▲ **주계열성의 내부 구조와 에너지 전달**

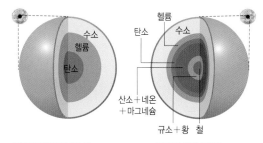

수소 · 헬륨 · 탄소 · 수소 · 탄소 · 산소+네온+마그네슘 · 규소+황·철

질량이 태양 정도인 별 · **질량이 매우 큰 별**

▲ **주계열 단계 이후 별의 내부 구조**

01 그림은 성운에서 별이 탄생하는 과정을 나타낸 것이다.

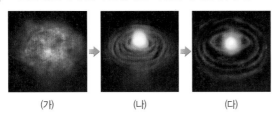

(가)　　　　　(나)　　　　　(다)

이에 대한 설명으로 옳은 것만을 보기에서 있는 대로 고르시오.

> 보기
> ㄱ. (가) → (나) 과정은 주로 성운 내부의 밀도가 높은 곳에서 일어난다.
> ㄴ. (나) → (다) 과정에서 별의 크기가 커진다.
> ㄷ. 별의 질량이 클수록 (가)~(다)의 과정은 오래 걸린다.

02 그림은 질량이 서로 다른 주계열성의 진화 경로를 나타낸 것이다.

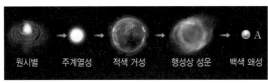

원시별　주계열성　적색 거성　행성상 성운　백색 왜성

(가)

원시별　주계열성　초거성　초신성　중성자별 B　블랙홀 C

(나)

(1) 별 (가), (나)에서 별의 질량을 비교하시오.

(2) 태양은 (가), (나) 중 어느 경로로 진화할지 쓰시오.

(3) (가)와 (나)가 진화하는 데 걸리는 시간을 비교하시오.

(4) 별의 최후 단계에서 만들어진 A~C의 평균 밀도를 비교하시오.

03 그림은 수소 핵융합 반응을 나타낸 것이다.

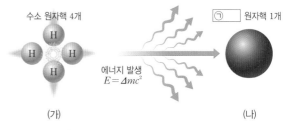

수소 원자핵 4개　　　ㄱ 원자핵 1개

에너지 발생
$E = \Delta mc^2$

(가)　　　　　(나)

(1) ㉠에 들어갈 말을 쓰시오.

(2) (가), (나) 중 질량은 어느 것이 큰지 쓰시오.

04 그림은 질량이 서로 다른 주계열성의 내부 구조와 에너지 전달을 나타낸 것이다.

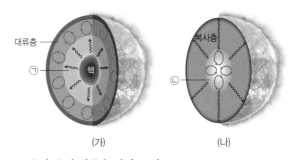

대류층　핵　㉠　복사층　㉡

(가)　　　　　(나)

(1) ㉠과 ㉡의 이름을 각각 쓰시오.

(2) (가)와 (나)의 질량과 중심 온도를 각각 비교하시오.

05 그림은 주계열 단계 이후 별의 내부 구조를 나타낸 것이다.

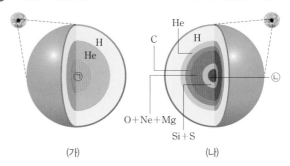

H　He　㉠　C　H　He　O+Ne+Mg　Si+S　㉡

(가)　　　　　(나)

(1) (가), (나)의 중심부에 존재하는 원자핵 ㉠, ㉡을 각각 쓰시오.

(2) (가), (나) 중 초신성이 되는 천체는 어느 것인지 쓰시오.

01 ▶원시별의 진화

그림은 질량에 따른 두 별 A, B의 진화 경로를 나타낸 것이다.

이에 대한 설명으로 옳은 것만을 보기에서 있는 대로 고른 것은?

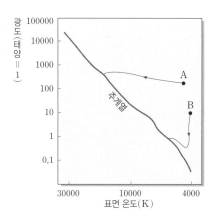

• 밀도가 높고 온도가 낮은 분자 구름에서는 중력이 크게 작용하므로 물질들이 수축하여 원시별을 형성한다. 원시별이 계속 중력 수축하여 중심부에서 수소 핵융합 반응이 시작되면 주계열성이 된다.

보기

ㄱ. A와 B는 모두 원시별이다.

ㄴ. 진화하는 데 걸리는 시간은 A가 B보다 짧다.

ㄷ. 진화하는 동안 A와 B는 모두 반지름이 감소한다.

① ㄱ   ② ㄴ   ③ ㄱ, ㄷ   ④ ㄴ, ㄷ   ⑤ ㄱ, ㄴ, ㄷ

02 ▶질량이 태양 정도인 별의 진화

그림은 질량이 태양 정도인 어느 별의 진화 과정과 현재의 나이를 나타낸 것이다.

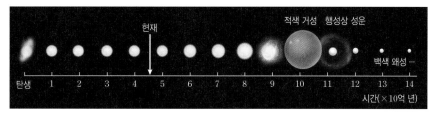

• 질량이 태양 정도인 별은 주계열 단계와 적색 거성 단계를 거쳐 행성상 성운을 형성하고, 중심부는 수축하여 백색 왜성이 된다.

이에 대한 설명으로 옳은 것만을 보기에서 있는 대로 고른 것은?

보기

ㄱ. 현재 이 별의 중심부에서는 수소 핵융합 반응이 일어난다.

ㄴ. 탄생 후 약 100억 년이 지났을 때 표면 온도는 현재보다 낮을 것이다.

ㄷ. 탄생 후 약 110억 년이 지났을 때 초신성 폭발을 일으킬 것이다.

① ㄱ   ② ㄷ   ③ ㄱ, ㄴ   ④ ㄴ, ㄷ   ⑤ ㄱ, ㄴ, ㄷ

03 〉질량에 따른 별의 진화
그림은 질량이 서로 다른 두 별 A, B의 진화 과정을 단계별로 나타낸 것이다.

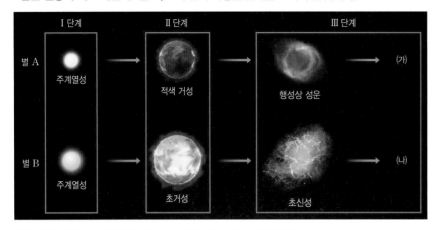

• 질량이 태양 정도인 별은 진화의 최종 단계에서 백색 왜성이 되고, 질량이 태양보다 훨씬 큰 별은 중성자별이나 블랙홀이 된다.

이에 대한 설명으로 옳은 것만을 보기에서 있는 대로 고른 것은?

보기
ㄱ. I 단계에서 별의 표면 온도는 A가 B보다 높다.
ㄴ. II 단계에서 별의 중심부 온도는 A가 B보다 높다.
ㄷ. III 단계에서 형성된 (가)는 (나)보다 반지름이 크다.

① ㄱ   ② ㄴ   ③ ㄷ   ④ ㄱ, ㄷ   ⑤ ㄴ, ㄷ

04 〉별의 진화의 최종 단계
그림 (가)와 (나)는 질량이 서로 다른 두 별이 각각 진화하여 형성된 두 천체의 모습이다.

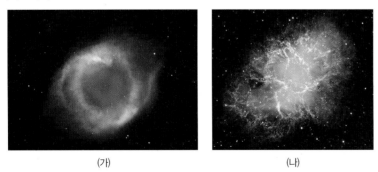

(가)   (나)

• 적색 거성 단계에서 별의 외곽 물질이 우주 공간으로 방출되면 고리 모양의 행성상 성운이 형성된다. 초거성 단계에서 철로 이루어진 중심핵이 급격하게 수축하면 강력한 폭발을 일으켜 초신성 잔해가 형성된다.

이에 대한 설명으로 옳은 것만을 보기에서 있는 대로 고른 것은?

보기
ㄱ. (가)는 (나)보다 질량이 작은 별이 진화하여 형성되었다.
ㄴ. (나)의 중심부에 중성자별 또는 블랙홀이 존재한다.
ㄷ. (가)와 (나)의 물질들은 모두 중력 수축하고 있다.

① ㄱ   ② ㄴ   ③ ㄷ   ④ ㄱ, ㄴ   ⑤ ㄴ, ㄷ

05 › 별의 진화와 내부 구조

그림 (가)는 어느 별의 진화 과정을, (나)는 (가)의 A~C 단계 중 하나에 해당할 때의 별의 내부 구조를 나타낸 것이다.

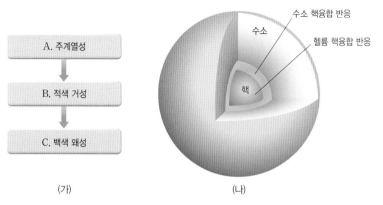

(가)

(나)

이에 대한 설명으로 옳은 것만을 보기에서 있는 대로 고른 것은?

> 보기

ㄱ. 이 별의 질량은 태양보다 훨씬 크다.

ㄴ. (나)는 (가)의 A 단계에 해당한다.

ㄷ. B → C 단계에서 별이 팽창과 수축을 반복하는 시기가 나타난다.

① ㄱ   ② ㄷ   ③ ㄱ, ㄴ   ④ ㄴ, ㄷ   ⑤ ㄱ, ㄴ, ㄷ

• 적색 거성이 수축과 팽창을 반복하는 불안정한 상태가 되면, 별의 외곽 물질이 우주 공간으로 방출되어 행성상 성운이 만들어지고, 별의 중심핵이 계속 수축하여 밀도가 큰 백색 왜성이 된다.

06 › 별의 에너지원

그림은 에너지원에 따른 별의 분류 과정을 나타낸 것이다.

A~C에 해당하는 별의 종류를 옳게 짝 지은 것은?

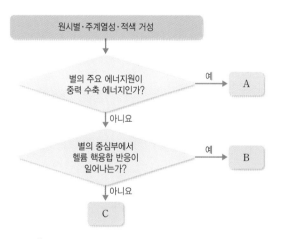

• 원시별은 중력 수축할 때 발생한 열로 온도가 상승하고, 주계열성은 중심부에서 일어나는 수소 핵융합 반응으로 생성된 에너지를 방출한다. 거성 단계에서는 수소보다 무거운 원소의 핵융합 반응이 일어난다.

	A	B	C
①	원시별	주계열성	적색 거성
②	원시별	적색 거성	주계열성
③	주계열성	원시별	적색 거성
④	적색 거성	주계열성	원시별
⑤	적색 거성	원시별	주계열성

07 〉P-P 반응과 CNO 순환 반응

그림은 어느 별의 중심부에서 일어나는 핵융합 반응의 주요 경로를 나타낸 것이다.

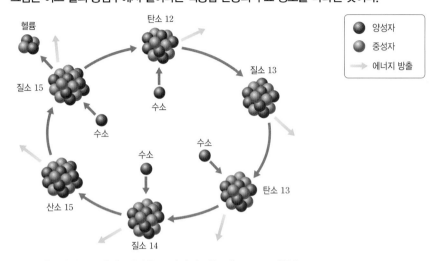

헬륨

탄소 12

질소 15

질소 13

수소

수소

수소

수소

산소 15

탄소 13

질소 14

● 양성자
● 중성자
→ 에너지 방출

• 수소 핵융합 반응은 양성자−양성
자 반응(P-P 반응)과 탄소·질
소·산소 순환 반응(CNO 순환
반응)으로 나눌 수 있다. 질량이
태양 정도인 별은 P-P 반응이
우세하고, 질량이 태양의 약 2배
가 넘는 별은 CNO 순환 반응이
우세하다.

이에 대한 설명으로 옳은 것만을 보기에서 있는 대로 고른 것은?

보기

ㄱ. 탄소, 질소, 산소가 촉매 역할을 하여 에너지가 생성된다.

ㄴ. 4개의 수소 원자핵이 1개의 헬륨 원자핵을 생성한다.

ㄷ. 질량이 태양 정도인 주계열성에서 가장 활발하게 일어나는 반응이다.

① ㄱ   ② ㄷ   ③ ㄱ, ㄴ   ④ ㄴ, ㄷ   ⑤ ㄱ, ㄴ, ㄷ

08 〉별의 정역학 평형

**그림은 크기가 일정하게 유지되는 어느 별의 내부
에 작용하는 두 힘을 나타낸 것이다.
이에 대한 설명으로 옳은 것만을 보기에서 있는
대로 고른 것은?**

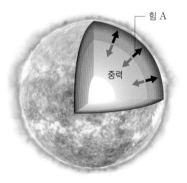

힘 A

중력

• 별은 주계열 단계에 머무르는 동
안 정역학 평형 상태를 유지하기
때문에 모양과 크기가 안정적으로
유지된다.

보기

ㄱ. 이 별은 정역학 평형 상태를 유지한다.

ㄴ. 힘 A는 내부의 기체 압력 차로 발생한 것이다.

ㄷ. 원시별의 내부에서는 중력보다 힘 A가 크다.

① ㄱ   ② ㄷ   ③ ㄱ, ㄴ   ④ ㄴ, ㄷ   ⑤ ㄱ, ㄴ, ㄷ

09 ▶ 주계열성의 내부 구조

그림 (가)와 (나)는 질량이 다른 두 주계열성의 내부에서 대류가 일어나는 영역을 나타낸 것이다.

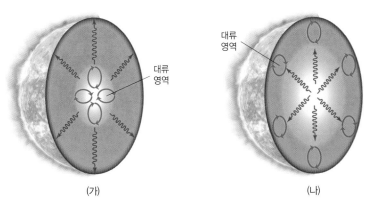

(가)   (나)

이에 대한 설명으로 옳은 것만을 보기에서 있는 대로 고른 것은? (단, 그림의 크기는 별의 실제 크기와는 관계없다.)

보기
ㄱ. 별의 질량은 (가)가 (나)보다 크다.
ㄴ. 별의 표면 온도는 (가)가 (나)보다 낮다.
ㄷ. (나)의 중심부에서는 주로 CNO 순환 반응에 의해 헬륨 핵이 생성되고 있다.

① ㄱ   ② ㄴ   ③ ㄱ, ㄴ   ④ ㄱ, ㄷ   ⑤ ㄴ, ㄷ

• 태양과 질량이 비슷한 별들은 중심부의 핵에서 생성한 에너지를 복사로 전달한다. 반면에 태양 질량의 약 2배가 넘는 별들은 중심부의 핵에서 생성한 에너지를 대류로 전달한다.

10 ▶ 진화에 따른 별의 내부 구조 변화

그림 (가)~(다)는 어느 별이 진화하는 동안 시간에 따른 내부 구조의 변화를 순서 없이 나타낸 것이다.

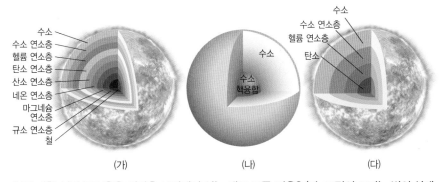

수소
수소 연소층
헬륨 연소층
탄소 연소층
산소 연소층
네온 연소층
마그네슘 연소층
규소 연소층
철

수소
수소 핵융합

수소
수소 연소층
헬륨 연소층
탄소

(가)   (나)   (다)

이에 대한 설명으로 옳은 것만을 보기에서 있는 대로 고른 것은? (단, 그림의 크기는 별의 실제 크기 변화와 관계 없다.)

보기
ㄱ. 진화 순서는 (나) → (다) → (가)이다.
ㄴ. 별의 반지름은 (나)가 (다)보다 작다.
ㄷ. 중심부의 온도는 (다)가 (가)보다 낮다.

① ㄱ   ② ㄴ   ③ ㄱ, ㄷ   ④ ㄴ, ㄷ   ⑤ ㄱ, ㄴ, ㄷ

• 주계열성의 중심부에서는 수소 핵융합 반응이 일어나고, 거성으로 진화함에 따라 헬륨 핵융합이 시작된다. 이후 헬륨보다 무거운 원소들이 연속적으로 핵융합을 하여 최종적으로 철까지 생성된다.

03 외계 행성계 탐사

학습 Point　외계 행성계 탐사　＞　외계 생명체 탐사

1 외계 행성계 탐사

　　불과 30년 전까지만 하더라도 태양계는 매우 특별한 존재였다. 그러나 우주를 탐사하는 기술이 발전하면서 별과 그 주변의 행성들이 태양계처럼 외계 행성계를 이루고 있다는 사실이 밝혀졌다. 현재는 지구와 비슷한 환경의 외계 행성도 발견되고 있다.

1. 외계 행성계 탐사 방법

태양이 아닌 다른 항성(별) 주위를 공전하고 있는 행성을 외계 행성이라고 한다. 외계 행성은 직접 관측하기 어렵기 때문에 대부분 간접적인 방법으로 탐사한다.

⑴ **시선 속도 변화를 이용하는 방법:** 행성이 별 주위를 공전할 때는 별과 행성이 공통 질량 중심을 기준으로 공전한다. 이때 별은 지구 관측자로부터 가까워지거나 멀어지는 현상이 규칙적으로 나타나며, 도플러 효과에 의해 별빛 스펙트럼 흡수선의 파장 변화가 생긴다. 행성은 중심별에 비해 질량이 훨씬 작기 때문에 행성에 의한 별빛의 변화는 미세한 수준이다. 그러나 미세한 영향에 따른 별빛의 작은 파장 변화도 측정 가능하기 때문에 행성의 존재를 알아낼 수 있다. 이때 행성의 질량이 크고 공전 궤도 장반경이 작을수록 중심별의 운동 속도가 커지고 별빛 스펙트럼 흡수선의 파장 변화도 커지므로 행성의 존재를 확인하기 쉽다. 따라서 별빛의 스펙트럼을 분석하여 행성의 존재 여부를 확인할 수 있다.

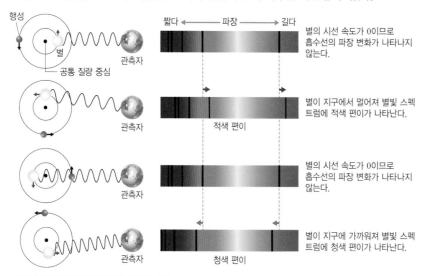

별의 시선 속도가 0이므로 흡수선의 파장 변화가 나타나지 않는다.

별이 지구에서 멀어져 별빛 스펙트럼에 적색 편이가 나타난다.

별의 시선 속도가 0이므로 흡수선의 파장 변화가 나타나지 않는다.

별이 지구에 가까워져 별빛 스펙트럼에 청색 편이가 나타난다.

▲ 행성의 공전에 의한 중심별의 도플러 효과

시선 속도

천체의 실제 운동에 해당하는 공간 속도는 관측자의 시선 방향과 나란한 성분인 시선 속도와 시선 속도에 수직한 성분인 접선 속도로 분해할 수 있다.

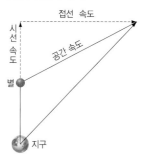

도플러 효과

관측자와 광원의 상대적인 운동에 따라 빛의 파장이 달라지는 효과를 말한다. 별이 관측자로부터 멀어지는 경우에는 빛의 파장이 길어져 스펙트럼선이 적색 쪽으로 치우치게 되는데, 이를 적색 편이라고 한다. 별이 관측자에게 접근하는 경우에는 빛의 파장이 짧아져 스펙트럼선이 청색 쪽으로 치우치게 되는데, 이를 청색 편이라고 한다.

시선 속도 변화를 이용한 외계 행성계 탐사 방법의 한계

행성의 공전 궤도면이 시선 방향에 동일하게 위치할수록 별빛의 도플러 효과에 따른 편이량이 커지므로 행성을 찾는 데 유리하다. 그러므로 행성의 공전 궤도면이 시선 방향에 수직일 경우에는 이 방법을 이용할 수 없다. 그리고 행성의 질량이 작거나 별과 행성 사이의 거리가 멀면 중심별의 시선 속도 변화가 작아져 관측이 어렵다. 그렇기 때문에 시선 속도 변화를 이용한 방법으로는 지구처럼 작은 크기의 외계 행성을 발견하기 어렵다.

(2) **식 현상을 이용하는 방법:** 별 주위를 공전하는 행성의 공전 궤도면이 관측자의 시선 방향과 거의 나란할 경우, 행성이 중심별의 앞면을 지날 때마다 별의 일부가 가려져 주기적인 밝기 변화가 나타난다. 이때 행성의 반지름이 클수록 별이 가려지는 면적이 넓어져 별의 밝기가 감소하는 비율이 커지고, 그에 따라 외계 행성의 존재를 확인하기 쉽다. 그리고 행성의 공전 궤도 반지름이 너무 크면 식 현상이 나타나는 주기가 너무 길어지므로 공전 궤도 반지름이 작을수록 외계 행성을 발견하기 쉽다.

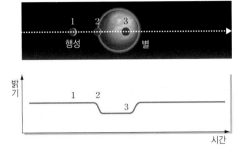

▲ 식 현상에 따른 별의 밝기 변화

식(蝕, eclipse) 현상
한 천체가 다른 천체를 가리거나 그 그림자에 들어가는 현상으로, 대표적인 식 현상의 예로 일식과 월식이 있다.

시야확장 ➕ 외계 행성의 공전에 의한 중심별의 밝기 변화

외계 행성이 별 주위를 공전하면 별빛을 미세하게 가리는 경우가 생긴다. 이때 별의 원래 밝기와 외계 행성이 별의 일부를 가렸을 때의 밝기는 차이가 있으며, 이러한 밝기 변화는 주기적으로 나타난다. 케플러 우주 망원경은 이러한 밝기 변화를 관측하여 지금까지 2600개 이상의 외계 행성들을 발견하였고, 현재는 연료가 다 떨어져 퇴역하였다.

반지름이 중심별의 $\frac{1}{12}$인 외계 행성이 별 주위를 공전한다고 하면, 면적은 반지름의 제곱에 비례하므로 중심별의 밝기 변화는 $\frac{1}{12^2} \fallingdotseq 0.7\,\%$이다.

아래 그림은 어느 별과 외계 행성의 밝기 변화를 나타낸 것이다. 그림에서 중심별의 밝기 변화는 약 0.7 %에 이르고, 행성의 공전 주기는 약 5일이며, 행성이 중심별을 통과하는 데 걸리는 시간은 약 5.2시간임을 알 수 있다.

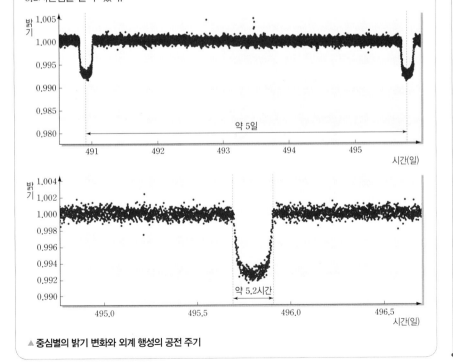

▲ 중심별의 밝기 변화와 외계 행성의 공전 주기

(3) **미세 중력 렌즈 현상을 이용한 방법**: 관측자로부터 가까운 천체의 중력 때문에 멀리 있는 천체에서 오는 빛이 휘어져 관측자에게 밝기가 증폭되어 보이는 현상을 중력 렌즈 현상이라고 하며, 특히 별 또는 행성에 의한 중력 렌즈 현상을 미세 중력 렌즈 현상이라고 한다. 거리가 다른 2개의 별이 같은 방향에 있을 경우 관측자로부터 멀리 있는 별의 빛이 가까운 별의 중력에 의해 미세하게 굴절되어 더 밝게 보이는 현상이 나타난다. 이때 가까운 별이 행성을 거느릴 경우 멀리 있는 별의 밝기 변화에 미세한 차이가 추가로 나타난다. 이를 이용하여 가까운 별 주위에 행성이 존재함을 알 수 있다. 미세 중력 렌즈 현상을 이용한 외계 행성 탐사는 다른 방법에 비해 공전 궤도 반지름이 큰 행성을 탐사하는 데 유리하다.

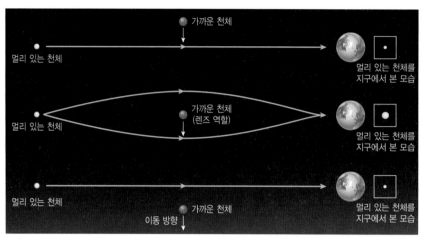

▲ **미세 중력 렌즈 현상** 가까운 천체(별)의 중력은 멀리 있는 천체의 빛을 모으는 렌즈처럼 작용하여 멀리 있는 천체의 밝기가 밝아진다.

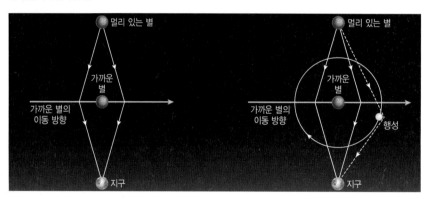

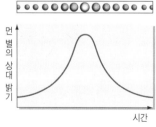

행성이 존재하지 않을 경우 멀리 있는 별의 밝기 변화가 최대로 밝아졌을 때를 기준으로 좌우 대칭으로 나타난다.

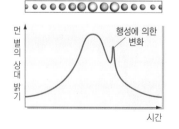

행성이 존재할 경우 멀리 있는 별의 밝기 변화가 최대로 밝아졌을 때를 기준으로 좌우 대칭이 아니다. 즉, 행성에 의한 밝기 변화가 추가로 나타난다.

▲ **가까운 별 주변의 행성 존재 여부에 따른 중심별의 밝기 변화**

중력 렌즈 현상

아인슈타인의 일반 상대성 이론에 따르면 중력은 공간을 휘어지게 하므로 그에 따라 빛의 경로도 휘어진다. 따라서 멀리 있는 은하의 빛이 앞에 있는 중력이 큰 천체(은하, 은하단 등)에 의해 휘어져 고리 모양으로 나타날 수 있다. 그리고 앞에 있는 천체의 중력이 방향에 따라 차이 날 경우 멀리 있는 은하의 모습이 일그러지거나 여러 개로 보일 수 있으며, 밝기가 증가할 수 있다.

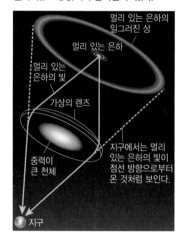

미세 중력 렌즈 현상을 이용한 외계 행성계 탐사의 한계

미세 중력 렌즈 현상을 이용하면 행성의 공전 궤도면과 관측자의 시선 방향이 나란하지 않아도 행성을 발견할 수 있으며, 질량이 지구 정도로 작은 행성도 발견할 수 있다. 그러나 미세 중력 렌즈 현상은 가까운 별과 멀리 있는 별이 거의 동일한 시선 방향에 위치해야 나타나므로, 매우 많은 별을 관측해야 이 현상을 관측할 수 있다. 그러므로 미세 중력 렌즈 현상을 이용한 방법을 통해 발견된 외계 행성의 수는 시선 속도나 식 현상을 이용하여 발견한 외계 행성의 수보다 적다.

(4) **직접 촬영하는 방법:** 매우 드물기는 하지만 외계 행성의 거리가 비교적 가까운 경우에는 직접 관측하는 방법도 있다. 즉, 외계 행성이 반사하는 중심별의 빛을 관측하거나, 행성 자체의 복사 에너지를 관측하여 행성의 존재를 확인할 수 있다. 이때 중심별의 밝기가 행성에 비해 매우 밝으므로 중심별을 가리고 행성을 찾는다. 또 행성에서 오는 빛을 분광 관측하면 행성의 대기 성분을 알아낼 수 있다.

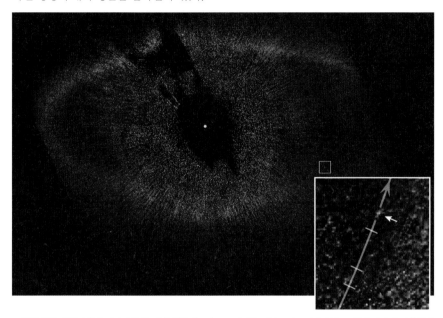

▲ **허블 우주 망원경에서 직접 관측한 외계 행성의 모습** 포말하우트 b는 지구로부터 약 25광년 떨어진 외계 행성으로, 허블 우주 망원경이 촬영한 사진을 통해 발견되었다. 포말하우트 b는 흰색의 주계열성인 포말하우트로부터 약 73억 6000 km~ 약 432억 km 거리에서 공전하고 있다.

(5) **그 밖의 외계 행성 탐사 방법:** 펄서를 이용하여 외계 행성을 찾을 수도 있다. 펄서는 초신성이 폭발하고 남은 중성자별로, 밀도가 매우 높고, 반지름이 작다. 펄서는 매우 빠르게 자전하면서 규칙적인 전파 에너지를 내보낸다. 만약 어느 펄서가 일반적인 펄서와는 달리 전파의 발산 주기에 약간의 불규칙적인 변화를 나타낸다면, 이는 이 펄서가 행성의 영향을 받아 흔들리고 있다는 것이고, 주위에 행성을 거느리고 있다는 증거가 된다.

펄서(pulsar)
맥동 전파원이라고도 하는 펄서는 1.5 m/s ~8.5 m/s의 주기로 전파를 방출하는데, 이 빛이 지구를 향할 때만 펄서의 복사 활동을 관측할 수 있다. 펄서는 밀도가 매우 높아서 자전 주기가 규칙적인데, 원자 시계와 비교될 수 있을 정도로 정확하다.

시야 확장 ➕ 외계 행성에서 태양계를 관측한다면

목성의 질량은 태양계의 다른 행성을 모두 합친 질량의 약 2.5배이다. 그러나 태양 질량과 비교하면 약 0.001배에 불과한 수준이다. 목성에서 태양까지의 거리는 태양 반지름의 약 1100배이므로, 태양과 목성의 공통 질량 중심은 다른 행성들의 영향을 감안하지 않는다면 태양 중심으로부터 태양 반지름의 약 1.1배 되는 지점에 위치한다. 태양은 이 지점을 중심으로 목성과 같은 주기로 회전하고 있기 때문에 외계 행성에서 볼 때 시선 속도 변화가 나타난다.

만약 외계 행성에 위치한 관측자의 시선 방향이 황도면과 나란하다면 행성들이 태양의 앞면을 통과할 때마다 태양의 밝기 감소 현상이 나타난다. 이때 목성의 반지름이 가장 크므로 목성에 의한 태양의 밝기 감소가 가장 크게 나타날 것이다. 목성의 반지름은 태양 반지름의 약 0.1배이므로, 밝기 감소 비율은 최대 약 1 %일 것이다.

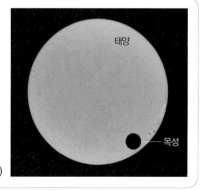

▶ **외계 행성에서 관측한 목성의 태양면 통과(모식도)**

2. 외계 행성의 특징

케플러 우주 망원경 발사 이후 크기와 질량이 다양한 외계 행성이 많이 발견되었다.

(1) 중심별의 질량과 외계 행성의 관계: 태양 정도의 질량을 가진 별 주변에서 외계 행성이 가장 많이 발견된다. 우리은하에는 태양과 비슷한 질량을 가진 별이 가장 많이 관측되기 때문에 그 주변에 존재하는 외계 행성의 수도 많다.

(2) 외계 행성의 물리량

① 크기: 지금까지 발견된 외계 행성들을 태양계의 행성과 비교해 보면, 해왕성 크기(지구 크기의 약 2배~약 6배)의 행성과 슈퍼 지구 크기(지구 크기의 약 1.25배~약 2배)의 행성이 가장 많다. 즉, 현재까지의 탐사 결과를 기준으로 하면 지구보다 큰 행성들이 많다.

② 공전 궤도 반지름: 지금까지 발견된 외계 행성은 질량이 작은 경우에는 공전 궤도 반지름도 대부분 작은 편이지만 질량이 목성 정도로 큰 행성인 경우에는 공전 궤도 반지름이 0.01 AU~10 AU까지 넓게 분포한다. 또 지구와 같이 암석으로 이루어진 작은 크기의 행성보다는 목성과 같이 크기가 크고 기체로 이루어진 행성이 많다.

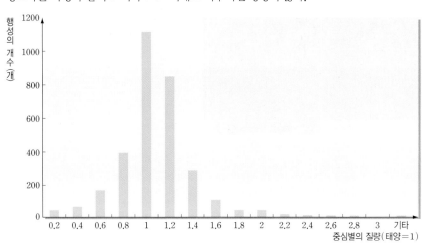

▲ 중심별의 질량에 따른 외계 행성의 개수

③ 중심별로부터의 위치와 공전 궤도 모양: 발견된 외계 행성들은 대부분 중심별로부터 가까운 곳에 위치한다. 또 태양계의 행성들과는 달리 공전 궤도 이심률이 대부분 큰 편이어서 납작한 타원 궤도를 나타내는 행성이 많다. 이러한 관측 사실들은 태양계 형성 이론과 상반되는 것이어서 앞으로 더 많은 연구가 필요하다.

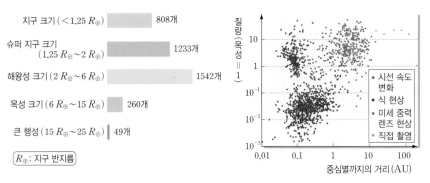

▲ 케플러 우주 망원경이 발견한 외계 행성의 크기별 개수 ▲ 탐사 방법에 따른 외계 행성의 궤도 반지름과 질량

케플러 우주 망원경

백조자리 부근 영역에서 별 주위를 공전하는 지구 규모의 외계 행성을 찾는 임무를 띠었던 우주 망원경이다. 광도계를 이용하여 별이 행성에 가려질 때 어두워지는 현상을 통해 행성의 존재를 확인하였는데, 이 광도계는 별들의 밝기 변화를 30분 단위로 추적하며, 별의 밝기가 약 0.002 %만 변해도 포착할 수 있었다.

관측되는 외계 행성의 크기

지금까지 발견된 외계 행성은 대부분 중심별에 가까운 기체 행성이었다. 초기의 외계 행성 탐사 방법으로는 반지름이 크고 중심별과 가까운 행성들은 발견하기 쉬웠기 때문이다. 이후 케플러 우주 망원경을 통해 지구 규모의 외계 행성을 탐사하게 되었고, 그 수는 수백 개 이상에 이른다.

② 외계 생명체 탐사

광대한 우주에는 수많은 은하와 별들이 존재하며, 이 별들 중 상당수에는 행성이 있는 것으로 밝혀졌다. 이 중 지구와 유사한 환경의 행성도 상당수 있을 것으로 추정된다. 이에 따라 우주 생물학자들은 지구 밖의 우주 어딘가에 생명체가 존재할 것으로 믿고 있다.

1. 외계 생명체가 존재하기 위한 행성의 조건

탐구 055쪽

(1) **액체 상태의 물의 존재**: 지구 생명체를 기준으로 할 때, 생명 현상이 지속되려면 반드시 액체 상태의 물이 필요하다. 극한 환경인 지구의 남극에서조차 미생물들이 얼음 사이에 녹아 있는 물을 이용하며 살아가고 있다. 따라서 생명체가 존재하기 위해서는 행성에 액체 상태의 물이 있어야 한다. 행성에 액체 상태의 물이 존재하기 위해서는 중심별로부터 적당한 거리만큼 떨어져 있어야 하는데, 별 주변에서 액체 상태의 물이 존재할 수 있는 영역을 생명 가능 지대(Habitable Zone)라고 한다.

① **액체 상태의 물이 생명 현상에 미치는 영향**: 물 분자는 전기적으로 중성 상태지만 산소 원자가 수소 원자보다 전자를 끌어당기는 힘이 강하여 부분적으로 극성을 띠고 있으므로 물 분자의 전기적인 인력에 의해 다음과 같은 여러 가지 특성이 나타난다.

• **물질을 녹이는 성질**: 물은 다른 물질을 잘 녹이는 특성을 지니고 있다. 이러한 특성은 생물체들이 수권의 물을 통해 생명 활동에 필수적인 여러 가지 물질들을 쉽게 공급 받거나 체내의 독성 물질을 배출할 수 있게 한다.

• **물의 비열**: 물은 비열이 크기 때문에 온도 변화가 쉽게 일어나지 않아 생명체가 체온을 거의 일정하게 유지하는 데 중요한 역할을 한다.

• **물의 부피 변화**: 물이 액체에서 고체로 변할 때는 밀도가 더 작아지므로 겨울에 강이나 호수는 표면부터 얼게 되는데, 이러한 성질 덕분에 수면 아래의 생명체는 추위로부터 보호를 받으며 살 수 있다.

② **물의 존재에 따른 생명 가능 지대의 범위**: 행성에 액체 상태의 물이 존재할 수 있는지 여부는 행성의 대기 조건이나 반사율 등에 따라 달라질 수 있다. 따라서 행성의 조건을 어떻게 고려하는가에 따라 생명 가능 지대의 범위가 달라질 수 있다. 태양계의 경우, 생명 가능 지대는 약 0.95 AU~약 1.15 AU 사이의 영역이다.

(2) **중심별의 질량**: 중심별로부터 에너지가 안정적이고 지속적으로 공급되어 생명체가 탄생하고 진화하는 데 필요한 시간을 확보하기 위해서는 중심별의 질량이 적당해야 한다.

① **중심별의 질량이 클 경우**: 중심별의 질량이 너무 크면 별의 진화 속도가 빠르므로 행성에 생명체가 존재하기 어렵다. 중심별의 질량이 태양 질량의 2배인 경우 예상 수명이 약 25억 년이다. 지구에서 최초의 척추동물이 출현하는 데 약 40억 년이 걸렸다는 점을 고려할 때 수명이 약 25억 년인 별 주변의 행성에서는 생명체가 존재하기 어려울 것으로 추정한다.

② **중심별의 질량이 작을 경우**: 중심별의 질량이 너무 작으면 에너지를 오랫동안 안정적으로 공급 받을 수 있지만, 별 주변의 생명 가능 지대의 폭이 매우 좁기 때문에 행성이 이 위치에 존재할 가능성이 희박하다. 또 생명 가능 지대가 중심별에 가까운 곳에 위치하기 때문에 행성이 동주기 자전할 가능성이 크다. 동주기 자전을 하는 행성에서는 별을 향한 면만 에너지를 공급 받을 수 있기 때문에 생명체가 존재하기 어려울 것으로 추정한다.

우주에 존재하는 물

현재까지 알려진 생명과학 지식을 바탕으로 할 때, 생명체가 존재하기 위한 필수적인 요소는 액체 상태의 물이다. 물은 우주에서 가장 흔한 원소들로 이루어진 물질이다. 실제로 태양계에서도 물은 비교적 흔한 물질이다. 그러나 물이 액체 상태로 존재할 수 있는 환경은 극히 제한적이다.

물의 기화열과 생명 현상 유지

물은 다른 액체에 비해 기화열이 크다는 특징도 있다. 기화열이 크면 쉽게 기체로 바뀌지 않으므로 생명체 안에서 액체 상태로 지속되어 생명 현상 유지에 큰 역할을 한다.

주계열성의 질량과 광도 관계

주계열성의 질량이 클수록 광도가 크고, 광도가 클수록 별의 표면 온도도 높다. 표면 온도가 높아질수록 생명 가능 지대가 중심별로부터 더 멀어지고, 생명 가능 지대의 폭도 넓어진다. 그러나 중심별의 질량이 클수록 별의 진화가 빨라지므로 생명체가 출현하여 충분히 진화할 만한 시간적 여유가 없다. 예를 들어, 주계열성 중 O형 별의 경우에는 주계열 단계에 머무르는 기간이 매우 짧다.

동주기 자전(同週期 自轉)

천체의 공전 주기와 자전 주기가 같을 때, 동주기 자전한다고 한다. 동주기 자전하는 대표적인 천체로 달이 있다. 달에서 지구를 향한 면은 항상 동일하다.

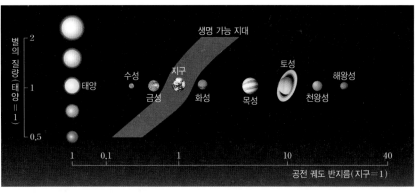

▲ **주계열성의 질량에 따른 생명 가능 지대** 주계열성의 경우 생명 가능 지대는 중심별의 질량(또는 광도)이 클수록 별로부터 멀어지고, 그 폭이 넓어진다. 별의 진화로 광도가 증가하면 별 주변에서 생명 가능 지대의 거리는 멀어진다.

(3) **대기의 존재:** 대기는 우주로부터 날아오는 운석이나 혜성뿐만 아니라 중심별로부터 오는 X선이나 자외선 등 해로운 전자기파로부터 행성과 생명체를 보호하며, 적절한 온도를 유지하여 물의 증발을 막아 주는 역할을 한다. 대기의 농도 및 조성도 생명체의 존재 조건을 규정하는 변수가 된다. 두꺼운 대기의 약 97 %가 이산화 탄소인 금성은 강한 온실 효과를 통해 표면 온도가 약 500 ℃에 달하며, 햇빛이 금성 대기 중의 이산화 황에 광화학 반응을 일으켜 황산을 생성하기 때문에 생명체가 살기 어렵다. 지구의 경우 적절한 두께의 대기가 온실 효과를 일으켜 생명체가 살아가기에 알맞은 온도를 유지한다.

(4) **자기장의 존재와 위성의 보유:** 행성에 자기장이 존재하여, 우주에서 들어오는 고에너지 입자와 중심별에서 방출하는 항성풍이 지표면으로 유입되는 것을 차단시켜 주어야 한다. 한편, 지구의 달처럼 위성을 거느릴 경우 자전축의 경사각이 안정적으로 유지될 수 있다.

(5) **행성의 크기와 표면의 성질:** 행성의 크기가 적당하여 중력이 알맞게 작용하면 적절한 두께의 대기를 가질 수 있고, 단단한 지각을 가진 암석형 행성은 기체형 행성보다 생명체의 존재에 유리하다.

2. 외계 생명체 탐사

우주 과학 분야의 발전과 함께 20세기 중반부터 지구 밖의 외계 생명체에 대한 탐색이 시작되었다. 최근에 이루어지고 있는 외계 생명체 탐사는 지구와 비슷한 환경을 가진 외계 행성 탐사와도 밀접한 관련이 있다.

(1) **외계 생명체 탐사 노력**

① 태양계에서의 생명체 탐사: 지구로 떨어진 운석을 분석하여 생명체의 흔적을 연구하거나, 우주 탐사선을 보내 태양계의 천체를 직접 탐사하는 방법으로 생명체를 찾고 있다. 현재 태양계에서는 화성과 목성의 위성 유로파, 토성의 위성 타이탄 등이 외계 생명체를 찾기 위한 주요 탐사 대상이 되고 있다.

• 화성에서의 생명체 탐사 : 1996년에 남극 대륙의 알란 힐스에서 발견된 운석에서는 생명체로 간주되는 화합물이 발견되었다. 이 운석은 화학 조성으로 볼 때 화성에서 온 것이 확실하였고 과거에 화성에 생명체가 있다고 주장하는 근거가 되었지만, 단 하나의 표본으로 화성 생명체의 존재를 증명할 수 있는지에 대하여 의문을 품는 사람들이 많다. 그러나 화성 생명체의 존재를 믿는 많은 과학자들은 화성 생명체 탐사를 계속하고 있다.

항성풍
별의 상층 대기에서 방출되는 대전 입자를 말한다. 주로 전자, 양성자로 이루어져 있으며, 태양의 경우 태양풍이라고 한다.

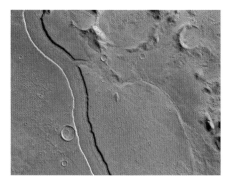

▲ **화성 표면의 강의 흔적(레울 계곡)** 화성의 남반구에는 과거에 물이 강처럼 흘렀던 흔적이 존재한다. 이 강의 흔적은 길이가 약 1500 km, 폭이 약 7 km에 이른다.

▲ **화성 기원의 운석 ALH84001** 알란 힐스 운석에서 박테리아의 흔적으로 볼 수 있는 모양이 발견되어 논란이 되기도 하였다.

알란 힐스 운석

남극의 알란 힐스(Allan Hills)에서 발견된 운석과 1976년에 화성에 착륙한 바이킹호가 토양 표본을 채취하여 분석하여 보내온 자료를 비교해 볼 때 비슷한 결과를 나타낸다. 그러므로 이 운석은 화성으로부터 비롯된 것이라고 추정한다. 미국항공우주국은 알란 힐스 운석이 지금으로부터 약 1600만 년 전에 소행성이 화성에 충돌하였을 때 떨어져 나와 태양계 내를 돌다가 약 13000년 전에 지구 남극의 알란 힐스에 떨어졌다고 보고 있다.

열수구(熱水口)

따뜻한 물 또는 수백 ℃의 뜨거운 물이 수 km의 바다 밑의 지각으로부터 스며 나오는 곳으로, 이곳에서 나온 열수(熱水)에는 다양한 미생물이 존재한다. 따라서 열수구 주변에는 이를 바탕으로 한 다양한 해저 생물이 살고 있다.

• 목성의 위성 유로파 : 유로파의 표면은 얼음으로 덮여 있지만 얼음 표면이 여러 개의 판들로 갈라져 있다. 표면의 자전 주기와 내부의 자전 주기가 다르다는 것도 밝혀졌는데, 이는 유로파의 얼음층이 대양 위에 떠 있기 때문으로 추정된다. 광합성을 하기에는 얼음이 매우 두껍고 유로파의 바닷속이 어둡지만 지구에서처럼 열수구가 존재한다면 유로파의 바다는 열에너지를 이용하는 미생물들의 서식처가 될 수 있다는 주장도 있다.

• 토성의 위성 타이탄 : 타이탄은 유로파보다 더 오래 전부터 관심을 받아 온 위성이다. 대기를 가진 행성처럼 뿌연 구름으로 덮여 있는 타이탄은 원시 지구의 모습에 비견되고 있다. 지구는 전체 대기의 약 78 %를 질소가 차지하는데, 타이탄은 질소가 전체 대기의 약 98 %를 차지하고, 메테인으로 된 호수가 있음이 밝혀졌다. 태양계에서 지구 외에 액체 표면이 발견된 것은 타이탄이 최초이다. 과학자들은 타이탄의 온도가 매우 낮기 때문에 이곳에 생명체가 존재하는 것은 불가능하다고 보고 있다. 그러나 원시 지구의 모습을 하고 있기 때문에 타이탄의 연구를 통하여 생명체 탄생 이전의 상황을 이해하는 데 관심을 집중하고 있다.

얼음으로 뒤덮인 유로파의 모습

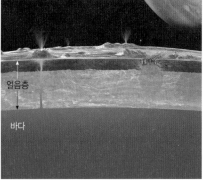

유로파의 바다

▲ **유로파** 표면에 두꺼운 얼음층이 존재하며, 얼음층 밑에 거대한 바다가 있을 것으로 추정하고 있다.

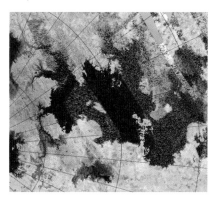

▲ **타이탄** 표면에 액체 상태의 메테인 호수가 존재하며, 물의 순환처럼 메테인 순환이 일어나고 있다.

② **외계 행성계의 생명체 탐사**: 생명 가능 지대에 위치해 있는 지구 규모의 외계 행성을 찾은 다음, 행성 대기에서 산소 또는 광합성의 흔적을 조사한다. 예를 들어, 외계 행성에 의한 식 현상이 일어날 때 행성 대기에서 방출된 복사 에너지의 스펙트럼을 분석하면 특정 성분(오존, 메테인, 수증기 등)의 존재 여부를 확인할 수 있다.

③ 지적 생명체 탐사: 아직까지는 과학자들의 끈질긴 노력과 계속된 우주 탐사선의 탐사에도 외계 생명체 존재의 결정적인 증거를 찾지 못하였다. 그렇다고 해도 외계에 지적 생명체가 있다면 지구인과 교신하는 것은 가능할 것이다. 과학자들은 외계로부터 오는 빛과 전파 신호를 분석하거나, 지구에 문명을 가진 인류가 있다는 것을 우주에 계속 알리고 있다.

▲ 외계 지적 생명체 탐사(미국 웨스트버지니아 그린뱅크 전파 망원경)

• 외계 지적 생명체 탐사 프로젝트: 미국의 드레이크가 시작한 외계 지적 생명체 탐사 프로젝트(Search for Extra-terrestrial Intelligence: SETI)는 외계의 지적 생명체들이 지구로 전파를 보낸다는 가정 아래 우주에서 들어오는 인공적인 신호를 찾는 작업이다. 1960년 프로젝트를 시작할 당시에는 미국 연방 정부의 지원을 받아 활동하였으나 현재는 민간 중심의 세티앳홈으로 진행되고 있다.

• 브레이크스루 리슨 프로젝트: 브레이크스루 리슨(Breakthrough Listen) 프로젝트는 우리은하 내 약 100만여 개의 별들과 100여 개의 다른 은하 내에 있는 별들을 대상으로 지적 외계 생명체의 흔적을 탐사하는 국제 프로젝트로, 많은 기업가가 연구비를 지원하고 세계적인 과학자들이 참여하여 활동을 벌이고 있다.

⑵ **외계 생명체 탐사의 의의**: 우주와 생명을 깊이 이해하고자 하는 욕구는 인류가 가진 본능이다. 지구 밖의 생명체 탐사를 통해 이러한 지적 호기심을 해결해 나가고, 그 과정에서 이루게 되는 과학과 기술의 발전은 인류의 문명 발달에 기여하게 된다.

드레이크(Drake, F., 1930 ~)
미국의 천체 물리학자로, SETI를 창설하고 우리은하 안에 존재하는 (우리와 교신할 가능성이 있는) 외계 지적 생명체의 수를 계산하는 드레이크 방정식을 고안하였다.

세티앳홈(SETI@home)
SETI 연구가 예산 부족으로 운영이 중단되자 민간 영역에서 일반인의 참여를 통해 우주로부터 오는 인공적인 전파 신호를 분석하여 외계의 지적 생명체를 찾고 있는데, 이것이 바로 세티앳홈 프로젝트이다. 수신된 전파 신호는 전 세계의 개인 컴퓨터가 나누어 분석하며, 그 결과를 본부에서 취합하여 처리하는 형태로 운영된다.

시야확장 ➕ 외계 생명체를 찾는 방법, 분광 관측

토성이나 목성과 같은 목성형 행성은 생명체에 필요한 질소와 산소가 거의 없고, 주로 수소나 헬륨과 같은 가벼운 기체로만 이루어져 있다. 생명체가 살기에는 크기가 지구와 비슷하고 다양한 기체로 구성된 대기를 보유하며 단단한 고체 표면이 있는 지구형 행성이 적합하다. 만약 생명 가능 지대에 위치하는 지구형 행성을 발견한다고 해도, 그곳에 실제로 생명체가 존재하는지를 확인하기는 어렵다. 외계 행성에 탐사선을 보내면 생명체의 존재 여부를 확실하게 알 수 있겠지만, 현재의 기술로는 불가능한 일이다. 그러므로 외계 생명체의 존재는 생명 활동의 과정에서 생기는 현상을 통해 간접적으로 확인할 수밖에 없다.

분광 관측은 외계 행성의 대기로부터 오는 빛의 스펙트럼을 분석함으로써 생명체의 존재 여부를 간접적으로 알아보는 방법이다. 생명체의 생명 활동 과정에서는 특정한 기체 분자가 발생하는데, 바로 산소, 이산화 탄소, 메테인 등이다. 외계 행성의 대기를 분석하여 이러한 기체 성분을 발견한다면 생명체가 존재할 가능성이 있다고 할 수 있다. 물론, 생명 활동이 존재하지 않는 곳에서도 이들 기체의 성분이 발견될 수 있다. 그러나 광합성의 핵심 분자인 엽록소를 발견한다면 생명체 존재의 가능성은 높아진다. 최근 과학자들은 외계 행성의 대기에서 특별한 빛을 감지하였는데, 이 빛은 엽록소가 별빛의 일부를 흡수하지 않고 반사하여 나타난 것으로 추정하고 있다. 앞으로 정밀한 감지 능력과 기술을 갖춘다면 외계 생명체의 존재를 실제로 확인할 수 있을 것이다.

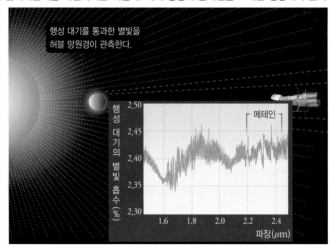

행성 대기를 통과한 별빛을 허블 망원경이 관측한다.

▲ **외계 행성의 대기에서 발견한 메테인의 흔적** 허블 우주 망원경은 목성 크기의 외계 행성 HD 189733b의 대기에서 메테인 분자의 존재를 확인하였다.

별의 표면 온도 및 광도에 따른 생명 가능 지대 추정하기

별의 표면 온도와 광도에 따라 생명 가능 지대가 어떻게 달라지는지 추정할 수 있다.

과정

그림은 주계열성의 질량에 따른 생명 가능 지대 및 주계열성의 질량과 수명의 관계를 나타낸 것이다.

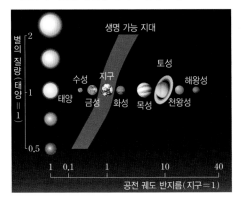

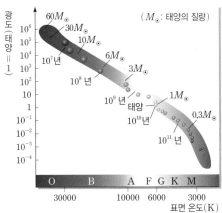

▲ 주계열성의 질량에 따른 생명 가능 지대 ▲ H−R도에 나타낸 주계열성의 질량과 수명

1 태양계에서 생명 가능 지대의 거리와 폭은 어떻게 되는지 설명해 보자.

2 주계열성의 물리적 특성에 따라 별 주위에 형성되는 생명 가능 지대의 범위는 어떻게 달라지는지 설명해 보자.

3 생명체가 지구에서와 비슷한 과정으로 진화한다면 생명체가 살고 있는 행성은 어떤 별 주변에 존재할까? 그렇게 생각하는 까닭과 함께 설명해 보자.

결과 및 정리

- 태양계에서 생명 가능 지대는 금성 궤도와 화성 궤도 사이에 존재하며 지구를 포함하고 있다.
- 주계열성은 질량이 클수록 반지름과 광도가 크고, 수명이 짧다. 따라서 주계열성의 질량이 클수록 생명 가능 지대는 중심별에서 멀어지며, 생명 가능 지대의 폭이 넓어진다.
- 생명체의 탄생 및 진화가 지구에서와 비슷한 과정으로 진행된다면, 별의 수명이 최소 10억 년 이상이어야 한다. 따라서 분광형이 O형, B형, A형인 별은 적합하지 않다. 반면에 주계열성 중 K형 별은 수명이 충분히 길지만 생명 가능 지대의 폭이 매우 좁고, 행성의 공전 주기와 자전 주기가 같아질 가능성이 크다. 따라서 생명체가 탄생하기에 적합한 별은 분광형이 F형, G형인 별이고, 고등 생명체가 탄생할 정도로 오랜 시간이 필요하다면 태양과 질량이 비슷한 G형 별이다.

유의점

- 우리가 생명체에 대하여 알고 있는 지식은 모두 지구상의 생명체로부터 얻은 것이다. 따라서 외계 생명체의 특성이 지구 생명체와 유사할 것이라는 전제 하에 연구를 수행할 수밖에 없다는 한계를 이해해야 한다.
- 액체 상태의 물을 기준으로 정한 생명 가능 지대는 지구 생명체를 기준으로 한 것이며, 다른 액체, 예를 들어 메테인 등을 기반으로 하는 생명체라면 생명 가능 지대의 범위가 전혀 달라질 수 있다.

지구에 생명체가 등장하기까지의 시간

지구가 탄생한 이후 생명체가 등장하기까지 약 10억 년이 걸렸고, 최초의 척추동물이 등장하기까지는 약 40억 년이 걸렸다.

탐구 확인 문제

> 정답과 해설 145쪽

01 위 탐구에 대한 설명으로 옳은 것만을 보기에서 있는 대로 고르시오.

> 보기
> ㄱ. 태양계에서 생명 가능 지대는 금성과 화성 궤도 사이에 있다.
> ㄴ. 분광형 O형 별이 생명체 탄생에 가장 적합하다.
> ㄷ. 별의 질량이 작을수록 생명체 탄생과 진화에 유리하다.

02 분광형이 B형, G형, M형인 세 주계열성 주위의 생명 가능 지대에 각각 위치한 행성 ㉠, ㉡, ㉢이 있다.

(1) 세 행성 ㉠~㉢의 공전 궤도 반지름을 비교하시오.

(2) 세 행성 중 생명 가능 지대에 가장 오래 머물 수 있는 행성은 무엇인지 쓰시오. (단, 행성은 중심별 외에 주위의 다른 별의 영향을 받지 않는다.)

(3) 생명체의 탄생과 진화에 가장 유리한 행성은 무엇인지 쓰시오.

심화

외계 행성의 생명체 존재 여부 확인

외계 행성에 의한 식 현상이 일어날 때 행성의 대기를 통과해 온 별빛 스펙트럼에는 행성 대기에 존재하는 분자에 의해 특정한 파장의 흡수선이 만들어질 수 있다. 특히 생명 가능 지대에 위치한 외계 행성에서 생명 활동과 관련이 깊은 오존, 이산화 탄소, 물에 의한 흡수선이 나타난다면 생명체가 존재할 가능성이 있다고 할 수 있다.

❶ 지구 복사 에너지의 스펙트럼과 화성의 스펙트럼

아래 왼쪽 그림에서 지구 복사는 약 288 K의 흑체 복사와 유사하며, 파장이 약 2.5 μm~약 25 μm인 적외선 영역에 집중되어 있다. 특히 지구 복사 에너지의 스펙트럼에는 수증기(H_2O), 이산화 탄소(CO_2), 오존(O_3), 메테인(CH_4) 등의 온실 기체에 의한 흡수선이 뚜렷하게 나타난다. 아래 오른쪽 그림은 맑은 날에 행성 탐사선이 화성의 중위도 상공에서 관측한 화성 복사 에너지의 스펙트럼 분포를 나타낸 것이다. 이 스펙트럼에는 이산화 탄소에 의한 강한 흡수선이 존재하지만 오존이나 산소 등에 의한 흡수선은 존재하지 않는다. 만약 화성 표면에 액체 상태의 물이 존재한다면, 왼쪽의 지구 복사 에너지의 스펙트럼 분포에서처럼 대기 중의 수증기(H_2O)에 의한 흡수선이 강하게 나타났을 것이다.

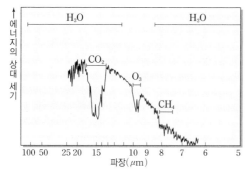

▲ 인공위성에서 관측한 지구 복사 에너지의 스펙트럼

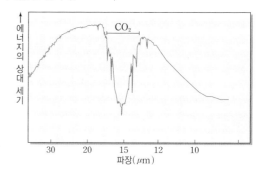

▲ 행성 탐사선에서 관측한 화성 복사 에너지의 스펙트럼

❷ 외계 행성에서 나오는 빛을 관측하여 생명체의 흔적을 찾을 수 있을까?

중심별과 행성에서 나오는 합성된 빛의 스펙트럼에서 별에 의한 스펙트럼 효과를 제거하면 행성에 의한 스펙트럼을 얻을 수 있다. 만약 행성의 스펙트럼에서 오존, 이산화 탄소, 메테인 등에 의한 흡수선이 발견되면 생명체 존재 가능성이 있다고 할 수 있다.

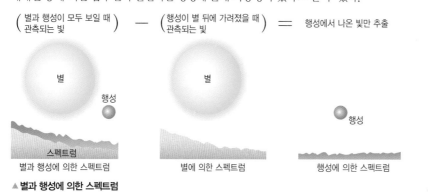

▲ 별과 행성에 의한 스펙트럼

03 외계 행성계 탐사

1. 별과 외계 행성계

❶ 외계 행성계 탐사

1. 외계 행성계 탐사 방법

- 시선 속도를 이용한 방법: 중심별과 행성이 공통 질량 중심을 공전할 때는 (❶   ) 효과에 의해 중심별 스펙트럼 흡수선의 파장 변화가 나타나므로 행성의 존재를 확인할 수 있다.
- (❷   ) 현상을 이용한 방법: 행성이 중심별의 앞면을 지날 때마다 별의 일부가 가려져 주기적인 밝기 변화가 나타나므로 행성의 존재를 확인할 수 있다.
- 미세 중력 렌즈 현상을 이용한 방법: 멀리 있는 별의 별빛이 가까운 별의 (❸   )에 의해 휘어져 더 밝게 나타나며, 이때 가까운 별에 행성이 있을 경우 추가로 밝기 변화가 나타나 행성의 존재를 확인할 수 있다.
- 직접 촬영하는 방법: 거리가 비교적 가까운 외계 행성이 중심별의 빛을 반사하거나, 행성 자체의 복사 에너지를 관측하여 행성의 존재를 확인할 수 있다.

2. 외계 행성의 특징

- 중심별의 질량과 외계 행성: 우리은하에는 (❹   )과 비슷한 질량을 가진 별이 가장 많이 관측되기 때문에 그 주변에 존재하는 행성의 수도 가장 많다.
- 외계 행성의 물리량: 크기는 지구 규모보다 큰 행성들이 많으며, 발견된 외계 행성은 (❺   )로 이루어진 행성이 많다.
- 중심별로부터의 위치와 공전 궤도 모양: 발견된 외계 행성들은 대부분 중심별로부터 가까운 곳에 위치하고, 공전 궤도는 납작한 타원 궤도를 나타내는 행성이 많다.

❷ 외계 생명체 탐사

1. 외계 생명체가 존재하기 위한 행성의 조건

- 액체 상태의 물의 존재: 행성이 액체 상태의 물이 존재하는 영역인 (❻   )에 위치해야 한다.
- 중심별의 질량: 생명체가 탄생하고 진화할 수 있으려면 중심별의 질량이 너무 크거나 너무 작지 않아야 한다.
- 대기의 존재: 행성에 적당한 두께의 대기가 존재하여 적절한 (❼   )를 일으켜서 평균 온도가 일정하게 유지되어야 한다.
- 자기장의 존재: 행성에 (❽   )이 존재하여 우주의 고에너지 입자와 중심별에서 방출하는 항성풍이 지표면으로 유입되는 것을 막아 주어야 한다.
- 행성의 크기와 표면의 성질: 크기가 적당하여 중력이 알맞고, 표면이 단단하며, (❾   )을 보유하여 자전축이 안정적으로 유지될 경우 생명체 존재에 유리하다.

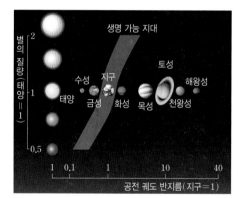

▲ 주계열성의 질량에 따른 생명 가능 지대

2. 외계 생명체 탐사

- 외계 생명체 탐사 방법: 태양계의 화성과 유로파, 타이탄 등은 운석을 분석하거나 우주 탐사선을 이용한 방법으로 생명체를 탐사하고 있으며, 외계 행성의 경우 행성 (❿   )에서 방출된 복사 에너지의 스펙트럼 분석으로 생명 활동과 관련 있는 오존, 메테인, 수증기 등의 존재 여부를 확인한다.
- 외계 생명체 탐사의 의의: 외계 생명체 탐사를 통해 우주와 생명에 대한 지적 호기심을 해결해 나가고, 그 과정에서 얻게 되는 과학 기술은 인류의 문명 발달에 기여하게 된다.

01 외계 행성에 대한 설명으로 옳은 것만을 보기에서 있는 대로 고르시오.

보기
ㄱ. 외계 행성은 태양이 아닌 별 주위를 공전한다.
ㄴ. 외계 행성은 주로 직접 관측을 통해 발견한다.
ㄷ. 외계 행성과 중심별은 공통 질량 중심을 공전한다.

02 다음은 외계 행성계 탐사 방법을 설명한 것이다.

(가) 별과 행성이 공통 질량 중심 주위를 공전할 때 중심별의 (㉠) 변화로 행성의 존재를 확인한다.
(나) 행성이 별의 앞면을 지날 때 나타나는 (㉡) 현상을 이용하여 행성의 존재를 확인한다.
(다) 멀리 있는 별의 밝기가 가까운 별과 행성의 중력에 의해 변화하는 (㉢) 현상을 이용한다.

빈칸에 들어갈 말을 쓰시오.

03 그림은 외계 행성을 탐사하는 어느 방법을 나타낸 것이다.

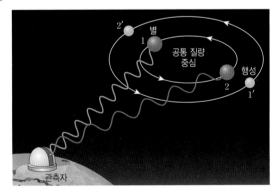

이에 대한 설명으로 옳은 것만을 보기에서 있는 대로 고르시오.

보기
ㄱ. 별의 시선 속도 변화가 나타난다.
ㄴ. $\left(\dfrac{\text{행성의 질량}}{\text{별의 질량}}\right)$이 작을수록 외계 행성 탐사에 유리하다.
ㄷ. 별과 행성이 각각 1과 1′에 위치할 때는 별빛 스펙트럼의 청색 편이가 나타난다.

04 그림은 외계 행성을 탐사하는 어느 방법을 나타낸 것이다.

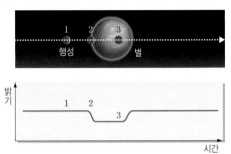

이에 대한 설명으로 옳은 것만을 보기에서 있는 대로 고르시오.

보기
ㄱ. 행성의 공전 궤도면은 관측자의 시선 방향과 수직이다.
ㄴ. 행성이 중심별의 앞면을 지날 때 별의 밝기가 감소한다.
ㄷ. 별의 밝기 변화 주기로부터 행성의 공전 주기를 알 수 있다.

05 그림은 외계 행성을 탐사할 때 사용하는 어느 방법의 원리를 나타낸 것이다.

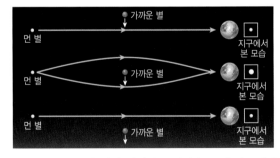

(1) 멀리 있는 별의 빛이 휘어지는 원인은 무엇 때문인지 쓰시오.

(2) 이 방법을 이용하여 위 그림의 먼 별 주변에서 외계 행성을 발견할 수 있는지 쓰시오.

06 그림은 탐사 방법에 따른 외계 행성의 공전 궤도 반지름과 질량을 나타낸 것이다.

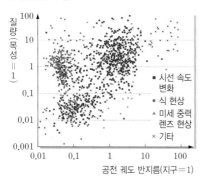

이에 대한 설명으로 옳은 것만을 보기에서 있는 대로 고르시오.

보기

ㄱ. 미세 중력 렌즈 현상을 이용하여 발견한 행성보다 도플러 효과를 이용하여 발견한 행성이 더 많다.

ㄴ. 외계 행성의 크기는 대부분 지구보다 작다.

ㄷ. 발견된 외계 행성의 공전 주기는 대부분 목성의 공전 주기보다 길다.

07 그림은 주계열성에서 액체 상태의 물이 존재할 수 있는 영역(A)을 나타낸 것이다.

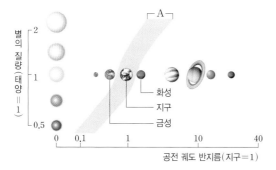

(1) A에 해당하는 영역을 무엇이라고 하는지 쓰시오.

(2) 별의 광도와 별에서 A까지의 거리는 어떤 관계가 있는지 쓰시오.

(3) 별의 수명과 A의 폭은 어떤 관계가 있는지 쓰시오.

08 생명체가 존재하기 위해 필요한 행성의 조건에 대한 설명으로 옳은 것만을 보기에서 있는 대로 고르시오.

보기

ㄱ. 대기 중에 질소가 있어야 한다.

ㄴ. 액체 상태의 물이 존재해야 한다.

ㄷ. 행성 자기장이 매우 약하거나 없어야 한다.

ㄹ. 행성 대기의 두께가 적당하여 알맞은 온실 효과가 유지되어야 한다.

09 외계 생명체 탐사에 대한 설명으로 옳은 것만을 보기에서 있는 대로 고르시오.

보기

ㄱ. 주로 생명 가능 지대에 위치한 지구 규모의 외계 행성을 탐사한다.

ㄴ. 행성 대기의 스펙트럼을 분석하여 생명체 존재 가능성을 확인할 수 있다.

ㄷ. 외계 행성에 우주 탐사선을 보내 생명체 존재 여부를 탐사하는 것이 가장 효과적이다.

10 다음은 물의 특성이 생명 활동에 미치는 영향을 설명한 것이다.

(가) 물은 생명 활동에 필수가 되는 여러 가지 물질들을 녹여 생명체가 쉽게 흡수할 수 있게 한다.

(나) 물은 (㉠)이 매우 커서 온도 변화가 쉽게 일어나지 않기 때문에 생명체의 항상성을 유지하는 데 중요한 역할을 한다.

(다) 물은 액체에서 고체가 될 때 밀도가 (㉡)하므로 추운 겨울에도 얼음 밑의 수중 생태계가 유지될 수 있다.

빈칸에 들어갈 말을 쓰시오.

01 ❯ 외계 행성 탐사 방법
그림은 시선 방향과 나란하게 별 주위를 돌고 있는 어느 외계 행성의 모습을 나타낸 것이다.
외계 행성의 존재를 확인할 수 있는 탐사 방법으로 적합한 것만을 보기에서 있는 대로 고른 것은?

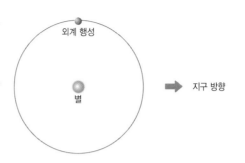

- 외계 행성은 직접 관측하기가 어렵기 때문에 대부분 간접적인 방법을 통해 탐사하고 있다. 간접적인 탐사 방법에는 크게 시선 속도 이용법, 식 현상 이용법, 미세 중력 렌즈 이용법 등이 있다.

┌─ 보기 ─
ㄱ. 별빛 스펙트럼을 분석하여 별의 분광형을 알아낸다.
ㄴ. 행성의 중력에 의해 중심별의 빛이 굴절하는 현상을 관측한다.
ㄷ. 행성이 중심별 앞을 지날 때 나타나는 별의 밝기 변화를 관측한다.
└────

① ㄱ   ② ㄷ   ③ ㄱ, ㄴ   ④ ㄱ, ㄷ   ⑤ ㄴ, ㄷ

02 ❯ 시선 속도 변화를 이용한 외계 행성 탐사
그림은 어느 외계 행성에 의한 중심별의 시선 속도 변화를 나타낸 것이다.
이에 대한 설명으로 옳은 것만을 보기에서 있는 대로 고른 것은? (단, 외계 행성의 공전 궤도면은 시선 방향에 나란하다.)

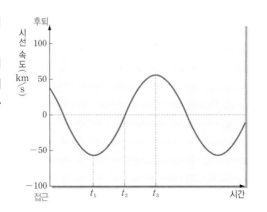

- 외계 행성계에서 중심별과 외계 행성이 공통 질량 중심을 공전할 때 공전 방향과 공전 주기는 같다. 따라서 별이 멀어질 때 행성은 가까워진다.

┌─ 보기 ─
ㄱ. t_1일 때 별빛 스펙트럼의 청색 편이가 나타난다.
ㄴ. t_2일 때 외계 행성에 의한 중심별의 식 현상이 나타난다.
ㄷ. 외계 행성의 공전 주기는 $(t_3 - t_1)$이다.
└────

① ㄱ   ② ㄷ   ③ ㄱ, ㄴ   ④ ㄴ, ㄷ   ⑤ ㄱ, ㄴ, ㄷ

03
> 식 현상과 미세 중력 렌즈 현상을 이용한 외계 행성 탐사

그림 (가)와 (나)는 외계 행성을 탐사하는 서로 다른 방법을 나타낸 것이다.

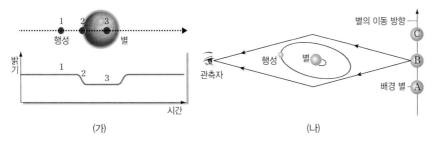

(가)   (나)

• (가)는 행성에 의한 식 현상을 이용하는 방법이고, (나)는 미세 중력 렌즈 현상을 이용하는 방법이다.

이에 대한 설명으로 옳은 것만을 보기에서 있는 대로 고른 것은?

─ 보기 ─
ㄱ. (가)는 지구 규모의 행성보다 목성 규모의 행성 탐사에 유리하다.
ㄴ. (나)에서 배경 별의 밝기는 B의 위치에서 가장 어둡다.
ㄷ. (가), (나)는 모두 행성의 공전 궤도면이 시선 방향에 나란할 때 이용 가능한 방법이다.

① ㄱ   ② ㄷ   ③ ㄱ, ㄴ   ④ ㄴ, ㄷ   ⑤ ㄱ, ㄴ, ㄷ

04
> 공통 질량 중심을 공전하는 외계 행성계

그림은 시선 방향과 나란하게 공통 질량 중심을 공전하고 있는 어느 외계 행성계의 모습을 나타낸 것이다.
이에 대한 설명으로 옳은 것만을 보기에서 있는 대로 고른 것은?

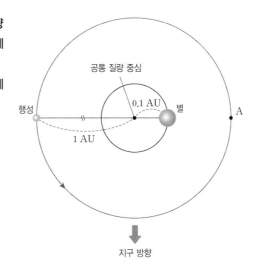

• 행성의 질량이 클수록 공통 질량 중심은 중심별에서 멀어진다. 별이 공통 질량 중심을 공전함에 따라 별빛 스펙트럼의 파장 변화가 주기적으로 나타난다.

─ 보기 ─
ㄱ. 행성이 A에 위치할 때 별빛 스펙트럼에서 적색 편이가 나타난다.
ㄴ. 별과 행성은 공통 질량 중심을 같은 주기와 같은 방향으로 공전한다.
ㄷ. 행성의 질량이 현재보다 작아지면 공통 질량 중심과 별 사이의 거리는 0.1AU보다 멀어질 것이다.

① ㄱ   ② ㄴ   ③ ㄱ, ㄴ   ④ ㄱ, ㄷ   ⑤ ㄴ, ㄷ

05 ❯ 식 현상에 의한 중심별의 밝기 변화

그림은 외계 행성에 의한 중심별의 밝기 변화를 나타낸 것이다. 이에 대한 설명으로 옳은 것만을 보기에서 있는 대로 고른 것은?

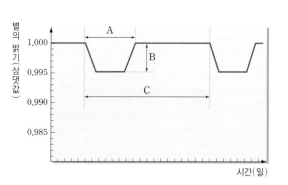

• 외계 행성이 중심별의 앞면을 지날 때마다 별의 일부가 가려져 밝기 감소가 나타나는데, 이를 관측하여 행성의 존재를 확인할 수 있다.

보기

ㄱ. A는 중심별의 반지름이 클수록 길어진다.

ㄴ. B는 행성의 반지름이 클수록 커진다.

ㄷ. C는 행성의 공전 주기에 해당한다.

① ㄱ   ② ㄴ   ③ ㄱ, ㄷ   ④ ㄴ, ㄷ   ⑤ ㄱ, ㄴ, ㄷ

06 ❯ 미세 중력 렌즈 현상을 이용한 외계 행성 탐사

그림 (가)와 (나)는 가까운 별이 각각 행성을 거느리고 있을 때와 행성을 거느리지 않을 때 미세 중력 렌즈 현상에 따른 먼 별의 밝기 변화를 순서 없이 나타낸 것이다.

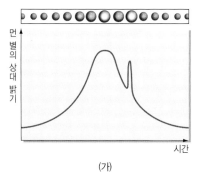

(가)

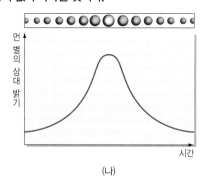

(나)

• 거리가 다른 두 개의 별이 같은 방향에 있을 경우, 멀리 있는 별의 별빛이 가까운 별의 중력에 의해 미세하게 굴절되어 더 밝게 보이는 현상이 나타난다.

이에 대한 설명으로 옳은 것만을 보기에서 있는 대로 고른 것은?

보기

ㄱ. (가)에서 가까운 별과 먼 별이 가장 가까워졌을 때 별의 밝기가 최대가 된다.

ㄴ. (나)에서 가까운 별은 행성을 거느리고 있다.

ㄷ. (가)와 (나)는 모두 가까운 별의 질량이 클수록 먼 별의 밝기 변화가 크다.

① ㄱ   ② ㄴ   ③ ㄷ   ④ ㄱ, ㄷ   ⑤ ㄴ, ㄷ

07 › 외계 행성의 물리량 비교

그림 (가)는 직접 관측하는 방법을 통해 발견한 외계 행성의 물리량을, (나)는 식 현상을 이용하는 방법을 통해 발견한 외계 행성의 물리량을 나타낸 것이다.

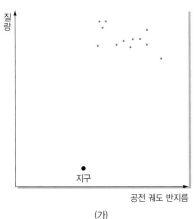

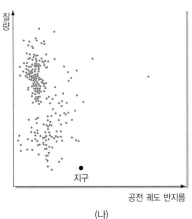

이에 대한 설명으로 옳은 것만을 보기에서 있는 대로 고른 것은?

보기
ㄱ. (가)의 행성은 대부분 가시광선 영역에서 관측되었다.
ㄴ. (나)의 행성은 공전 궤도면이 시선 방향에 거의 나란하다.
ㄷ. 지구로부터의 거리는 (가)의 행성이 (나)의 행성보다 대체로 가깝다.

① ㄱ ② ㄴ ③ ㄱ, ㄷ ④ ㄴ, ㄷ ⑤ ㄱ, ㄴ, ㄷ

외계 행성까지의 거리가 상대적으로 가까운 경우, 외계 행성이 방출하는 복사 에너지를 직접 관측하여 행성의 존재를 확인할 수 있다.

08 › 외계 행성계의 특징

그림 (가)는 중심별의 질량에 따른 외계 행성의 개수를, (나)는 케플러 우주 망원경으로 발견한 외계 행성의 크기에 따른 개수를 나타낸 것이다.

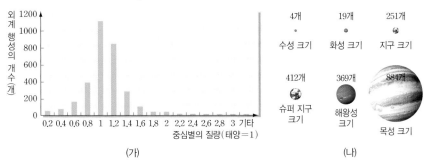

이에 대한 설명으로 옳은 것만을 보기에서 있는 대로 고른 것은?

보기
ㄱ. 외계 행성은 태양과 질량이 비슷한 별 주변에서 가장 많이 발견된다.
ㄴ. 케플러 우주 망원경은 직접 관측을 통해 외계 행성을 찾는다.
ㄷ. 발견된 외계 행성들은 대부분 암석형 행성일 것이다.

① ㄱ ② ㄴ ③ ㄷ ④ ㄱ, ㄷ ⑤ ㄴ, ㄷ

우리은하에는 태양과 비슷한 질량을 가진 별이 가장 많이 관측되기 때문에 그 주변에 존재하는 외계 행성이 많이 발견된다.

09 > 주계열성의 물리량과 생명 가능 지대

표는 중심별이 주계열성에 해당하는 외계 행성계 (가)~(다)의 물리량을 나타낸 것이다.

이에 대한 설명으로 옳은 것만을 보기에서 있는 대로 고른 것은?

외계 행성계	분광형	질량(태양=1)
(가)	K8	0.1
(나)	B5	10
(다)	G2	1.0

• 별의 분광형은 표면 온도에 따라 O, B, A, F, G, K, M으로 구분할 수 있다. 생명 가능 지대는 별 주변에서 액체 상태의 물이 존재할 수 있는 영역이다.

보기
ㄱ. 생명 가능 지대의 폭은 (가)에서 가장 넓다.
ㄴ. 행성에서 안정된 환경이 가장 오래 유지되는 외계 행성계는 (나)이다.
ㄷ. (다)에서 1 AU 거리에 위치한 행성의 표면에는 액체 상태의 물이 존재할 수 있다.

① ㄱ   ② ㄷ   ③ ㄱ, ㄴ   ④ ㄴ, ㄷ   ⑤ ㄱ, ㄴ, ㄷ

10 > 생명 가능 지대

그림은 주계열성의 질량에 따른 생명 가능 지대의 범위와, 질량이 서로 다른 별 주위를 돌고 있는 행성 A~C를 나타낸 것이다.

이에 대한 설명으로 옳은 것만을 보기에서 있는 대로 고른 것은?

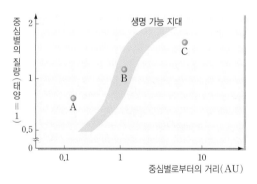

• 별의 광도가 클수록 생명 가능 지대의 거리는 멀어진다. 별의 광도는 반지름이 클수록, 표면 온도가 높을수록 크다.

보기
ㄱ. A의 중심별은 태양보다 표면 온도가 높다.
ㄴ. 단위 면적에 입사하는 중심별의 에너지양은 C가 B보다 많다.
ㄷ. A~C 중 액체 상태의 물이 존재할 가능성이 가장 높은 것은 B이다.

① ㄱ   ② ㄴ   ③ ㄷ   ④ ㄱ, ㄷ   ⑤ ㄴ, ㄷ

11 ▷ 별의 진화에 따른 생명 가능 지대의 변화

그림은 태양과 질량이 같은 어느 별에서 시간에 따른 생명 가능 지대의 변화를 나타낸 것이다.

이에 대한 설명으로 옳은 것만을 보기에서 있는 대로 고른 것은? (단, 지구의 나이는 약 45억 년이며, 지구의 공전 궤도 반지름은 변하지 않는 것으로 가정한다.)

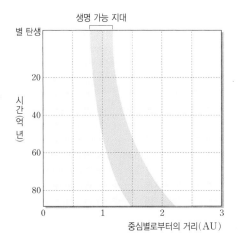

• 태양 정도의 별은 진화함에 따라 광도가 조금씩 커지므로 생명 가능 지대의 거리가 멀어지고 그 폭이 넓어진다.

─ 보기 ───────────────────
ㄱ. 이 별은 탄생 후 약 50억 년이 지나면 적색 거성이 된다.
ㄴ. 지구가 생명 가능 지대에 머물 수 있는 총 기간은 약 50억 년이다.
ㄷ. 금성은 앞으로 약 10억 년 후에 생명 가능 지대에 위치할 것이다.
────────────────────────

① ㄱ   ② ㄴ   ③ ㄱ, ㄷ   ④ ㄴ, ㄷ   ⑤ ㄱ, ㄴ, ㄷ

12 ▷ 주계열성의 수명과 생명체의 존재 가능성

그림은 H–R도에 주계열성의 질량과 수명을 나타낸 것이다.

이에 대한 설명으로 옳은 것만을 보기에서 있는 대로 고른 것은?

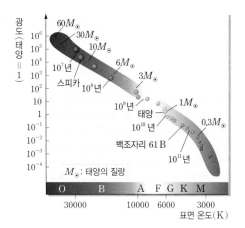

• 별의 질량이 너무 크면 진화 속도가 빠르기 때문에 행성에서 생명체가 탄생하여 진화하기 어렵다. 지구에서 최초의 척추동물이 출현하는 데 약 40억 년이 걸린 점을 생각하면 태양 질량의 10배인 별의 수명은 겨우 수천만 년 정도이므로, 이처럼 질량이 큰 별 주위의 외계 행성에서 생명체가 탄생하여 진화하기 어렵다는 것을 알 수 있다.

─ 보기 ───────────────────
ㄱ. 주계열성의 수명이 짧을수록 중심별로부터 생명 가능 지대의 거리가 멀다.
ㄴ. 별 주변에서 액체 상태의 물이 존재할 수 있는 범위는 태양보다 백조자리 61B에서 넓다.
ㄷ. 스피카를 공전하는 행성에서는 생명체가 진화하는 데 필요한 시간을 확보하기 어렵다.
────────────────────────

① ㄱ   ② ㄷ   ③ ㄱ, ㄴ   ④ ㄱ, ㄷ   ⑤ ㄴ, ㄷ

13 > 지구 밖의 생명체 탐사

그림 (가)는 화성의 표면 모습을, (나)는 목성의 위성인 유로파의 모습을 나타낸 것이다.

 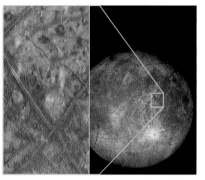

(가)   (나)

(가) 화성 표면의 암석에서 물에 의한 침식의 흔적을 발견하고, 토양층 밑에서 얼음 상태의 물을 발견하였다.

(나) 유로파의 표면에 두꺼운 얼음층의 균열이 존재하며, 그 밑에 액체 상태의 바다가 있을 것을 추정된다.

이에 대한 설명으로 옳은 것만을 보기에서 있는 대로 고른 것은?

보기

ㄱ. 화성의 표면 온도는 현재보다 과거에 더 높았다.

ㄴ. 지표면의 평균 반사율은 유로파가 화성보다 높을 것이다.

ㄷ. 화성과 유로파는 모두 태양계의 생명 가능 지대에 위치한다.

① ㄱ   ② ㄴ   ③ ㄱ, ㄴ   ④ ㄱ, ㄷ   ⑤ ㄴ, ㄷ

- 행성에 액체 상태의 물이 존재하는지의 여부는 행성의 대기 조건이나 반사율 등으로 알 수 있다. 생명 가능 지대의 이론적인 범위는 일반적으로 중심별의 광도만을 고려하여 나타낸다.

14 > 외계 생명체 탐사

다음은 외계 생명체 탐사와 관련된 설명이다.

(가) 생명 가능 지대에 위치해 있는 외계 행성의 복사 스펙트럼을 분석하면 행성 대기에 존재하는 ㉠ 특정 성분의 존재 여부를 확인할 수 있다.

(나) 외계 지적 생명체 탐사(Search for Extra-Terrestrial Intelligence: SETI)는 ㉡ 우주에서 들어오는 인공적인 신호를 찾는 연구로 외계의 지적 생명체를 찾는 프로젝트이며, 최근에는 세티앳홈(SETI@home)으로 운영하고 있다.

이에 대한 설명으로 옳은 것만을 보기에서 있는 대로 고른 것은?

보기

ㄱ. ㉠의 예로 오존, 메테인, 수증기 등이 있다.

ㄴ. ㉡은 주로 전파 영역에서 이루어지고 있다.

ㄷ. (가)와 (나)의 탐사를 통해 우주와 생명에 대한 이해의 폭을 넓힐 수 있다.

① ㄱ   ② ㄴ   ③ ㄱ, ㄷ   ④ ㄴ, ㄷ   ⑤ ㄱ, ㄴ, ㄷ

- 우주와 생명의 본질에 대해 더 깊이 이해하고자 하는 것은 인류가 가진 본능이다. 외계 생명체 탐사를 통해 이러한 지적 호기심을 해결할 수 있으며, 탐사 과정에서 얻는 첨단 기술은 인류의 문명 발달에 기여할 것이다.

지구와 가장 가까운 별

지구와 가장 가까운 별은 물론 태양이다. 그러나 많은 경우 지구와 가장 가까운 별이 어디냐는 질문의 답으로 태양을 기대하지는 않을 것이다. 그러면 태양을 제외하고 가장 가까운 별은 어디에 있을까? 그것은 바로 센타우루스자리에 있다.

센타우루스(Centaurus)는 고대 그리스 신화에 나오는 존재로, 상반신은 사람의 모습을, 하반신은 말의 모습을 하고 있다. 성질이 포악하고 음탕한 것으로 알려져 있으나, 케이론이라는 센타우루스는 현명하고 재주가 많아서 신들의 왕 제우스의 명에 따라 밤하늘의 별자리를 재배치하기도 하였다. 그 공으로 케이론은 별자리가 될 수 있었는데, 그 별자리가 바로 센타우루스자리이다.

센타우루스자리의 알파별은 밝기가 밝아서 맨눈으로도 관측할 수 있다. 맨눈으로 볼 수 있는 별 중 태양을 제외하고 지구에 가장 가까우며, 약 4.37광년의 거리에 위치한다. 이처럼 태양계에 가장 가까운 별이라고 해도 빛의 속도로 4년 넘게 달려가야 도달할 수 있을 만큼 먼 거리에 있는 것이다.

센타우루스자리는 남반구에 위치하므로 우리나라에서는 관측할 수 없다. 그리고 센타우루스자리 알파별을 맨눈으로 볼 때 하나의 별로 보이지만 실제로는 두 개의 별이 중력으로 묶인 쌍성이다. 둘 중 조금 더 큰 것이 센타우루스자리 알파 A이고, 조금 더 작은 것이 센타우루스자리 알파 B이다.

센타우루스자리 알파별로부터 조금 떨어진 곳에는 센타우루스자리 프록시마라는 별이 있다. 프록시마(Proxima)는 라틴어로 '가장 가까운'이라는 뜻의 접두어이다. 너무 어두워서 맨눈으로 볼 수 없으며, 태양으로부터의 거리는 약 4.24광년이다. 맨눈으로 볼 수 있는 별 중 가장 가까운 별은 센타우루스자리 알파별이지만, 맨눈으로 볼 수 없는 별까지 포함하면 프록시마가 가장 가까운 것이다. 프록시마가 센타우루스자리 알파 A, B와 중력으로 묶여서 삼중성을 이룬다는 주장도 있지만 아직 확실히 알려지지는 않았다.

최근에는 초소형 우주선을 프록시마로 보내려는 계획이 발표되고, 우주 망원경으로 센타우루스 알파별 주변의 행성을 찾는 프로그램 등이 계획되는 등 태양계와 가장 가까운 별을 탐사하기 위한 발걸음을 내딛기 시작하였다.

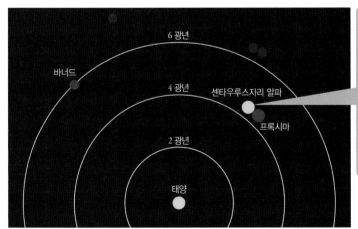

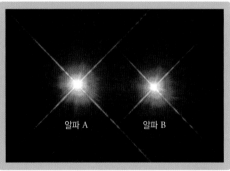

센타우루스자리 알파별은 실제로 두 개의 별 A, B로 이루어진 쌍성이다.

▲ **지구와 가장 가까운 별** 맨눈으로 볼 수 있는 별 중 가장 가까운 것은 센타우루스자리 알파별이고, 센타우루스자리 프록시마는 맨눈으로 볼 수 없는 별까지 통틀어서 지구에 가장 가까운 별이다.

01　▷ 별의 물리량 비교

표는 별 (가)~(라)의 광도와 분광형을 나타낸 것이다.

이에 대한 설명으로 옳은 것만을 보기에서 있는 대로 고른 것은?

별	광도(태양=1)	분광형
(가)	10^3	B0
(나)	10^3	K5
(다)	1	G2
(라)	10^{-3}	A0

별의 단위 면적에서 방출하는 에너지양은 표면 온도의 4제곱에 비례하며, 별의 광도는 별의 표면적과 별이 단위 시간 동안 단위 면적에서 내보내는 에너지양을 곱하여 알아낼 수 있다.

보기

ㄱ. 별의 크기는 (가)가 (나)보다 크다.

ㄴ. 별의 단위 면적에서 방출되는 에너지양은 (다)가 (라)보다 많다.

ㄷ. (가)~(라) 중 스펙트럼에 나타난 수소 흡수선의 세기는 (라)가 가장 강하다.

① ㄱ　　② ㄷ　　③ ㄱ, ㄴ　　④ ㄱ, ㄷ　　⑤ ㄴ, ㄷ

02　▷ 별의 H-R도와 흡수선의 상대적 세기

그림 (가)는 별의 H-R도를, (나)는 별의 표면 온도에 따른 H I, Ca II 흡수선의 상대적 세기를 나타낸 것이다.

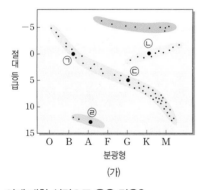

(가)

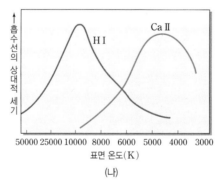

(나)

O형에서 M형으로 갈수록 표면 온도가 낮아지고 붉은색을 띤다. 태양의 경우에는 표면 온도가 약 5800 K이고, 분광형은 G2형이다.

이에 대한 설명으로 옳은 것은?

① 별 ㉠~㉣은 모두 정역학 평형 상태를 유지한다.

② 별 ㉡의 중심부에서 수소 핵융합 반응이 활발하다.

③ 별 ㉢은 중심부에 탄소로 이루어진 핵이 존재한다.

④ H I 흡수선의 상대적 세기는 별 ㉠이 ㉣보다 강하다.

⑤ Ca II 흡수선의 상대적 세기는 별 ㉡이 ㉢보다 강하다.

03 > 태양의 진화

그림은 태양의 예상 진화 경로를
H−R도에 나타낸 것이다.
이에 대한 설명으로 옳은 것만을 보기
에서 있는 대로 고른 것은?

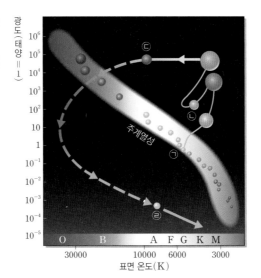

• 태양과 질량이 비슷한 별은 주계
열성 단계 → 거성 단계 → 행성상
성운과 백색 왜성 단계 순으로 진
화한다.

보기 ─

ㄱ. ㉠ 단계에서 머무르는 시간이 가장 짧다.

ㄴ. 중심핵의 온도는 ㉠ 단계보다 ㉡ 단계일 때 높다.

ㄷ. ㉢ → ㉣ 단계에서 철보다 무거운 원소가 생성된다.

① ㄱ   ② ㄴ   ③ ㄱ, ㄴ   ④ ㄱ, ㄷ   ⑤ ㄴ, ㄷ

04 > 성단의 H−R도

그림은 형성 시기가 서로 다른 두 성단 (가)와 (나)의 **H−R도**를 나타낸 것이다.

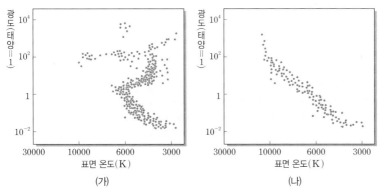

• 성단을 이루고 있는 별들은 거의
동시에 만들어졌기 때문에 나이가
거의 같다. 구상 성단은 산개 성단
에 비해 나이가 많기 때문에 주계
열성의 비율이 작다.

이에 대한 설명으로 옳은 것만을 보기에서 있는 대로 고른 것은?

보기 ─

ㄱ. (가)는 (나)에 비해 붉은색 별의 비율이 높다.

ㄴ. 성단을 이루는 별들 중에서 주계열성의 비율은 (가)가 (나)보다 높다.

ㄷ. 성단이 만들어진 시기는 (가)가 (나)보다 오래되었다.

① ㄱ   ② ㄴ   ③ ㄱ, ㄴ   ④ ㄱ, ㄷ   ⑤ ㄴ, ㄷ

05 > 별의 질량과 광도 관계

그림은 주계열성의 질량과 광도 사이의 관계를 나타낸 것이다.

별 A가 B보다 큰 값을 가지는 물리량을 보기에서 있는 대로 고른 것은?

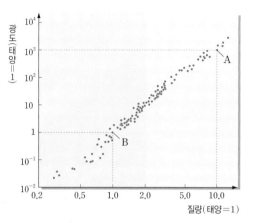

• H−R도에서는 왼쪽 위에서 오른쪽 아래로 대각선으로 이어지는 영역에 대부분의 별들이 분포한다. 이 영역에 있는 별들을 주계열성이라고 한다. 주계열에 속하는 별들은 표면 온도가 높을수록 광도가 크고 반지름과 질량도 크다.

보기
ㄱ. 별의 수명
ㄴ. 절대 등급
ㄷ. 표면 온도
ㄹ. 스펙트럼에서 헬륨 흡수선의 세기

① ㄱ, ㄴ ② ㄱ, ㄷ ③ ㄴ, ㄷ ④ ㄴ, ㄹ ⑤ ㄷ, ㄹ

06 > 수소 핵융합 반응

그림은 어느 별의 중심부에서 일어나는 반응을 나타낸 것이다.

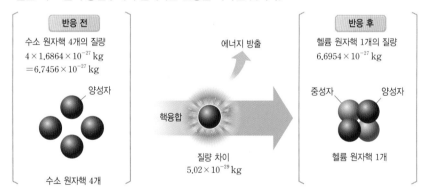

반응 전
수소 원자핵 4개의 질량
$4 \times 1.6864 \times 10^{-27}$ kg
$= 6.7456 \times 10^{-27}$ kg

양성자

수소 원자핵 4개

에너지 방출

핵융합

질량 차이
5.02×10^{-29} kg

반응 후
헬륨 원자핵 1개의 질량
6.6954×10^{-27} kg

중성자 양성자

헬륨 원자핵 1개

• 4개의 수소 원자핵이 1개의 헬륨 원자핵을 만드는 수소 핵융합 반응에서는 감소된 질량이 아인슈타인의 질량−에너지 등가 원리 ($E = \Delta mc^2$)에 따라 에너지로 전환된다.

이에 대한 설명으로 옳은 것만을 보기에서 있는 대로 고른 것은? (단, 빛의 속도는 3.0×10^8 m/s 이다.)

보기
ㄱ. 온도가 1000만 K 이상일 때 일어날 수 있다.
ㄴ. 주계열성에서만 일어날 수 있는 반응이다.
ㄷ. 이 반응에서 생성되는 핵에너지는 약 4.5×10^{-12} J이다.

① ㄱ ② ㄴ ③ ㄱ, ㄷ ④ ㄴ, ㄷ ⑤ ㄱ, ㄴ, ㄷ

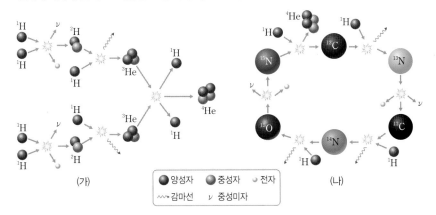

07 ❯ 수소 핵융합 반응의 종류

그림 (가)와 (나)는 수소 핵융합 반응의 두 종류를 나타낸 것이다.

• 주계열성에서 일어나는 수소 핵융합 반응에는 양성자－양성자 반응(P－P 반응)과 탄소·질소·산소 순환 반응(CNO 순환 반응)이 있다.

- ● 양성자 ● 중성자 ○ 전자
- ∿∿ 감마선 ν 중성미자

(가)   (나)

이에 대한 설명으로 옳은 것만을 보기에서 있는 대로 고른 것은?

> **보기**
>
> ㄱ. (가)는 양성자－양성자 반응이다.
>
> ㄴ. (가), (나) 중 어느 반응이 우세할지는 별 중심부의 온도가 영향을 미친다.
>
> ㄷ. 별의 중심부에 대류핵이 존재할 경우, (가)보다 (나)의 반응이 우세하다.

① ㄱ   ② ㄴ   ③ ㄱ, ㄴ   ④ ㄱ, ㄷ   ⑤ ㄱ, ㄴ, ㄷ

08 ❯ 별의 정역학 평형

그림은 주계열성의 내부에 작용하는 힘 A, B를 나타낸 것이다.
이에 대한 설명으로 옳은 것만을 보기에서 있는 대로 고른 것은?

• 별의 내부에서는 별의 중심부로 수축하려는 힘과 핵융합 반응으로 내부 온도가 상승하여 바깥쪽으로 팽창하는 기체 압력이 평형을 이룬다.

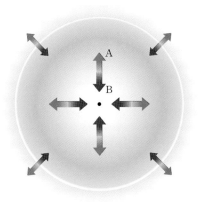

> **보기**
>
> ㄱ. A는 중력이고, B는 내부의 기체 압력에 따른 힘이다.
>
> ㄴ. A와 B가 평형을 이루어 일정한 크기를 유지한다.
>
> ㄷ. 거성으로 진화할 때 중심부는 A가 B보다 더 크다.

① ㄱ   ② ㄴ   ③ ㄱ, ㄴ   ④ ㄱ, ㄷ   ⑤ ㄴ, ㄷ

09 ❯ 거성의 내부 구조

그림 (가)와 (나)는 적색 거성과 초거성의 내부 구조를 순서 없이 나타낸 것이다.

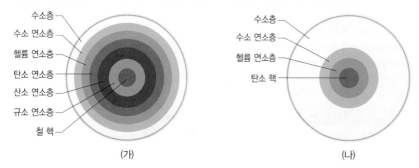

수소층
수소 연소층
헬륨 연소층
탄소 연소층
산소 연소층
규소 연소층
철 핵

(가)

수소층
수소 연소층
헬륨 연소층
탄소 핵

(나)

이에 대한 설명으로 옳은 것만을 보기에서 있는 대로 고른 것은?

보기

ㄱ. 별의 질량은 (가)가 (나)보다 크다.

ㄴ. (가)의 철 핵에서 중력 수축이 일어날 것이다.

ㄷ. 앞으로 (나)의 중심부에서 백색 왜성이 만들어질 것이다.

① ㄴ ② ㄷ ③ ㄱ, ㄴ ④ ㄱ, ㄷ ⑤ ㄱ, ㄴ, ㄷ

• 질량이 태양과 비슷한 주계열성은 적색 거성이 되고, 질량이 충분히 큰 별은 양파 껍질과 같은 구조의 초거성이 된다.

10 ❯ 별의 질량에 따른 진화 경로

다음은 질량이 다른 두 별 (가), (나)의 진화 과정을 나타낸 것이다.

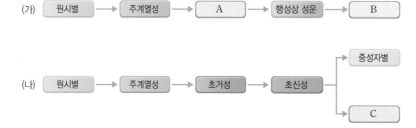

(가) 원시별 → 주계열성 → A → 행성상 성운 → B

(나) 원시별 → 주계열성 → 초거성 → 초신성 → 중성자별 / C

이에 대한 설명으로 옳은 것만을 보기에서 있는 대로 고른 것은?

보기

ㄱ. 진화 속도는 (가)가 (나)보다 느리다.

ㄴ. A는 B보다 표면 온도가 낮다.

ㄷ. C는 중성자별보다 밀도가 작다.

① ㄱ ② ㄴ ③ ㄷ ④ ㄱ, ㄴ ⑤ ㄴ, ㄷ

• 질량이 큰 별일수록 중심부에서 일어나는 핵융합 반응의 연소 효율이 높아 수명이 짧다.

11 > 시선 속도 변화를 이용한 외계 행성계 탐사

그림은 어느 별과 외계 행성이 공통 질량 중심을 공전하는 모습을 나타낸 것이다.

이에 대한 설명으로 옳은 것만을 보기에서 있는 대로 고른 것은? (단, 행성의 공전 궤도면은 시선 방향에 나란하다.)

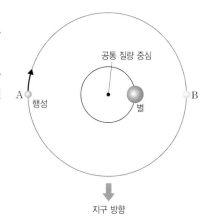

• 별이 행성과의 공통 질량 중심을 공전하는 동안 지구로부터 주기적으로 멀어졌다 가까워지면서 도플러 효과를 일으키므로 별의 스펙트럼 흡수선의 파장을 분석하여 외계 행성의 존재를 확인할 수 있다.

보기
ㄱ. 별과 행성이 공통 질량 중심을 공전하는 방향은 서로 반대이다.
ㄴ. 별빛 스펙트럼에서 나타난 흡수선의 파장은 행성의 위치가 A보다 B일 때 길다.
ㄷ. 지구로부터 이 외계 행성까지의 거리가 멀수록 별빛 스펙트럼의 파장 변화량이 크다.

① ㄱ   ② ㄴ   ③ ㄱ, ㄴ   ④ ㄱ, ㄷ   ⑤ ㄴ, ㄷ

12 > 외계 행성의 식 현상에 의한 중심별의 밝기 변화

그림은 서로 다른 두 외계 행성계 (가), (나)에서 각각의 중심별을 공전하는 행성 A, B에 의한 중심별의 밝기 변화를 나타낸 것이다.

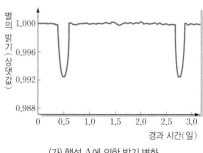

(가) 행성 A에 의한 밝기 변화

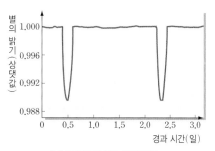

(나) 행성 B에 의한 밝기 변화

• 별 주위를 공전하는 행성이 별의 앞면을 지나면 별의 밝기가 감소하는데, 이를 이용하여 외계 행성의 존재를 탐사할 수 있다. 이 방법은 행성의 공전 궤도면이 관측자의 시선 방향과 나란할 때 적용할 수 있는 방법으로, 외계 행성의 반지름이 클수록 유리하다.

이에 대한 설명으로 옳은 것만을 보기에서 있는 대로 고른 것은? (단, (가)와 (나)의 중심별은 질량이 같은 주계열성이다.)

보기
ㄱ. 행성의 공전 주기는 A가 B보다 길다.
ㄴ. 행성의 반지름은 A가 B보다 크다.
ㄷ. A와 B의 질량이 같다면 스펙트럼에 나타난 흡수선의 파장 변화량은 (나)가 (가)보다 크다.

① ㄱ   ② ㄴ   ③ ㄱ, ㄴ   ④ ㄱ, ㄷ   ⑤ ㄴ, ㄷ

13 ＞ 미세 중력 렌즈 현상을 이용한 외계 행성 탐사

그림 (가)는 외계 행성을 탐사하는 어느 방법을, (나)는 (가)에서 관측된 별의 밝기 변화를 나타낸 것이다.

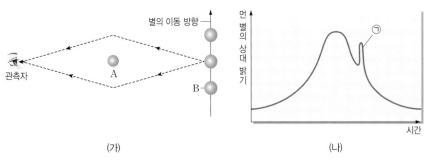

(가)　　　　　　　　　　　　　(나)

- 거리가 다른 두 개의 별이 시선 방향과 일직선으로 일치하는 경우 멀리 있는 별의 빛이 가까운 별과 행성의 중력에 의해 미세하게 굴절되어 휘어지는 현상이 나타날 수 있다.

이에 대한 설명으로 옳은 것만을 보기에서 있는 대로 고른 것은?

보기
ㄱ. 미세 중력 렌즈 현상을 이용한 외계 행성 탐사이다.
ㄴ. (나)는 별 A의 밝기 변화를 나타낸 것이다.
ㄷ. (나)의 ㉠은 별 B의 외계 행성에 의해 나타난 밝기 변화이다.

① ㄱ　　　② ㄴ　　　③ ㄷ　　　④ ㄱ, ㄷ　　　⑤ ㄴ, ㄷ

14 ＞ 발견된 외계 행성의 물리량

그림 (가)는 최근까지 발견된 외계 행성의 공전 주기에 따른 개수를, (나)는 이 외계 행성들의 공전 주기와 중심별의 질량과의 관계를 나타낸 것이다.

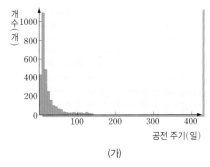
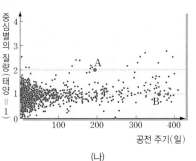

(가)　　　　　　　　　　　　　(나)

- 지금까지 발견된 외계 행성은 주로 목성 정도의 질량이며, 공전 궤도 반지름은 지구보다 훨씬 작은 경우가 대부분이었다. 이는 행성의 질량이 크고 공전 궤도 반지름이 작으면 중심별에 미치는 행성의 영향이 커서 발견하기가 더 쉽기 때문이다.

이에 대한 설명으로 옳은 것만을 보기에서 있는 대로 고른 것은? (단, 외계 행성 A, B의 질량과 대기 조건은 같다.)

보기
ㄱ. 외계 행성은 대부분 지구보다 공전 주기가 길다.
ㄴ. 액체 상태의 물이 존재할 가능성은 A보다 B가 더 크다.
ㄷ. 중심별과 공통 질량 중심 사이의 거리는 A의 행성계가 B의 행성계보다 가깝다.

① ㄱ　　　② ㄷ　　　③ ㄱ, ㄴ　　　④ ㄴ, ㄷ　　　⑤ ㄱ, ㄴ, ㄷ

15 〉생명 가능 지대

다음은 외계 행성계 (가)와 (나)에서 중심별로부터의 행성의 거리와 생명 가능 지대를 나타낸 것이다.

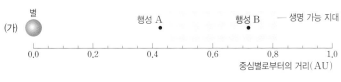

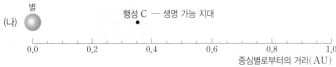

이에 대한 설명으로 옳은 것만을 보기에서 있는 대로 고른 것은? (단, (가)와 (나)에서 중심별의 표면 온도는 같고, 행성의 대기 조건은 모두 동일하다.)

> 보기
> ㄱ. 중심별의 광도는 (가)가 (나)보다 크다.
> ㄴ. 중심별의 반지름은 (가)가 (나)보다 작다.
> ㄷ. A~C 중 표면 온도가 가장 높은 행성은 C이다.

① ㄱ   ② ㄷ   ③ ㄱ, ㄴ   ④ ㄴ, ㄷ   ⑤ ㄱ, ㄴ, ㄷ

• 별의 광도가 클수록 생명 가능 지대의 거리는 멀어진다. 별의 반지름이 클수록, 표면 온도가 높을수록 광도가 크다.

16 〉태양계의 생명체 탐사

그림은 우주 탐사선이 태양계 행성 X의 주위를 돌고 있는 두 위성을 탐사한 자료이다.

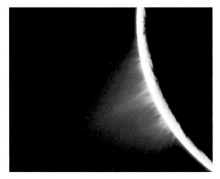

위성 엔켈라두스에서 거대한 수증기 분출 기둥을 발견하였다.

위성 타이탄의 표면에서 액체 상태의 메테인 호수를 발견하였다.

이에 대한 설명으로 옳은 것만을 보기에서 있는 대로 고른 것은?

> 보기
> ㄱ. 행성 X는 지구형 행성이다.
> ㄴ. 엔켈라두스의 표면에는 액체 상태의 물이 매우 풍부할 것이다.
> ㄷ. 지구에서 물의 순환이 일어나는 것처럼 타이탄에서 메테인의 순환이 일어날 것이다.

① ㄱ   ② ㄷ   ③ ㄱ, ㄴ   ④ ㄱ, ㄷ   ⑤ ㄴ, ㄷ

• 엔켈라두스에서 분출되는 수증기는 토성의 고리에 물질을 제공해 주는 역할을 하는 것으로 추정한다. 타이탄은 원시 지구와 대기 성분이 매우 비슷한 것으로 추정되며, 메테인으로 된 호수가 있다는 것이 확인되었다.

01 다음은 별의 밝기와 등급에 대한 설명이다.

> 별의 밝기는 등급으로 나타내는데, 1등급인 별이 6등급인 별보다 약 100배 밝다. 즉, 1등급 사이에는 약 $100^{\frac{1}{5}}$ 배의 밝기 차이가 있다. 따라서 겉보기 등급이 각각 m_1, m_2인 두 별의 겉보기 밝기를 각각 l_1, l_2라고 하면 다음과 같은 관계식이 성립하는데, 이를 포그슨 공식이라고 한다.
>
> $$m_2 - m_1 = (\quad ㉠ \quad)$$
>
> 별들의 실제 밝기를 비교하기 위해서는 절대 등급 M_1, M_2와 광도 L_1, L_2를 사용하여 포그슨 공식을 다음과 같이 나타낼 수 있다.
>
> $$M_2 - M_1 = (\quad ㉡ \quad)$$

(1) ㉠, ㉡에 들어갈 알맞은 말을 쓰시오.

(2) 어느 별 S의 절대 등급이 태양보다 7.5 등급 작다고 한다. 별 S의 광도는 태양 광도의 몇 배인지 구하시오.

KEY WORDS
(1) • 포그슨 공식
(2) • 별의 광도

02 그림은 두 별 ㉠과 ㉡의 파장에 따른 에너지 세기를 나타낸 것이다.

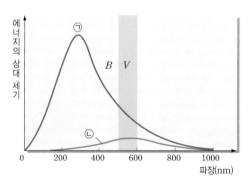

(1) ㉠과 ㉡의 표면 온도를, 최대 에너지를 방출하는 파장($\lambda_{\max}$)과 관련지어 비교하시오.

(2) ㉠과 ㉡에서 색지수($B-V$)를 나타내고, 그 크기를 비교하시오.

(3) 별의 표면 온도와 색지수($B-V$)는 어떤 관계가 있는지 서술하시오.

KEY WORDS
(2) • 빈의 법칙
(3) • 색지수

03 그림은 어느 성단을 이루고 있는 별들을 H–R도에 나타낸 것이다. (단, 이 성단의 별들은 거의 동시에 탄생하였다.)

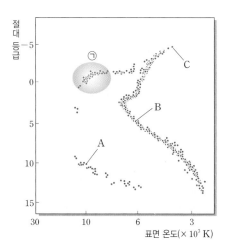

(1) 별 A~C에서 일어나는 핵융합 반응의 종류를 서술하시오.

(2) ㉠ 영역의 별은 주계열성이 아니다. 그 까닭을 서술하시오.

04 그림 (가)와 (나)는 질량이 다른 두 별의 진화 과정에서 형성된 모습을 나타낸 것이다.

(가)　　　　　　　　　　　　(나)

(1) (가)와 (나) 천체의 명칭을 쓰고, 중심부에 위치한 천체의 밀도를 비교하시오.

(2) (가)와 (나)에서 밝게 보이는 물질은 앞으로 어떻게 될지 서술하시오.

05 다음은 원자핵을 이루고 있는 핵자(양성자, 중성자)당 결합 에너지와 핵자 수의 특징을 나타낸 것이다.

KEY WORDS
• 별 내부의 핵융합 반응
• 원자핵의 안정성

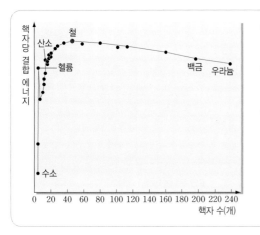

• 핵자당 결합 에너지가 클수록 더 안정한 원자핵이다.
• 핵자 수가 50 정도인 원자핵이 상대적으로 안정하다.
• 핵자 수가 많으면 분열하려는 경향이 있고, 핵자 수가 적으면 융합하려는 경향이 있다.

초거성의 중심부에서 철보다 무거운 원자핵이 생성되지 않는 까닭을 서술하시오.

06 그림 (가)는 원 궤도로 공전하는 어느 외계 행성에 의한 중심별의 밝기 변화를, (나)는 $t_1 \sim t_6$ 중 어느 한 시점부터 일정한 시간 간격으로 관측한 중심별의 스펙트럼을 순서대로 나타낸 것이다. (단, $\Delta\lambda_{max}$는 스펙트럼의 최대 편이량이다.)

KEY WORDS
(1) • 별과 행성의 식 현상
(2) • 별의 스펙트럼 변화
(3) • 중심별과 행성의 질량

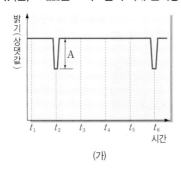

(가)

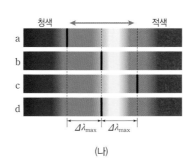

(나)

(1) A의 크기에 영향을 미치는 행성의 물리량을 쓰시오.

(2) t_3일 때 관측한 스펙트럼은 (나)에서 a∼d 중 어느 것인지 쓰시오.

(3) 중심별의 질량과 행성의 질량은 각각 $\Delta\lambda_{max}$의 크기에 어떤 영향을 미치는지 서술하시오.

07 그림은 어떤 외계 행성계에서 두 행성 A, B에 의한 중심별의 밝기 변화를 나타낸 것이다. (단, 두 행성의 공전 궤도면은 모두 시선 방향에 나란하다.)

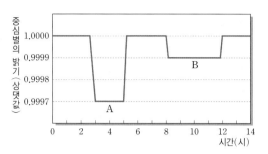

KEY WORDS
(1) • 식 현상을 이용한 외계 행성 탐사
• 식 현상이 지속되는 시간
(2) • 외계 행성의 크기와 중심별의 밝기 감소량의 관계

(1) 공전 궤도 반지름이 더 큰 행성은 어느 것인지 쓰고, 그렇게 생각한 까닭을 서술하시오.

(2) 외계 행성의 반지름은 A가 B의 몇 배인지 중심별의 밝기 변화와 관련지어 서술하시오.

08 그림은 두 외계 행성계와 태양계의 생명 가능 지대를 나타낸 것이다.

KEY WORDS
• 생명 가능 지대의 거리와 폭
• 별의 질량에 따른 진화 속도

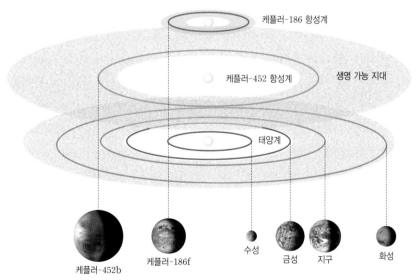

(1) 케플러−452, 케플러−186, 태양의 광도를 비교하시오.

(2) 케플러−452b, 케플러−186f, 지구 중에서 앞으로 생명 가능 지대에 가장 오래 머물 수 있는 행성은 어느 것인지 쓰고, 그렇게 생각한 까닭을 서술하시오. (단, 중심별의 현재 나이는 모두 같다고 가정한다.)

2

외부 은하와 우주 팽창

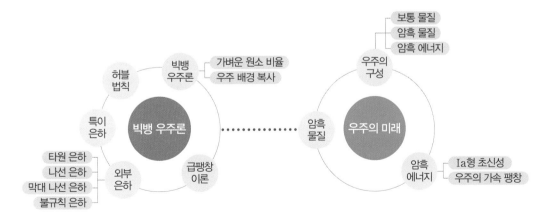

외부 은하와 빅뱅 우주론

우주의 구성과 운명

01 외부 은하와 빅뱅 우주론

학습 Point   외부 은하의 분류 > 허블 법칙과 우주 팽창 > 빅뱅 우주론

1 외부 은하의 분류

허블 우주 망원경이 하늘의 작은 구역을 촬영한 사진에는 희미한 점으로 보이는 은하들이 많이 나타난다. 은하는 우주를 구성하는 기본 단위로, 우주의 수많은 은하들을 형태에 따라 분류하는 것은 우주의 기본 단위체인 은하를 이해하는 출발점이 될 수 있다.

1. 외부 은하의 발견

안드로메다은하는 지구로부터 약 250만 광년 떨어져 있는 외부 은하로, 규모는 우리은하와 비슷하다. 20세기 초까지 정확한 거리를 측정하지 못하여, 안드로메다은하가 우리은하 내부에 있는 성운이라고 주장하는 학자들과 우리은하 밖에 있는 천체라고 주장하는 학자들이 대논쟁을 벌이기도 하였으나, 허블이 안드로메다은하 안에 있는 세페이드 변광성까지의 거리를 측정하여 안드로메다은하가 우리은하 밖에 있는 외부 은하라는 사실을 처음으로 밝혀내었다.

2. 허블의 은하 분류

허블은 가시광선 영역에서 관측되는 형태에 따라 외부 은하를 타원 은하(E), 정상 나선 은하(S), 막대 나선 은하(SB), 불규칙 은하(Irr)로 분류하였다. 각각의 은하들은 다시 세부적인 특징에 따라 분류할 수 있다. 허블은 외부 은하의 모양이 일정한 방향으로 진화하고 있다고 생각하였으나, 나중에 은하의 진화와 형태 사이에는 아무런 관련이 없음이 밝혀졌다.

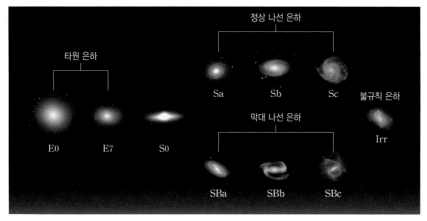

▲ **허블의 은하 분류 체계** 은하를 분류할 때 사용하는 약자는 Elliptical(타원), Spiral(정상 나선), Spiral-Bar(막대 나선), Irregular(불규칙)의 첫 글자를 따서 각각 E, S, SB, Irr를 사용한다.

허블(Hubble, E. P., 1889~1953)
미국의 천문학자로, 1921년경 세페이드 변광성을 이용하여 우주의 크기가 우리은하의 크기보다 훨씬 크다는 것을 알아내었고, 1929년경 외부 은하를 관측하여 은하들의 후퇴 속도가 거리에 비례한다는 허블 법칙을 발표하였다. 허블 우주 망원경은 그의 이름을 따서 명명된 것이다.

세페이드 변광성
세페이드 변광성은 별의 진화 단계 중 거성 단계에서 팽창과 수축을 반복하면서 밝기가 주기적으로 변하는 별이다. 미국의 리비트는 아래 그림과 같이 변광성의 변광 주기가 길수록 절대 등급이 밝다는 것을 알아내었다.

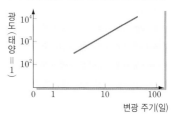

렌즈형 은하(S0)
렌즈형 은하는 타원 은하와 달리 은하 원반이 존재한다. 그러나 나선 은하와는 달리 나선팔이 없다. 즉, 타원 은하와 나선 은하의 중간 형태이다.

(1) **타원 은하**: 나선팔을 보유하지 않는 타원 모양의 은하이다. 성간 물질이 거의 존재하지 않아 새로 태어난 젊은 별이 거의 없으며, 주로 나이가 많은 별들로 이루어져 있다.

① 타원 은하의 세분: 편평도에 따라 E0에서 E7까지 세분한다. E0은 구형이며, E1에서 E7로 갈수록 점점 납작해진다.

② 타원 은하의 크기: 타원 은하는 크기가 매우 다양하다. 크기가 매우 작은 왜소 타원 은하부터 질량이 우리은하의 수십 배나 되는 거대 타원 은하까지 존재한다.

편평도(f)

타원체의 편평한 정도를 나타내는 값으로, 다음과 같이 정의한다.

$$f = \frac{a-b}{a} \left(\begin{array}{l} a: \text{타원체의 긴 반지름} \\ b: \text{타원체의 짧은 반지름} \end{array} \right)$$

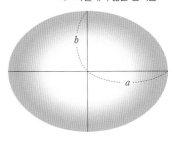

타원 은하 NGC 4649

거대 타원 은하 ESO 325 – G004

왜소 타원 은하 NGC 221

▲ **여러 가지 타원 은하**

(2) **나선 은하**: 납작한 원반 형태로 나선팔을 가지고 있으며, 타원 은하와 달리 성간 물질과 젊은 별도 분포한다.

① 나선 은하의 구조: 중앙 팽대부에는 주로 나이가 많은 붉은색의 별과 구상 성단이 분포하고, 은하 원반에는 나선팔 구조가 있으며, 성간 물질과 젊은 별, 산개 성단이 많이 분포한다.

② 나선 은하의 세분: 막대 구조의 유무에 따라 정상 나선 은하(S)와 막대 나선 은하(SB)로 나눈다. 이들은 모두 나선팔이 감긴 정도와 중앙 팽대부의 크기에 따라 a, b, c로 세분한다.

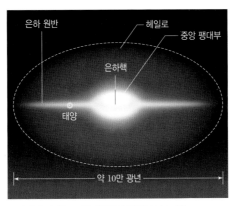
▲ **나선 은하의 구조(우리은하를 옆에서 본 모습)**

• 나선 은하 a, b, c의 특징: a형에서 c형으로 갈수록 나선팔이 느슨하게 감기고 중앙 팽대부가 작아지며, 새로운 별이 탄생하는 암흑 성운도 많이 분포한다.

• 나선 은하에 막대 구조가 생기는 까닭: 나선 은하의 나이가 많을수록 막대 구조를 보유하는 비율이 높다. 나선 은하의 절반 이상이 막대 구조를 가지고 있는 것으로 추정되며, 나선 은하가 역학적으로 불안정하면 막대와 같은 형태가 만들어지는 것으로 알려져 있다. 특히 나선 은하 근처에 다른 은하가 있을 경우 막대 구조를 가지는 경우가 많다.

거대 타원 은하

허블의 은하 분류에 나중에 추가된 종류로, 주로 은하들이 집단으로 모여 있는 은하단의 중심부에서 발견된다. 이들은 여러 개의 은하들이 충돌하여 만들어진 것으로 추정된다.

왜소 은하

왜소 은하는 보통 은하에 비해 상대적으로 적은 수십억 개의 별로 구성되어 있다. 이들은 보통 큰 은하 주변을 회전하는데, 우리은하를 중심으로 회전하는 왜소 은하는 14개가 알려져 있다. 형태에 따라 왜소 타원 은하, 왜소 불규칙 은하, 왜소 나선 은하 등으로 세분할 수 있다.

정상 나선 은하 NGC 5457 (Sc)

막대 나선 은하 NGC 1300 (SBa)

막대 나선 은하 NGC 6872 (SBc)

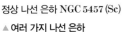
▲ **여러 가지 나선 은하**

③ 우리은하: 우리은하는 막대 모양의 구조와 나선팔을 가지고 있는 막대 나선 은하에 속하며, 나선팔이 감긴 정도와 중앙 팽대부의 크기를 고려하여 b와 c의 중간 형태인 SBbc로 분류되고 있다. 우리은하의 지름은 약 10만 광년(약 31 kpc)이고, 태양은 우리은하의 중심으로부터 약 2만 6000광년(약 8 kpc) 떨어져 있다.

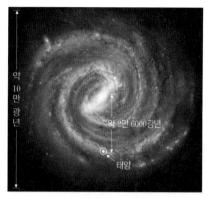
▲ 우리은하를 위에서 본 모습(모식도)

(3) **불규칙 은하:** 규칙적인 형태가 없거나 구조가 명확하지 않은 은하로, 특별하게 돌출된 중심부나 나선팔이 없고, 은하마다 형태가 다르다. 관측되는 은하 중 불규칙 은하가 차지하는 비율은 낮다. 불규칙 은하는 많은 양의 기체와 먼지를 포함하고 있다. 따라서 젊은 별과 나이 많은 별을 모두 포함하고 있으며 새로운 별들이 활발하게 만들어지고 있다. 불규칙 은하의 모양과 특징은 공통적이지 않은데, 일부 불규칙 은하는 한때 나선 은하나 타원 은하였지만 중력 작용에 의해 변형되었을 것으로 추정된다.

불규칙 은하 NGC 4449

불규칙 은하 NGC 1427A

불규칙 은하 NGC 3034

▲ 여러 가지 불규칙 은하

3. 특이 은하

외부 은하 중에는 허블의 분류 체계로 분류하기 어려운 은하들이 있다. 유난히 은하핵이 밝은 이들을 특이 은하 또는 활동 은하라고 하며, 전파 은하, 세이퍼트은하, 퀘이사 등이 있다. 특이 은하의 중심부에는 거대 블랙홀이 있을 것으로 추정된다.

(1) **전파 은하:** 전파 영역에서 매우 강한 복사를 방출하는 은하로, 전파 은하가 방출하는 전파는 우리은하가 방출하는 에너지의 수백 배~수백만 배에 이른다. 보통의 은하에서는 전파 복사가 별에서 방출되지만, 전파 은하의 경우 성간 물질에서 나오는 것으로 알려져 있다.

가시광선 영상

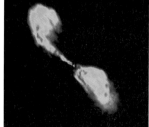
전파 영상

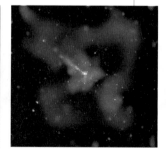
X선 영상

합성 영상

▲ 전파 은하(NGC 5128)의 관측

우리은하의 구조

· 중앙 팽대부: 나이가 많고 붉은색 별들이 모여 볼록하게 부풀어 오른 모양을 하고 있으며, 막대 모양의 구조가 팽대부를 가로지르고 있다.

· 은하 원반: 막대 구조의 양끝에 나선팔이 하나씩 뻗어 있고, 나선팔 중간쯤에서 가지가 갈라지는 구조이다. 은하 원반을 이루는 나선팔에는 주로 젊고 파란색 별들과 성간 물질이 분포하고 있다.

· 헤일로: 은하의 중심부와 원반부를 둘러싸고 있는 넓은 공 모양의 구역으로, 어둡고 나이가 많은 별들이 분포한다.

불규칙 은하의 세분

불규칙 은하는 Irr-Ⅰ, Irr-Ⅱ로 세분할 수 있다. Irr-Ⅰ형은 일부 구조를 나타내지만 허블 분류 체계(타원 은하 또는 나선 은하)에 넣기에는 충분하지 못한 은하이고, Irr-Ⅱ형 은하는 어떠한 구조적 특징도 나타나지 않는 은하이다.

관측된 은하들의 특징

현재까지 관측된 은하들 중 약 77 %가 나선 은하, 약 20 %가 타원 은하, 그리고 약 3 %가 불규칙 은하로 분류된다. 나선 은하의 경우 다른 은하에 비해 밝아서 먼 거리에서도 잘 관측된다. 따라서 은하들의 실제 분포 비율은 다를 것으로 예상된다.

구분	타원 은하	나선 은하	불규칙 은하
질량 (태양=1)	$10^5 \sim 10^{13}$	$10^9 \sim 4 \times 10^{11}$	$10^8 \sim 3 \times 10^{10}$
지름 (kpc)	$1 \sim 200$	$2 \sim 20$	1
구성 별의 특징	주로 늙은 별	젊은 별(나선팔), 늙은 별(헤일로)	젊은 별과 늙은 별
성간 물질	거의 없음	있음	있음

① **전파 은하의 구조**: 전파 은하는 대부분 가시광선 영역에서 관측할 때보다 전파 영역에서 관측할 때 크게 보인다. 이들은 중심에 핵을 가지고 양쪽에 로브라고 불리는 거대한 돌출부가 있으며, 로브와 핵이 제트로 연결되어 있다. 로브의 크기는 은하의 몇 배에 이른다.

② **제트의 특징**: 제트(jet)는 좁은 선처럼 보이는 물질의 흐름으로, 전파 은하의 중심핵과 전파 로브를 연결한다. 제트는 전파 영역에서 잘 관측되며, X선 영역으로도 관측할 수 있다. 제트 분출은 은하 중심부에 존재하는 블랙홀과 관계있는 것으로 추정하고 있다. 로브와 제트에서는 X선이 방출되는데, 이는 강한 자기장에 의해 생성된 복사 에너지이다.

▲ **전파 은하의 구조(3C 348)**

(2) **퀘이사**: 스펙트럼의 방출선이 넓은 영역에 걸쳐 관측되는 전파원으로, 처음 발견할 당시에는 별처럼 보였기 때문에 항성과 비슷한 천체인 준성(準星)이 전파를 방출한다고 하여 준성 전파원(準星電波源, Quasi-Stellar Radio Source), 줄여서 퀘이사(Quasar)라고 불렀다. 현재는 모든 퀘이사가 전파 방출원은 아닌 것으로 알려졌으며, 정식 명칭은 준항성체(Quasi-Stellar Object, QSO)이지만 통상적으로 퀘이사라고 계속 부르고 있다.

▲ **퀘이사의 모습(3C 273)** 허블 망원경이 촬영한 모습으로, 하나의 별처럼 보인다. 퀘이사 3C 273은 약 24억 4000만 광년 거리에 있으며 태양보다 약 2조 배나 밝다.

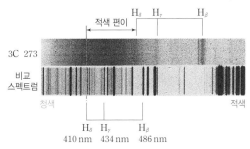

▲ **퀘이사의 적색 편이** 1963년에 미국의 슈미트는 팔로마 천문대의 구경 약 5 m의 반사 망원경으로 관측한 결과 퀘이사 3C 273의 수소 방출선이 비교 스펙트럼에 비하여 크게 적색 편이하였음을 알아내었다.

① **퀘이사의 거리**: 퀘이사는 우주 탄생 초기의 천체이므로, 매우 큰 적색 편이가 나타난다. 이는 먼 거리에서 매우 빠르게 멀어지고 있음을 나타낸다. 그리고 퀘이사의 거리가 멀다는 것은 그만큼 오래 전에 만들어졌음을 뜻한다. 최근에는 약 130억 광년 거리에 존재하는 퀘이사를 발견하였는데, 이는 우주 나이 10억 년 이전에 생긴 것으로, 현재 우리가 관측할 수 있는 가장 먼 거리의 천체이다.

② **퀘이사의 에너지**: 퀘이사의 크기는 태양계 정도인 것으로 추정하고 있으며, 퀘이사가 방출하는 에너지는 우리은하의 수백 배~수천 배에 이르기 때문에 퀘이사의 중심부에 거대 블랙홀이 있을 것으로 여겨진다. 퀘이사의 원반에 있던 물질이 블랙홀로 떨어지면서 물질의 중력 에너지가 빛 에너지로 바뀌며 엄청난 양의 에너지가 방출되는 것으로 추정하고 있다.

전파 로브(radio lobe)
전파 은하에서 핵을 가운데 두고 양쪽으로 대칭된 위치에 나타나는 거대한 전파 방출 영역을 말한다.

퀘이사의 상상도
퀘이사의 중심부에는 거대한 블랙홀이 있을 것으로 추정한다.

퀘이사가 먼 곳에서 발견되는 까닭
은하가 탄생할 당시에는 중심의 거대 블랙홀 주변에 물질이 풍부하게 존재하고, 이들이 블랙홀로 끌려 들어가면서 막대한 에너지가 발생하므로 초기 은하들이 퀘이사로 관측될 수 있다. 이 은하는 시간이 흘러 거대 블랙홀 주변의 물질이 소진되면서 점차 에너지 방출량이 줄어들고 평범한 은하로 진화하였을 것이다. 따라서 퀘이사는 먼 거리에 있는 초기 우주에서 발견된다고 추정할 수 있다.

(3) **세이퍼트은하:** 1943년에 미국의 세이퍼트(Seyfert, C. K., 1911~1960)는 보통의 은하들에 비하여 은하핵이 매우 밝고 퀘이사와 유사하게 스펙트럼의 방출선 폭이 넓게 관측되는 은하를 발견하였는데, 이들을 세이퍼트은하라고 한다. 세이퍼트은하는 은하 전체의 광도에 비해 중심부의 광도가 비정상적으로 크고 크기가 작으며, 대부분 나선 은하의 형태로 관측된다. 세이퍼트은하의 스펙트럼에서 방출선의 폭이 넓게 나타난다는 것은 방출원인 성간 물질이 매우 빠른 속도로 움직이고 있음을 뜻한다. 따라서 은하 중심부에 블랙홀이 있을 것으로 추정한다.

세이퍼트은하의 스펙트럼에서 방출선의 폭이 넓게 나타나는 까닭
방출원인 성간 물질이 은하 중심부의 거대 블랙홀 주변을 빠른 속도로 회전하기 때문에 시선 방향의 속도 변화가 크다. 이에 따른 도플러 효과로 스펙트럼 방출선의 파장 폭이 매우 넓게 나타난다.

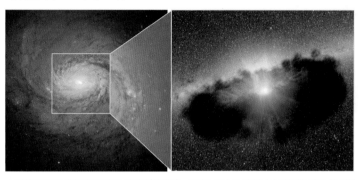

▲ **세이퍼트은하 NGC 1068과 중심부(상상도)** 두꺼운 가스와 먼지로 둘러싸인 은하 중심부의 거대 블랙홀로부터 막대한 양의 고에너지가 방출되는 모습을 나타낸다.

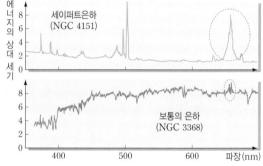

▲ **세이퍼트은하의 스펙트럼** 보통의 은하에 비해 방출선의 폭이 매우 넓은 특징이 있다.

(4) **충돌 은하:** 은하와 은하가 충돌하여 형성된 은하를 충돌 은하라고 한다. 은하가 서로 충돌하는 과정에 있더라도 별의 크기보다 별 사이의 공간이 더 크기 때문에 은하 내부에 있는 별들이 서로 충돌하는 일은 거의 없다. 그러나 은하 안의 거대한 분자 구름들이 서로 충돌하고 압축되면서 새로운 별들의 탄생을 촉진시키거나 활동성이 강한 은하가 만들어지기도 한다. 대부분의 외부 은하는 우리은하로부터 멀어지고 있지만 우리은하와 가장 가까운 약 250만 광년 거리의 안드로메다은하와는 약 110 km/s의 속력으로 가까워지고 있는데, 약 24억 년이 지나면 우리은하와 충돌하기 시작할 것으로 예상한다. 약 60억 년 후에는 우리은하와 안드로메다은하의 충돌이 완전히 끝나므로 두 나선 은하가 합쳐져 거대 타원 은하가 되며, 이 과정에서 태양계가 우리은하를 이탈하거나 행성의 궤도가 바뀔 가능성이 있다.

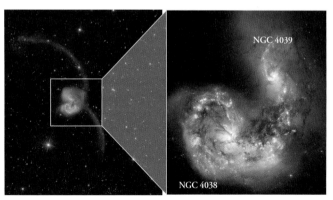

▲ **충돌 은하** NGC 4038과 NGC 4039가 충돌하고 있다. 왼쪽 아래와 오른쪽 위의 주황색 부분은 원래 은하의 중심핵이다.

▲ **우리은하의 충돌(상상도)** 우리은하와 안드로메다은하의 충돌에 따라 중력에 변화가 생겨 은하수가 왜곡되어 보일 것이다.

2 허블 법칙과 우주 팽창

오랫동안 사람들은 우주가 시작도 없고 끝도 없는 정적(靜的)인 시공간이라고 생각하였다. 그러나 허블의 관측을 통해 우주가 정적인 공간이 아니라 팽창하고 있다는 사실이 밝혀졌다.

1. 외부 은하의 스펙트럼 변화

(탐구) 094쪽

허블은 외부 은하의 스펙트럼 흡수선의 파장이 원래의 파장보다 붉은색 쪽으로 치우치는 적색 편이가 나타난다는 사실을 알아내었고, 매우 먼 은하가 상대적으로 가까이 있는 은하보다 적색 편이가 더 크다는 사실도 알아내었다.

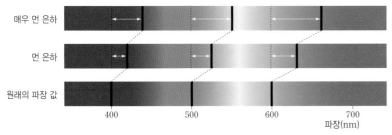

▲ **외부 은하의 거리와 스펙트럼의 적색 편이** 멀리 있는 외부 은하의 스펙트럼에 나타난 흡수선의 파장이 원래의 파장보다 길게 나타난다. 즉, 매우 먼 은하의 적색 편이가 먼 은하의 적색 편이보다 더 크다.

(1) **후퇴 속도:** 시선 방향으로 멀어지는 속도를 후퇴 속도라고 하며, 광원과 관측자 사이의 거리가 멀어지면 도플러 효과에 의해 빛의 파장이 길어지는 적색 편이 현상이 나타난다.

(2) **외부 은하의 거리와 스펙트럼의 적색 편이의 관계:** 외부 은하 스펙트럼에서 적색 편이가 나타난다는 것은 외부 은하가 멀어지고 있음을 뜻한다. 원래의 파장을 λ_0라고 하고 관측된 파장을 λ라고 하면, 스펙트럼 흡수선의 적색 편이량 z는 다음과 같이 나타낼 수 있다.

$$z = \frac{\lambda - \lambda_0}{\lambda_0} = \frac{\Delta\lambda}{\lambda_0}$$

이러한 파장 변화를 외부 은하가 멀어지는 속도에 따른 도플러 이동으로 간주하고, 빛의 속도를 c라고 하면, 관측된 외부 은하가 멀어지는 후퇴 속도 v와 스펙트럼 흡수선의 적색 편이량의 관계는 다음과 같이 나타낼 수 있다.

$$v = c \times \frac{\lambda - \lambda_0}{\lambda_0} = c \times \frac{\Delta\lambda}{\lambda_0}$$

즉, 관측된 스펙트럼 흡수선의 파장(λ)과 원래의 파장(λ_0)을 비교하여 외부 은하의 후퇴 속도(v)를 알 수 있다.

시야확장 ➕ 후퇴 속도와 적색 편이의 관계

별빛은 빛의 속도 c로 전달된다. 광원에서 방출되는 빛의 진동 주기가 T이고 광원이 관측자로부터 멀어지는 속도를 v라고 할 때 시간 T 동안 광원에서 출발한 빛이 이동한 거리 $s = cT$이고, 광원이 관측자로부터 멀어진 거리 $s' = vT$이므로, 관측된 빛의 파장은 $\lambda = s + s' = cT + vT$이고, 원래의 파장은 $\lambda_0 = cT$이다. 따라서 파장 변화량 $\Delta\lambda = \lambda - \lambda_0 = cT + vT - cT = vT$이고, $\frac{\Delta\lambda}{\lambda_0} = \frac{v}{c}$이다.

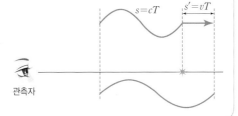

관측자

우주 팽창에 의한 적색 편이

엄밀하게 말하면 외부 은하에서 관측되는 적색 편이는 도플러 효과 때문에 나타나는 현상이 아니다. 도플러 효과는 광원의 운동이나 관측자의 운동에 따른 상대적인 거리 변화에 의해 나타나는 현상이다. 그러나 우주 팽창에 의한 적색 편이는 광원(외부 은하) 또는 관측자의 운동이 아니라 공간 자체가 늘어나기 때문에 나타나는 현상이다.

우주 팽창과 태양계의 팽창

우주 팽창에 의한 거리 변화는 매우 멀리 떨어져 있는 두 천체 사이에서 두드러지게 나타나는 현상이다. 우리은하 내부의 두 별이나 태양계 두 행성 사이의 거리 변화는 우주 팽창 효과보다 주변 물체들 간의 중력에 의해 결정되므로, 우주 팽창 효과를 무시할 수 있다.

2. 허블 법칙

허블은 외부 은하들의 거리와 적색 편이량을 측정하여 외부 은하의 거리(r)와 후퇴 속도(v)가 비례함을 알아내었다. 이를 허블 법칙이라고 하며 다음과 같이 나타낼 수 있다.

$$v = H \times r \ (H: 허블 \ 상수)$$

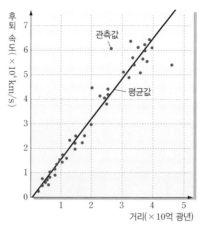

▲ **허블 법칙**

(1) **허블 법칙의 의미**: 허블 법칙에 따르면 외부 은하들은 모두 거리에 비례하는 속도로 멀어지고 있다. 즉, 멀리 있는 은하들이 가까운 은하들보다 더 빨리 멀어져 가는 것이다. 이는 은하들이 실제로 멀어지는 운동을 하는 것이 아니라 공간 자체가 팽창하고 있음을 설명한다. 즉, 우주가 팽창하기 때문에 외부 은하들이 멀어지는 것처럼 관측되는 것이다. 허블이 최초로 측정한 허블 상수 값은 500 km/s/Mpc 이상이었으나, 2013년 플랑크 우주 망원경의 정밀한 관측 결과를 바탕으로 구한 값은 67.8 km/s/Mpc±0.77 km/s/Mpc이다. 이 값의 의미는 1 Mpc의 거리만큼 떨어져 있는 두 은하 사이의 공간에서 1초마다 약 67.8 km의 새로운 공간이 생기고 있다는 뜻이다.

(2) **우주의 크기**: 거리가 먼 은하일수록 후퇴 속도가 크다. 우리은하로부터 관측 가능한 거리의 한계는 빛의 속도로 멀어지는 은하이다. 만약 빛의 속도(c)로 멀어지는 위치보다 먼 곳에 있는 은하의 경우, 방출된 빛이 지구에 도달할 수 없으므로 관측 불가능한 영역이다. 따라서 관측 가능한 우주의 크기를 r라고 할 때 다음과 같이 나타낼 수 있다.

$$c = H \times r 로부터 \ r = \frac{c}{H}$$

(3) **우주의 나이**: 우주가 팽창을 시작한 이래의 시간은 우주의 나이에 해당하는데, 이를 허블 시간이라고 한다. 허블 시간 t는 허블 상수의 역수가 된다.

$$t = \frac{r}{v} = \frac{1}{H}$$

3. 우주의 팽창

허블 법칙은 은하들이 실제로 멀어지는 것이 아니라 우주 공간이 모든 방향에 대하여 균일하게 팽창하고 있음을 나타낸다. 풍선에 일정한 간격으로 스티커를 붙인 후 풍선을 불어서 팽창시키는 실험을 통해 비유적으로 알 수 있듯이 팽창하는 우주에는 중심이 없다. 즉, 풍선이 부풀어 오르면 풍선 표면에서 두 지점 사이의 거리가 멀어지듯이 우주 공간이 팽창하면 천체가 직접 움직이지 않아도 서로 멀어진다. 또, 멀리 있는 천체일수록 거리 변화가 크다.

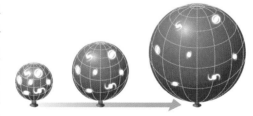

▲ **풍선 모형을 이용한 우주 팽창 실험** 풍선에 붙인 스티커는 은하를, 풍선의 2차원 표면은 3차원 우주 공간을 의미한다. 풍선이 부풀어 오를 때 스티커 사이의 간격은 멀어지는데, 스티커 사이의 간격이 멀수록 더 빨리 멀어지며, 풍선의 표면에서 팽창의 중심은 없다.

허블 시간과 우주의 나이와의 관계

허블 시간은 우주의 팽창 속도가 일정하다고 할 때 우주 팽창이 시작되어 현재까지 걸린 시간을 뜻한다. 실제 우주의 팽창 속도는 일정하지 않기 때문에 허블 시간이 정확한 우주의 나이가 될 수 없으나, 이를 통해 대략적인 우주 나이를 추정할 수 있다.

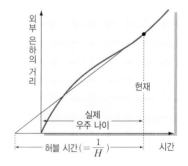

우주의 나이(허블 시간)

$$\frac{1}{H} = \frac{1}{68 \, km/s/Mpc}$$

$$= \frac{1 \, Mpc}{68 \, km/s}$$

$$\fallingdotseq \frac{3.0 \times 10^{19} \, km}{68 \, km/s}$$

$$\fallingdotseq 4.4 \times 10^{17} \, s \fallingdotseq 140억 \ 년$$

③ 빅뱅 우주론

허블 법칙 이후의 우주론은 우주 팽창의 개념을 포함하는 정상 우주론과 빅뱅 우주론으로 발전하였고, 현재는 빅뱅 우주론이 옳다는 것이 확인되면서 설명하기 어려운 점들을 보완할 수 있는 급팽창 모형이 등장하였다.

1. 정상 우주론과 빅뱅 우주론

정상 우주론과 빅뱅 우주론은 허블 법칙과 우주론의 원리를 합리적으로 설명할 수 있는 대표적인 우주론으로, 1960년대 중반까지 치열하게 경쟁하였다.

⑴ **정상 우주론**: 1940년대에 호일, 본디, 골드 등이 제안한 우주론이다. 정상 우주론에서의 우주는 시작도 끝도 없이 영원히 존재하므로, 우주가 정지해 있다는 정적 우주론과는 다르다. 정상 우주론은 우주가 팽창함에 따라 새로운 물질이 생성되어 우주의 밀도가 항상 일정하게 유지된다는 내용이므로 연속 창조설이라고도 한다.

⑵ **빅뱅 우주론(대폭발 우주론)**: 정상 우주론과 비슷한 시기에 가모 등이 제안한 우주론이다. 빅뱅 우주론에 따르면 초고온·초고밀도 상태의 어느 시점에서 팽창을 시작하여 우주가 탄생하고, 이후 우주를 구성하는 물질이 만들어져 현재의 우주로 진화하였다고 설명한다.

2. 빅뱅 우주론의 확립

우주 배경 복사가 발견되기 전까지는 정상 우주론과 빅뱅 우주론이 대등한 위치에서 경쟁하였으나, 현재는 빅뱅 우주론이 가장 신뢰할 수 있는 우주론으로 인정을 받고 있다.

⑴ **빅뱅 우주론에서 설명하는 우주의 탄생과 진화**: 초고온·초고밀도 상태에서 비롯된 우주의 시작을 빅뱅 또는 대폭발이라고 하는데, 빅뱅 직후 급격한 팽창과 함께 온도가 낮아지고 시간과 공간이 만들어졌으며 기본 입자가 생성되었다. 이후 기본 입자들이 결합하여 양성자와 중성자가 만들어졌고, 우주 초기의 핵 합성으로 중수소 원자핵, 헬륨 원자핵 등이 만들어졌다. 우주 나이 약 38만 년에는 수소 원자핵과 헬륨 원자핵에 전자가 묶여 원자가 만들어졌다. 이때 만들어진 수소 원자와 헬륨 원자 등은 중력의 영향으로 응축되어 이후 우주의 은하와 별들을 만들게 되고, 전자 때문에 멀리 퍼져 나가지 못했던 빛, 즉 우주 배경 복사가 우주 공간을 자유롭게 이동하기 시작하였다.

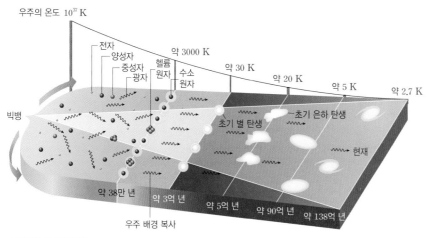

▲ 우주의 탄생과 진화

우주론의 원리
국부적인 비균질성을 제외한다면 관측자가 우주의 어느 위치에서 보더라도 우주가 동일하게 보이며, 우주의 어디에서나 동일한 물리 법칙이 성립한다는 의미를 가지고 있다. 모든 우주론은 이 우주론의 원리를 바탕으로 하고 있다.

정상 우주론
호일(Hoyle, F., 1915~2001), 본디(Bondi, H., 1919~2005)와 골드(Gold, T., 1920~2004)가 제시한 우주론으로, 정상 우주론에 따르면 우주는 팽창하고 있지만 그 모습은 과거나 현재에도 변함이 없으며 우주 공간에 존재하는 물질의 평균 밀도는 일정하다. 즉, 우주가 팽창하는 만큼 새로운 물질이 계속 만들어져 채워지므로 전체적인 모습은 항상 같게 유지된다는 것이다.

우주론에 따른 우주의 밀도
정상 우주론에서는 우주가 팽창하더라도 새로운 물질이 계속 만들어지므로 우주의 밀도가 변하지 않지만, 빅뱅 우주론에서는 우주가 팽창하면 우주의 밀도가 감소한다.

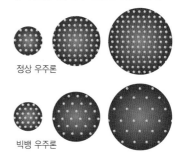

정상 우주론

빅뱅 우주론

가모(Gamow, G., 1904~1968)
과거에 우주가 초고온·초고밀도 상태의 한 점에서 폭발하여 팽창하기 시작했다는 빅뱅 우주론을 발전시켰다. 빅뱅 우주론은 가모가 예측했던 우주 배경 복사가 후에 펜지어스와 윌슨에 의해 발견되어 우주의 기원을 밝히는 대표적인 우주론으로 받아들여지게 되었다.

⑵ **빅뱅 우주론을 지지하는 증거:** 우주에 존재하는 가벼운 원소의 비율과 우주 배경 복사의 관측은 빅뱅 우주론을 지지하는 강력한 증거이다.

① 우주에 존재하는 가벼운 원소의 비율: 가모와 그의 동료들은 우주를 구성하는 원소의 대부분이 수소와 헬륨이라는 것에 주목하고, 빅뱅 우주론을 통해 그 까닭을 설명하고자 하였다. 빅뱅 우주론에 따르면 우주 공간에 존재하는 수소와 헬륨의 질량비는 약 3 : 1이다. 이 값은 이후 우주에서 오는 빛의 스펙트럼을 관측한 값과 거의 일치한다. 즉, 우주에 존재하는 가벼운 원소의 질량비는 빅뱅 우주론을 지지하는 증거이다.

• 빅뱅 우주론과 우주에 존재하는 헬륨의 양: 헬륨은 별 내부에서 수소 핵융합 반응으로 생성된다. 그러나 별 내부에서 생성되는 헬륨의 양은 현재 우주에 존재하는 전체 헬륨의 양에 비하면 매우 적다. 그러므로 우주에 존재하는 대부분의 헬륨은 빅뱅 직후 최초의 3분 동안에 만들어진 것이라고 할 수 있다.

• 빅뱅 핵합성: 헬륨은 별 내부에서도 합성될 수 있으므로, 초기 우주에서 일어난 헬륨 원자핵의 합성 과정을 별 내부의 핵융합을 통해 만들어지는 과정과 구분하기 위해 빅뱅 핵합성이라고 한다. 빅뱅 핵합성 과정을 통해 우주를 구성하는 원소 중 약 25 %의 헬륨, 약 1 %의 중수소, 극소량의 리튬 및 베릴륨이 생성되었다고 추정하며, 그 외의 다른 무거운 원소는 생성하지 못한 것으로 알려져 있다. 실제 우주의 관측 결과는 빅뱅 우주론이 예상한 수치와 거의 정확하게 일치한다.

시선 집중 ★ 초기 우주에서 만들어지는 수소와 헬륨의 비율

빅뱅 직후 기본 입자들이 결합하여 양성자와 중성자를 만들었고, 우주 나이 약 1초가 되기 전에는 양성자와 중성자의 비율이 거의 같았다. 그러나 우주가 팽창하면서 온도가 낮아지자 양성자는 계속 만들어지는 반면, 중성자는 에너지 부족으로 만들어지기 어려워졌다. 결국 우주에는 양성자의 수가 더 많아졌고, 양성자와 중성자의 개수비는 약 7 : 1이 되었다. 우주 나이 약 3분에 이르러 양성자와 중성자가 단단히 결합할 수 있게 되어 중수소 원자핵이나 3중 수소 원자핵이 만들어지고, 이들 사이에 핵합성이 일어나 헬륨 원자핵이 만들어졌다. 그 결과 최종적으로 수소 원자핵과 헬륨 원자핵의 개수비는 약 12 : 1, 질량비는 약 3 : 1이 되었다.

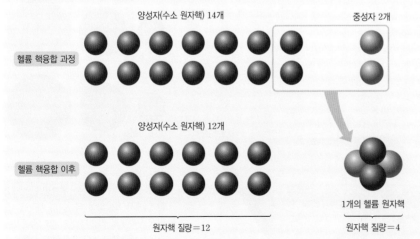

양성자(수소 원자핵) 14개 　　　　　　　　　　중성자 2개

헬륨 핵융합 과정

양성자(수소 원자핵) 12개

헬륨 핵융합 이후

1개의 헬륨 원자핵

원자핵 질량=12　　　　　　　　　　　원자핵 질량=4

▲ **헬륨 원자핵이 만들어지고 난 후 수소 원자핵과 헬륨 원자핵의 비율** 양성자 14개, 중성자 2개의 비율로 이루어진 우주 공간에서 양성자 2개와 중성자 2개가 결합하여 헬륨 원자핵을 만든다. 모든 과정이 끝난 이후 남은 수소 원자핵(양성자)과 헬륨 원자핵의 질량비는 약 3 : 1이 된다.

헬륨보다 무거운 원소의 합성
계속된 팽창으로 우주의 온도가 낮아졌으므로 초기 우주에서는 헬륨보다 무거운 원소가 만들어질 수 없었다. 현재 관측되는 무거운 원소들은 모두 별의 진화 과정에서 생성된 것이다.

② 우주 배경 복사의 관측: 빅뱅 우주론에 따르면 우주가 탄생하였을 당시에는 우주의 온도와 밀도가 매우 높은 상태였다. 가모 연구팀은 이러한 초기 우주를 가득 채우고 있던 뜨거운 복사가 우주의 팽창에 따라 온도가 낮아져 수 K의 복사로 남아 있을 것이라고 예측하였다. 그러나 당시의 기술로는 이러한 우주 배경 복사를 관측할 수 없었다. 그러던 중 1964년 미국의 펜지어스와 윌슨은 하늘의 모든 방향에서 같은 세기로 나타나는 약 7 cm 파장의 전파를 발견하였다. 이 전파는 온도가 약 2.7 K인 흑체 복사의 에너지 분포와 동일하였는데, 이것은 가모 연구팀이 예측하였

던 우주 배경 복사라는 사실이 곧 밝혀졌다. 우주 배경 복사는 빅뱅 이후 우주의 나이가 약 38만 년이 되었을 때 우주 전체에 고르게 남겨진 빛으로, 당시의 우주 온도는 약 3000 K에 이르렀다. 이후 계속된 팽창으로 우주의 온도도 계속 낮아져 오늘날 약 2.7 K의 복사를 관측할 수 있게 되었고, 우주 배경 복사의 관측은 빅뱅 우주론을 지지하는 강력한 증거가 되었다.

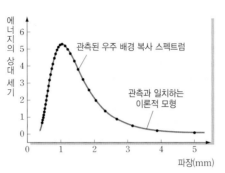

▲ **우주 배경 복사의 파장에 따른 세기 변화** 우주 배경 복사의 측정값과 이론적인 약 2.7 K 복사 값이 거의 완벽하게 일치한다.

불투명한 우주와 투명한 우주
전자가 원자핵과 분리되어 있던 초기 우주에서는 빛과 입자들이 상호 작용을 하였기 때문에 우주는 빛이 직진할 수 없는 불투명한 상태였다. 중성 원자가 형성된 이후에야 빛이 자유롭게 우주 공간을 진행할 수 있게 되어 우주는 투명한 상태가 되었다.

펜지어스(Penzias, A. A., 1933~)와 윌슨(Wilson, R. W., 1936~)
두 사람 모두 미국의 천체물리학자로, 1960년대에 통신 위성용 안테나에 잡힌 신호를 분석하던 중 이 신호가 하늘의 모든 방향에서 온다는 사실을 알게 되었다. 이는 가모가 예측한 빅뱅의 잔해로, 빅뱅 우주론을 증명하는 강력한 증거가 되었다.

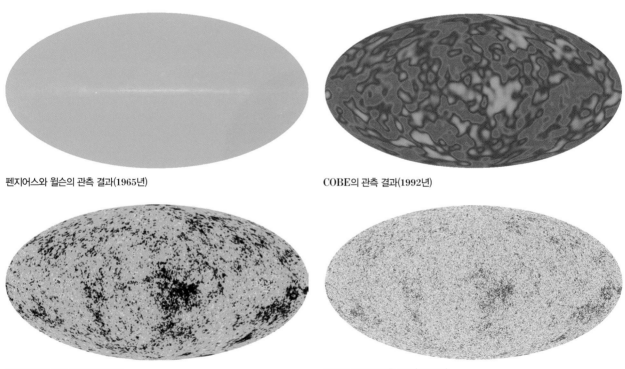

펜지어스와 윌슨의 관측 결과(1965년)

COBE의 관측 결과(1992년)

WMAP의 관측 결과(2003년)

플랑크 위성의 관측 결과(2013년)

▲ **인공위성에서 관측한 우주 배경 복사 지도** 우주 배경 탐사선(Cosmic Background Explorer, COBE)은 1989년에 발사되었고, 윌킨슨 마이크로파 비등방성 탐색기(Wilkinson Microwave Anisotropy Probe, WMAP)는 2001년에 발사되었으며, 플랑크(Planck) 위성은 2009년에 발사되었다. 이들은 모두 지구 대기의 방해가 없는 공간에서 우주 배경 복사를 관측하기 위한 목적을 가지고 있다. 관측 위성이 발달할수록 더욱 정밀한 우주 배경 복사 지도를 얻을 수 있게 되었다. 우주 배경 복사의 온도는 전체적으로 거의 균일하지만 방향에 따라 미세한 차이가 있다. 플랑크 위성으로 관측한 우주 배경 복사 지도에서 붉은색은 파란색보다 온도가 높은 곳인데, 그 차이는 약 10만 분의 1 수준에 불과하다. 우주 전역에 나타나는 이러한 온도 차는 밀도 차에 따라 형성된 것이고, 우주 초기의 미세한 밀도 차에 의해 별과 은하가 만들어질 수 있었다.

3. 우주의 급팽창

빅뱅 우주론은 우주에 존재하는 가벼운 원소의 비율과 우주 배경 복사와 같은 중요한 관측 증거가 뒷받침하고 있지만 여전히 해결하지 못하는 문제를 가지고 있다. 급팽창 우주론은 빅뱅 직후 우주가 극히 짧은 시간 동안 급격히 팽창했다는 이론으로, 빅뱅 우주론이 해결하지 못한 중요한 문제들을 잘 설명하고 있다.

(1) **빅뱅 우주론의 문제점:** 빅뱅 우주론이 설명하지 못하는 문제 중 가장 중요한 것은 편평성 문제, 지평선 문제이다.

① **편평성 문제:** 물질이 존재하면 시공간의 구조가 휘어지므로 우주도 곡률을 나타낸다. 빅뱅 우주론에 따르면 우주는 물질의 양에 따라 (＋)나 (－)값의 곡률을 가지게 된다. 그러나 관측에 따르면 우주는 거의 완벽한 0의 곡률을 가지고 있다. 우주의 곡률은 (＋), 0, (－) 값이 모두 가능한데, 0의 곡률을 나타내는 까닭은 무엇인가? 이 문제를 편평성 문제 (flatness problem)라고 한다.

② **지평선 문제:** 빅뱅 이후의 빛이 지구에 도달할 수 있는 지역과 도달할 수 없는 바깥 지역 사이의 경계를 우주 지평선이라고 한다. 그리고 지평선 안쪽 영역을 관측 가능한 우주라고 한다. 우주 지평선의 정반대 방향에 있는 두 지역은 서로에게 영향을 주고받을 수 없는 위치에 있으며, 빅뱅 이후 현재까지 계속 빛의 속도보다 더 빠르게 멀어져 왔다. 그런데 정밀한 관측에 따르면 우주 지평선 양쪽 끝에서 오는 우주 배경 복사의 온도가 거의 동일하다. 물질, 에너지 등의 정보를 교환할 시간이 없었는데도 두 지역의 우주 배경 복사가 균일할 수 있는 까닭은 무엇인가? 이 문제를 지평선 문제(horizon problem)라고 한다.

임계 밀도와 우주의 곡률

곡률(曲率)은 곡선이나 곡면의 각 점에서 구부러진 정도를 나타낸다. 우주의 전반적인 곡률은 임계 밀도에 따라 다르다. 임계 밀도는 우주가 팽창할지 수축할지 결정하는 밀도이다. 즉, 우주가 수축하려는 힘과 팽창하려는 힘이 평형을 이룰 때의 밀도가 임계 밀도이다. 우주의 평균 밀도가 임계 밀도보다 작으면 우주의 곡률은 (－)값으로 말 안장 모양이고, 우주의 평균 밀도가 임계 밀도보다 크면 곡률은 (＋)값으로 구의 표면에 해당하며, 우주의 평균 밀도가 임계 밀도와 같으면 우주의 곡률은 0으로 편평한 모양이다.

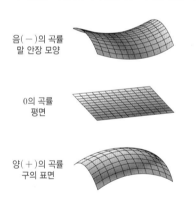

▲ **전반적인 우주의 곡률 가능성** 우주의 전반적인 곡률은 음수의 곡률, 양수의 곡률, 또는 0의 곡률이 가능하지만 관측에 따르면 우주는 0의 곡률을 가지고 있다.

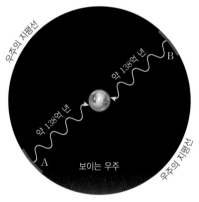

▲ **우주 지평선 문제** A와 B는 빅뱅 이후 한 번도 만난 적이 없으므로 서로 영향을 주고받을 수 없지만 양쪽에서 오는 우주 배경 복사의 온도가 동일하다.

③ **자기 단극 문제:** 자기 단극 문제도 빅뱅 우주론이 설명하지 못한다. 자기 단극이란 N극과 S극이 동시에 존재하는 보통의 자석과는 달리 하나의 극만 존재하는 이론적인 입자이다. 빅뱅 우주론에 따르면 초기 우주에서 형성된 자기 단극이 많이 존재해야 하지만 현재까지 자기 단극은 발견되지 않았다.

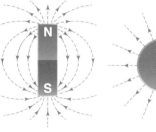

▲ **자기 쌍극자** 서로 다른 성질의 극이 존재한다.

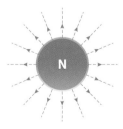

▲ **자기 단극** 단 하나의 극만 존재한다.

(2) **급팽창 우주론:** 1980년대 초에 등장한 급팽창 우주론(Inflation theory)은 빅뱅 우주론의 문제점을 해결하기 위한 우주론이다. 급팽창 우주론에 따르면 우주는 빅뱅 직후 10^{-35}초~10^{-32}초 사이에 빛보다 빠른 속도로 급격한 팽창을 일으켰고, 크기가 10^{30}배 이상 커졌다. 급팽창의 발생 원인은 빅뱅 직후 통합되어 있던 자연계의 기본적인 4가지 힘이 분리되는 과정과 관련 있다고 설명한다.

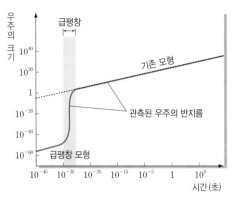

▲ **급팽창 우주론에 따른 우주의 크기**

① **편평성 문제의 해결:** 급팽창 우주론에 따르면 초기 우주의 밀도가 임계 밀도와 달랐더라도 급팽창이 발생하면 곡률이 작아지므로 우리가 관측할 수 있는 영역에서는 감지할 수 없다. 즉, 우주가 둥근 풍선의 표면처럼 휘어져 있더라도 관측 가능한 우주의 영역은 편평하게 보인다고 설명하여 편평성 문제의 모순점을 해결할 수 있다. 이것은 마치 풍선을 불어 매우 크게 만들었을 경우 그 표면은 평면에 가까워지는 것과 같은 원리이다.

② **지평선 문제의 해결:** 급팽창 우주론에 따르면 빅뱅 직후 급팽창이 일어나기 전까지는 우주의 크기가 작아 서로의 정보를 충분히 교환할 수 있었다. 따라서 우주 내부의 정보를 충분히 주고받아 에너지 밀도가 균일해질 수 있었다고 보며, 우주 배경 복사가 방향에 상관없이 거의 같은 온도로 관측되는 사실을 설명할 수 있다.

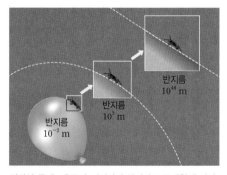

편평성 문제 우주가 편평하지 않더라도 급팽창에 따라 현재 관측 가능한 우주는 편평하게 관측된다.

지평선 문제 급팽창 이전의 우주에서는 정보 교환이 가능하여 충분히 균질해질 수 있었다.

▲ **급팽창 우주론을 통한 빅뱅 우주론의 문제 해결**

③ **자기 단극 문제의 해결:** 급팽창 우주론은 자기 단극 문제도 설명하고 있다. 즉, 급팽창 우주론에 따르면 우주가 급격히 팽창하였기 때문에 관측 가능한 우주 안에 자기 단극의 밀도가 크게 감소하여 발견하기 어렵다는 것이다. 즉, 우주가 급팽창하여 크기가 매우 커졌기 때문에 대부분의 자기 단극이 우주 지평선 너머로 흩어지고, 우주 공간에서 자기 단극 밀도가 극히 낮아진다고 설명한다.

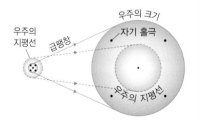

▲ **급팽창 우주론으로 설명하는 자기 단극 문제**
급팽창에 의해 현재 우주에서 자기 단극의 밀도가 극히 낮다.

자연계의 기본 힘
자연에 존재하는 기본적인 4가지 힘은 강한 핵력, 약한 핵력, 전자기력, 중력이다. 이 중 강한 핵력은 자연에 존재하는 힘 중에서 가장 강하며, 쿼크와 쿼크 사이에서 작용한다. 전자기력은 자연에 존재하는 힘 중에서 두 번째로 강한 힘으로, 전하를 띤 입자들 사이에 작용한다. 약한 핵력은 중성자가 붕괴되어 양성자로 바뀌는 과정에서 작용하는 힘이고, 중력은 물체의 질량에 비례하여 나타나는 힘이다. 빅뱅 우주론에서는 빅뱅 직후 자연계에 존재하는 기본적인 4가지 힘이 통합되어 있었으며, 시간이 흘러 힘의 분리가 일어난 것으로 설명한다.

외부 은하의 후퇴 속도 계산하기

외부 은하의 후퇴 속도를 계산하고, 외부 은하의 거리와 후퇴 속도의 관계를 설명할 수 있다.

과정

오른쪽 그림은 거리가 다른 외부 은하들의 모습과 스펙트럼을 나타낸 것이다. (단, 스펙트럼에서 붉은색 화살표는 고유 파장 λ_0가 395.1 nm인 흡수선의 적색 편이량이다.)

1 (가)~(라)의 스펙트럼 그림에서 흡수선의 적색 편이량(붉은색 화살표 길이)을 측정하여 mm 단위로 나타낸다.

2 측정된 적색 편이량을 파장 단위로 나타낸다. (단, 스펙트럼 사진의 1 mm는 파장 4 nm에 해당한다.)

3 외부 은하 (가)~(라)의 후퇴 속도를 계산한다.

4 가로축이 은하까지의 거리이고, 세로축이 후퇴 속도인 그래프를 그린다.

(가) 19 Mpc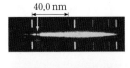

40.0 nm

(나) 300 Mpc

(다) 430 Mpc

(라) 770 Mpc

단위 환산
- 1 Mpc = 1000000 pc
- 1 pc = 3.0×10^{13} km
- 빛의 속도 = 3.0×10^5 km/s

유의점
스펙트럼 사진에서 세로선은 비교 스펙트럼이고, 노란색 화살표(↓)는 칼슘 H 흡수선과 K 흡수선의 평균값을 나타낸 것이고, 붉은색 화살표(→)는 칼슘 흡수선의 적색 편이량으로, 정지 상태의 파장 평균(고유 파장)은 395.1 nm이다.

외부 은하의 후퇴 속도와 적색 편이량의 관계

$$v = c \times \frac{\Delta\lambda}{\lambda_0}$$

v: 외부 은하의 후퇴 속도
c: 빛의 속도
λ_0: 고유 파장
$\Delta\lambda$: 파장 변화량

결과 및 정리

은하	거리 (Mpc)	화살표 길이 (mm)	적색 편이량 (nm)	후퇴 속도 (km/s)
(가)	19	0.5	2	1519
(나)	300	4	16	12149
(다)	430	6.5	26	19742
(라)	770	11	44	33409

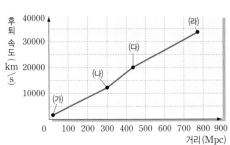

➡ 외부 은하의 거리와 후퇴 속도 사이에 비례 관계가 성립한다.

탐구 확인 문제
〉 정답과 해설 **154**쪽

01 탐구에 대한 설명으로 옳은 것은? (정답 2개)

① 후퇴 속도는 적색 편이량에 반비례한다.

② 가까이 있는 외부 은하일수록 후퇴 속도가 크다.

③ 거리 – 후퇴 속도의 그래프에서 기울기는 허블 상수에 해당한다.

④ 외부 은하들이 멀어지는 것은 우주가 팽창하기 때문이다.

⑤ (라) 은하에서 (가) 은하를 관측하면 청색 편이가 나타난다.

02 탐구 결과를 이용하여 물음에 답하시오.

(1) 외부 은하의 거리와 후퇴 속도를 이용하여 허블 상수를 계산하시오.

(2) 위의 결과를 이용하여 1000 Mpc의 거리에 위치한 외부 은하의 후퇴 속도를 구하시오.

01 외부 은하와 빅뱅 우주론

2. 외부 은하와 우주 팽창

① 외부 은하의 분류

1. **외부 은하의 발견**   허블은 안드로메다은하의 거리를 측정하여, 이 은하가 우리은하 밖에 있는 (**❶**   ) 임을 증명하였다.

2. **허블의 은하 분류**   허블은 외부 은하를 형태에 따라 분류하였다.
- 타원 은하: 나선팔이 없으며, 공 모양이거나 타원 모양으로 보이는 은하이다.
- 나선 은하: 중심부의 둥근 부분과 (**❷**   )을 가지는 은하로, 막대 구조의 유무에 따라 막대 구조가 없는 정상 나선 은하와 막대 구조가 있는 막대 나선 은하로 구분한다.
- (**❸**   ) 은하: 타원 은하나 나선 은하와는 달리 특정한 규칙적인 모양이 없다.

3. **특이 은하**
- 전파 은하: 중심에 핵을 가지고 양쪽에 로브라고 불리는 거대한 돌출부가 있으며, 로브와 핵이 (**❹**   ) 로 연결되어 있다.
- (**❺**   ): 별처럼 보이며, 크기는 태양계 정도이다. 매우 큰 적색 편이가 나타나며, 우주 탄생 초기의 천체이다.
- (**❻**   ): 보통의 은하들에 비해 매우 밝은 은하핵과 스펙트럼 방출선의 폭이 넓은 은하로, 대부분 나선 은하의 형태로 관측된다.
- 충돌 은하: 서로 다른 은하가 충돌하여 형성된 은하로, 은하 안의 거대한 분자 구름들이 서로 충돌하고 압축되면서 새로운 별들이 활발하게 만들어질 수 있다.

② 허블 법칙과 우주 팽창

1. **외부 은하의 스펙트럼 변화**   외부 은하의 스펙트럼에 나타난 (**❼**   ) 편이량으로부터 후퇴 속도(v)를 구할 수 있다.

   $$\Rightarrow v = c \times \frac{\Delta\lambda}{\lambda_0}$$

   (c: 빛의 속도, λ_0: 원래의 파장, $\Delta\lambda$: 파장 변화량)

2. **허블 법칙**   외부 은하의 거리(r)와 후퇴 속도(v)는 비례 한다. $\Rightarrow v = ($**❽** $) \times r$

3. **우주의 팽창**   우주 공간이 모든 방향에 대하여 균일하게 팽창하고 있으며, 팽창의 중심은 존재하지 않는다.

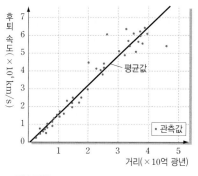

▲ **허블 법칙**

③ 빅뱅 우주론

1. **빅뱅 우주론**   초고온·초고밀도 상태의 어느 시점에서 팽창을 시작하여 우주가 탄생하고, 이후 우주를 구성하는 물질이 만들어졌다는 우주론이다.

2. **빅뱅 우주론의 증거**
- 수소 원자핵과 (**❾**   ) 원자핵의 질량비: 빅뱅 우주론에서 제시한 두 원소의 질량비는 약 3 : 1로, 관측 결과와 거의 일치한다.
- (**❿**   )의 관측: 우주의 나이가 약 38만 년일 때 퍼져 나간 빛으로, 빅뱅 우주론의 증거이다.

3. **급팽창 우주론**   빅뱅 우주론이 해결하지 못한 중요한 문제들을 잘 설명하고 있다.
- (**⓫**   ) 문제: 급팽창에 따라 현재 관측 가능한 우주는 편평하게 관측된다.
- (**⓬**   ) 문제: 급팽창 이전의 우주에서는 정보 교환이 가능하여 충분히 균질해질 수 있었다.
- 자기 단극 문제: 급팽창에 의해 현재 우주에서 자기 단극의 밀도가 낮다.

01 그림은 안드로메다은하의 모습을 나타낸 것이다. 이에 대한 설명으로 옳은 것만을 보기에서 있는 대로 고르시오.

보기
ㄱ. 우리은하 밖의 외부 은하이다.
ㄴ. 거리가 매우 멀어 하나의 별처럼 보인다.
ㄷ. 연주 시차를 관측하여 거리를 측정할 수 있다.

02 허블의 은하 분류 체계에 대한 설명으로 옳은 것만을 보기에서 있는 대로 고르시오.

보기
ㄱ. 관측된 은하들은 대부분 타원 은하이다.
ㄴ. 타원 은하는 시간이 흐름에 따라 나선 은하가 된다.
ㄷ. 규칙적인 형태가 없으면 불규칙 은하로 분류한다.
ㄹ. 우리은하는 막대 나선 은하에 해당한다.

03 그림 (가)~(라)는 여러 종류의 은하들을 나타낸 것이다.

(가)   (나)   (다)   (라)

(1) (가)~(라)를 허블의 은하 분류 체계에 따라 분류하면 어떤 은하에 해당하는지 각각 쓰시오.

(2) (가)~(라) 중 중앙 팽대부와 원반 구조를 가지고 있는 은하를 모두 쓰시오.

(3) (가)~(라) 중 나이가 많은 별의 비율이 가장 높은 은하를 쓰시오.

04 다음은 어느 천체의 특징을 설명한 것이다.

이 은하는 전파 영역에서 막대한 양의 에너지를 방출하는 (㉠) 은하로, 중심핵 양쪽에 로브라고 불리는 거대한 돌출부가 있으며, 로브는 중심핵에서 방출되는 (㉡)로 연결되어 있다.

빈칸에 들어갈 말을 쓰시오.

05 퀘이사의 특징에 대한 설명으로 옳은 것만을 보기에서 있는 대로 고르시오.

보기
ㄱ. 하나의 별처럼 관측되므로 준항성체라고 한다.
ㄴ. 우리은하에서 매우 가까운 거리의 천체이다.
ㄷ. 스펙트럼에서 매우 큰 적색 편이가 나타난다.

06 중심부에 거대 블랙홀이 존재하는 특이 은하를 보기에서 있는 대로 고르시오.

보기
ㄱ. 퀘이사   ㄴ. 전파 은하
ㄷ. 렌즈형 은하   ㄹ. 세이퍼트은하

07 그림은 어느 천체의 모습을 나타낸 것이다.
이에 대한 설명으로 옳은 것만을 보기에서 있는 대로 고르시오.

보기
ㄱ. 충돌 은하가 만들어지는 모습이다.
ㄴ. 대부분 우주 탄생 초기에 만들어졌다.
ㄷ. 새로운 별이 활발하게 형성될 수 있다.

08 허블 상수를 결정하기 위해 알아야 할 외부 은하의 물리량을 보기에서 있는 대로 고르시오.

보기
ㄱ. 은하의 모양　　　ㄴ. 은하의 거리
ㄷ. 은하의 질량　　　ㄹ. 은하의 적색 편이량

09 그림은 은하의 거리와 후퇴 속도의 관계를 나타낸 것이다.

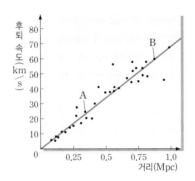

(1) 은하 A, B의 스펙트럼에 나타나는 적색 편이량의 크기를 비교하시오.

(2) 이 자료를 이용하여 허블 상수를 구하시오.

(3) 우리은하로부터의 거리가 10 Mpc인 외부 은하의 후퇴 속도를 구하시오.

10 팽창하는 우주에 대한 설명으로 옳은 것만을 보기에서 있는 대로 고르시오.

보기
ㄱ. 우리은하는 우주 팽창의 중심에 위치하고 있다.
ㄴ. 우리은하로부터 먼 곳일수록 우주의 팽창 속도가 느리다.
ㄷ. 멀리 있는 외부 은하에서 우리은하를 관측하면 적색 편이가 나타난다.

11 빅뱅 우주론에 대한 설명으로 옳은 것만을 보기에서 있는 대로 고르시오.

보기
ㄱ. 우주는 과거의 어느 시점에서 탄생하였다.
ㄴ. 우주의 팽창으로 온도와 밀도가 계속 낮아진다.
ㄷ. 허블 법칙은 빅뱅 우주론으로만 설명이 가능하다.
ㄹ. 지구를 구성하는 주요 원소들은 대부분 빅뱅 직후 핵합성으로 생성되었다.

12 그림은 인공위성에서 관측한 우주 배경 복사를 나타낸 것이다.

이에 대한 설명으로 옳은 것만을 보기에서 있는 대로 고르시오.

보기
ㄱ. 약 3000 K의 흑체 복사로 관측된다.
ㄴ. 빅뱅 우주론의 강력한 증거가 된다.
ㄷ. 방향에 따라 우주 배경 복사의 미세한 차이가 나타난다.

13 다음은 빅뱅 우주론의 문제점을 나타낸 것이다.

(가) (㉠) 문제: 우주는 거의 완벽하게 평탄하다.
(나) (㉡) 문제: 상호 작용을 할 수 없는 우주의 정반대 방향에서 오는 우주 배경 복사가 균일하다.

(1) 빈칸에 들어갈 말을 쓰시오.

(2) (가), (나)의 문제점을 해결하기 위해 제시된 이론은 무엇인지 쓰시오.

01 > 허블의 은하 분류
그림은 허블의 은하 분류 체계를 나타낸 것이다.

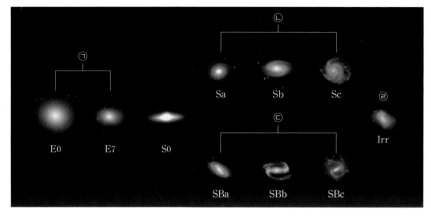

이에 대한 설명으로 옳은 것은?

① 은하핵이 없는 은하는 모두 ㉠에 해당한다.

② ㉠은 시간이 지남에 따라 ㉡ 또는 ㉢으로 진화한다.

③ ㉡과 ㉢을 나누는 기준은 나선팔의 개수이다.

④ ㉡과 ㉢은 모두 은하 원반이 존재한다.

⑤ 나선팔이 없는 은하는 모두 ㉣에 해당한다.

허블은 외부 은하들을 형태에 따라 타원 은하, 정상 나선 은하, 막대 나선 은하, 불규칙 은하로 분류하였다.

02 > 은하의 종류와 구성 별의 특성
그림은 허블의 은하 분류 기호에 따른 구성 별들의 분광형 분포를 나타낸 것이다.
이에 대한 설명으로 옳은 것만을 보기에서 있는 대로 고른 것은?

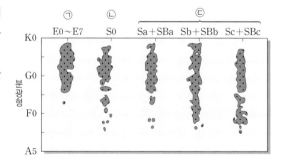

타원 은하는 편평도에 따라 세분되며, 렌즈형 은하는 보통의 타원 은하와 달리 은하 원반이 존재한다. 나선 은하는 나선팔의 감긴 정도와 중심핵의 크기에 따라서 세분된다.

보기

ㄱ. ㉠과 ㉡은 모두 나선팔이 존재하지 않는다.

ㄴ. ㉢에서 중앙 팽대부의 크기가 작을수록 표면 온도가 높은 별의 비율이 작다.

ㄷ. ㉠~㉢ 중에서 붉은색 별의 비율은 ㉠에서 가장 크다.

① ㄱ   ② ㄴ   ③ ㄱ, ㄴ   ④ ㄱ, ㄷ   ⑤ ㄴ, ㄷ

03 ▶ 세이퍼트은하

다음은 어느 특이 은하의 가시광선 영상과 특징을 나타낸 것이다.

- 형태는 나선 은하에 해당한다.
- 중심핵이 매우 밝다.
- 스펙트럼 방출선의 폭이 넓게 관측된다.

이에 대한 설명으로 옳은 것만을 보기에서 있는 대로 고른 것은?

보기
ㄱ. 이 은하는 퀘이사이다.
ㄴ. 중심부에 거대 블랙홀이 존재할 것이다.
ㄷ. 서로 다른 은하들이 충돌하여 형성되었다.

① ㄱ　　　② ㄴ　　　③ ㄱ, ㄷ　　　④ ㄴ, ㄷ　　　⑤ ㄱ, ㄴ, ㄷ

> 세이퍼트은하는 보통의 은하들에 비해 중심핵이 유난히 밝고 스펙트럼에서 폭이 넓은 방출선이 관측되는 특징이 있다. 방출선은 이 은하의 중심핵 부근에 뜨거운 성운이 있다는 것을 뜻하며, 스펙트럼 방출선의 폭이 넓다는 것은 이 성운이 빠른 속도로 회전하고 있다는 것을 뜻한다.

고난도
04 ▶ 특이 은하의 특징

표는 서로 다른 두 특이 은하 A, B를 관측한 내용이다.

구분	A	B
관측 특징	보통의 별처럼 보이며, 후퇴 속도가 매우 빠르다.	제트로 연결된 로브가 핵의 양쪽에 대칭으로 나타난다.
관측된 흡수선의 파장	440 nm	400 nm

이에 대한 설명으로 옳은 것만을 보기에서 있는 대로 고른 것은? (단, 관측된 흡수선의 원래 파장은 390 nm이다.)

보기
ㄱ. A는 우리은하보다 에너지 방출량이 많다.
ㄴ. B는 우주 초기에 형성된 천체이다.
ㄷ. 지구로부터의 거리는 A가 B의 약 40배이다.

① ㄱ　　　② ㄴ　　　③ ㄱ, ㄷ　　　④ ㄴ, ㄷ　　　⑤ ㄱ, ㄴ, ㄷ

> 외부 은하 중에는 허블의 분류 체계로 분류하기 어려운 특이 은하가 있다. 특이 은하에는 전파 은하, 퀘이사, 세이퍼트은하 등이 있다.

05 〉충돌 은하
그림은 충돌하는 은하의 모습을 허블 우주 망원경으로 관측하여 나타낸 것이다.

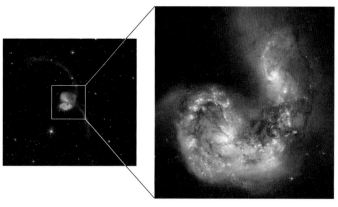

• 은하들은 주로 무리를 지어 분포하기 때문에 서로를 잡아당기는 중력에 의해 충돌하기도 한다. 이때 두 은하가 하나로 합쳐지기도 하고, 큰 은하가 작은 은하를 흡수하기도 한다.

이에 대한 설명으로 옳은 것만을 보기에서 있는 대로 고른 것은?

보기
ㄱ. 충돌 과정에서 수많은 별들의 파괴가 일어난다.
ㄴ. 은하의 분포가 훨씬 더 균일하다면 은하 충돌이 더 빈번하게 일어날 것이다.
ㄷ. 은하의 충돌 과정에서 가스와 먼지의 밀도가 증가하면 새로운 별이 형성될 수 있다.

① ㄱ   ② ㄷ   ③ ㄱ, ㄴ   ④ ㄴ, ㄷ   ⑤ ㄱ, ㄴ, ㄷ

06 〉허블 법칙
그림 (가)는 두 은하 A, B의 스펙트럼을 정지 상태의 스펙트럼과 비교한 것을, (나)는 외부 은하의 거리와 후퇴 속도의 관계를 나타낸 것이다.

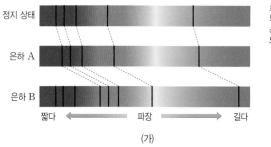
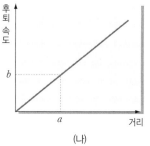

• 허블은 거리가 알려진 외부 은하들의 적색 편이량을 측정하여, 은하의 후퇴 속도와 은하까지의 거리가 비례한다는 것을 알아내었다. 이를 허블 법칙이라고 한다.

이에 대한 설명으로 옳은 것만을 보기에서 있는 대로 고른 것은?

보기
ㄱ. (나)에서 허블 상수는 $\dfrac{a}{b}$이다.
ㄴ. A와 B는 모두 우리은하로부터 멀어지고 있다.
ㄷ. B에서 A를 관측하면 스펙트럼에서 청색 편이가 나타난다.

① ㄱ   ② ㄴ   ③ ㄱ, ㄴ   ④ ㄴ, ㄷ   ⑤ ㄱ, ㄴ, ㄷ

07 ▶ 허블 상수의 의미

그림은 1930년~1980년까지 허블 상수를 측정한 값의 연도별 변화를 나타낸 것이다.

이에 대한 설명으로 옳은 것만을 보기에서 있는 대로 고른 것은? (단, 우주의 팽창 속도는 일정하다고 가정한다.)

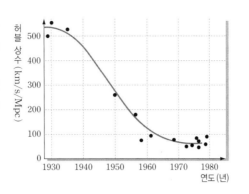

> • 허블 상수는 1 Mpc 떨어진 두 은하의 후퇴 속도를 의미하며, 허블 상수를 이용하여 우주의 나이와 우주의 크기를 추정할 수 있다.

보기
ㄱ. 측정된 허블 상수 값이 달라지는 까닭은 우주의 팽창 속도가 달라졌기 때문이다.
ㄴ. 허블 상수를 기준으로 계산한 우주의 나이는 1930년대보다 1980년대에 더 많다.
ㄷ. 관측된 적색 편이량을 기준으로 계산한 외부 은하의 거리는 1930년대보다 1980년대에 더 멀다.

① ㄱ   ② ㄴ   ③ ㄷ   ④ ㄱ, ㄷ   ⑤ ㄴ, ㄷ

고난도
08 ▶ 허블 법칙의 이해

표는 크기가 같은 타원 은하 A, B의 모습과 시직경, 적색 편이량(z)을 나타낸 것이다. (단, $z = \dfrac{\lambda - \lambda_0}{\lambda_0}$ 이고, λ는 관측 파장, λ_0는 고유 파장이다.)

구분	모습	시직경	적색 편이량
타원 은하 A		$10''$	0.001
타원 은하 B		$2.5''$	㉠

이에 대한 설명으로 옳은 것만을 보기에서 있는 대로 고른 것은?

> • 천체의 겉보기 크기(지름)를 시직경이라고 한다. 천체의 시직경은 거리에 반비례한다. 그리고 관측된 흡수선의 파장(λ)과 원래의 고유 파장(λ_0)을 비교하면 은하의 후퇴 속도(v)를 알 수 있다.
> $$v = c \times \frac{\lambda - \lambda_0}{\lambda_0}$$
> (c: 빛의 속도, $3.0 \times 10^5 \, \text{km/s}$)

보기
ㄱ. 지구로부터의 거리는 B가 A보다 2배 더 멀다.
ㄴ. B의 스펙트럼 흡수선의 적색 편이량 ㉠은 0.004이다.
ㄷ. B는 지구로부터 빛의 속도의 약 0.4 %에 해당하는 속도로 멀어지고 있다.

① ㄱ   ② ㄴ   ③ ㄷ   ④ ㄱ, ㄴ   ⑤ ㄴ, ㄷ

09 > 허블 법칙과 우주 팽창

그림은 어느 직선 상에 있는 외부 은하 A~C의 거리와 후퇴 속도를 나타낸 것이다.

이에 대한 설명으로 옳은 것만을 보기에서 있는 대로 고른 것은?

보기

ㄱ. 우리은하에서 측정한 허블 상수는 70 km/s/Mpc이다.

ㄴ. A에서 측정한 후퇴 속도는 C가 우리은하의 2배이다.

ㄷ. A~C 은하에서 측정된 허블 상수는 모두 동일하다.

① ㄱ ② ㄴ ③ ㄱ, ㄷ ④ ㄴ, ㄷ ⑤ ㄱ, ㄴ, ㄷ

- 허블 법칙은 은하들이 실제로 멀어지는 것이 아니라 우주 공간이 모든 방향에 대하여 균일하게 팽창하고 있음을 나타낸다. 따라서 팽창하는 우주에서 특별한 중심이 존재하지 않는다.

10 > 정상 우주론의 특징

그림 (가)와 (나)는 어느 우주론을 근거로 하여 시간에 따른 은하의 개수와 우주의 평균 밀도의 변화를 나타낸 것이다.

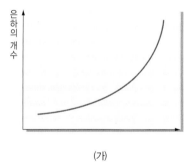
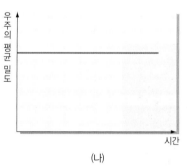

(가)　　　　(나)

이에 대한 설명으로 옳은 것만을 보기에서 있는 대로 고른 것은?

보기

ㄱ. 연속 창조설이라고도 한다.

ㄴ. 이 우주론은 우주가 정지해 있다고 설명한다.

ㄷ. 우주 배경 복사는 이 우주론의 근거이다.

① ㄱ ② ㄷ ③ ㄱ, ㄴ ④ ㄴ, ㄷ ⑤ ㄱ, ㄴ, ㄷ

- 정상 우주론과 빅뱅 우주론은 허블 법칙과 우주론적 원리를 합리적으로 설명할 수 있는 대표적인 우주론이다.

11 ❯ 우주 배경 복사

그림 (가)는 우주 배경 복사의 파장에 따른 복사 에너지의 상대적 세기를, (나)는 우주 배경 복사의 방향에 따른 온도 편차를 나타낸 것이다.

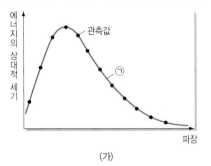

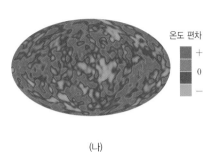

(가)   (나)

이에 대한 설명으로 옳은 것만을 보기에서 있는 대로 고른 것은?

보기
ㄱ. (가)의 ⊙은 약 2.7 K의 흑체 복사 곡선에 해당한다.
ㄴ. (나)로부터 초기 우주의 물질 분포를 추정할 수 있다.
ㄷ. 우주가 팽창함에 따라 우주 배경 복사의 세기는 낮아질 것이다.

① ㄱ   ② ㄷ   ③ ㄱ, ㄴ   ④ ㄴ, ㄷ   ⑤ ㄱ, ㄴ, ㄷ

우주 배경 복사는 빅뱅 우주론을 주장한 가모가 예측하였고, 이후 펜지어스와 윌슨이 우주 배경 복사를 실제로 발견하였다.

12 ❯ 빅뱅 핵합성과 가벼운 원소의 비율

그림은 빅뱅 우주론의 빅뱅 핵합성 과정에서 어느 원자핵이 생성되는 과정을 나타낸 것이다.

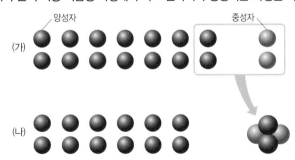

이에 대한 설명으로 옳은 것만을 보기에서 있는 대로 고른 것은?

보기
ㄱ. (가)에서 양성자와 중성자의 질량비는 약 7 : 1이다.
ㄴ. (나)에서 수소 원자핵과 헬륨 원자핵의 개수비는 약 3 : 1이다.
ㄷ. 이 모형으로 현재 우주에 존재하는 수소와 헬륨의 질량비를 잘 설명할 수 있다.

① ㄱ   ② ㄷ   ③ ㄱ, ㄴ   ④ ㄱ, ㄷ   ⑤ ㄴ, ㄷ

우주 나이가 약 3분이 되었을 때 양성자 2개와 중성자 2개가 결합하여 헬륨 원자핵이 만들어지는 반응이 일어났다.

고난도

13 ❯ 우주 배경 복사의 형성

그림 (가)와 (나)는 빅뱅 이후 어느 시기의 우주의 모습을 시간에 관계없이 나타낸 것이다.

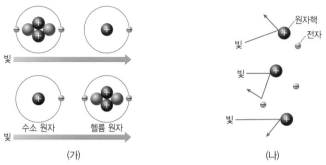

이에 대한 설명으로 옳은 것만을 보기에서 있는 대로 고른 것은?

> **보기**
> ㄱ. 우주의 온도는 (가) 시기보다 (나) 시기에 더 높았다.
> ㄴ. 우주의 급팽창은 (가) 시기 이후에 일어났다.
> ㄷ. (나) 시기에 우주 배경 복사가 존재하였다.

① ㄱ   ② ㄴ   ③ ㄱ, ㄷ   ④ ㄴ, ㄷ   ⑤ ㄱ, ㄴ, ㄷ

• 빅뱅 직후의 우주는 초고온·초고밀도 상태로, 빛과 전자가 상호 작용을 하는 불투명한 우주였다. 그러나 시간이 지나면서 온도와 밀도가 낮아지고 투명한 우주가 되면서 우주 배경 복사가 퍼져 나가게 되었다.

14 ❯ 빅뱅 우주론의 문제점

그림은 빅뱅 우주론의 세 가지 문제점 A~C를 구분하여 나타낸 것이다.

A~C에 들어갈 알맞은 말을 옳게 짝 지은 것은?

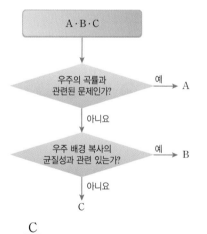

	A	B	C
①	지평선 문제	편평성 문제	자기 단극 문제
②	지평선 문제	자기 단극 문제	편평성 문제
③	편평성 문제	지평선 문제	자기 단극 문제
④	편평성 문제	자기 단극 문제	지평선 문제
⑤	자기 단극 문제	편평성 문제	지평선 문제

• 빅뱅 우주론이 해결하지 못한 중요한 문제들에는 편평성 문제, 지평선 문제, 자기 단극 문제가 있다. 급팽창 우주론은 이러한 문제를 해결해 주는 우주론이다.

15

> 급팽창 우주론

그림은 빅뱅 이후 시간에 따른 우주의 반지름을 나타낸 것이다.

이에 대한 설명으로 옳은 것만을 보기에서 있는 대로 고른 것은?

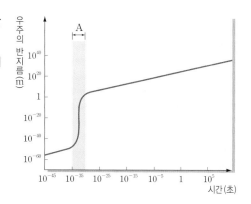

• 급팽창 우주론은 우주가 대폭발 직후 극히 짧은 시간 동안 급격하게 팽창하였다는 내용으로, 이를 통해 우주의 지평선 문제, 편평성 문제 등을 설명할 수 있다.

보기

ㄱ. A 시기 이전에 우주의 크기는 우주의 지평선보다 작았다.

ㄴ. A 시기에 우주의 급팽창이 일어났다

ㄷ. 우주 배경 복사는 A 시기 이후에 형성되었다.

① ㄱ   ② ㄷ   ③ ㄱ, ㄴ   ④ ㄴ, ㄷ   ⑤ ㄱ, ㄴ, ㄷ

16

> 지평선 문제와 급팽창 우주

그림은 빅뱅 우주론의 지평선 문제를 나타낸 것이다.

이에 대한 설명으로 옳은 것만을 보기에서 있는 대로 고른 것은?

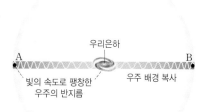

• 현재 우주가 균일하다는 것은 멀리 떨어진 두 지역이 과거에는 정보 교환이 있었다는 것을 의미한다. 그러나 빅뱅 우주론에서는 빛이 이동할 수 있는 시간보다 우주의 나이가 더 적기 때문에 이를 설명하지 못한다.

보기

ㄱ. A 방향과 B 방향에서 오는 우주 배경 복사는 거의 균일하게 관측된다.

ㄴ. 현재 A와 B는 상호 작용을 할 수 있는 위치에 있다.

ㄷ. 급팽창 이전에 우주의 에너지 밀도는 매우 불균일하였다.

① ㄱ   ② ㄴ   ③ ㄱ, ㄷ   ④ ㄴ, ㄷ   ⑤ ㄱ, ㄴ, ㄷ

02 우주의 구성과 운명

학습 Point 암흑 물질과 암흑 에너지 〉 우주의 구성과 미래

 암흑 물질과 암흑 에너지

가모가 제시한 빅뱅 우주론은 우주 배경 복사를 관측하면서 받아들여지게 되었고, 이를 통해 설명하기 어려운 문제점들은 급팽창 우주론을 통해 해결할 수 있었다. 최근에는 새로운 관측 사실들이 등장하면서 기존의 우주론이 더욱 정교하게 발전해 나가고 있다.

1. 암흑 물질

우리의 몸, 주변의 나무, 돌, 바다, 별, 은하 등을 이루는 물질을 보통 물질이라고 한다. 보통 물질은 사람의 눈이나 여러 가지 장비를 통해 관측할 수 있다. 그런데 우주에는 이러한 보통 물질 외에도 다른 존재가 있다. '알지 못하는 물질'이라는 의미의 암흑 물질(dark matter)이 바로 그것이다.

⑴ **암흑 물질의 발견:** 나선 은하가 태양계처럼 은하 전체 질량의 대부분이 중심에 모여 있다면, 은하 중심으로부터 멀어질수록 회전 속도가 느려지는 케플러 회전을 해야 한다. 그러나 1970년대에 미국의 루빈은 안드로메다은하의 중심에 위치한 별들과 외곽에 있는 별들의 회전 속도가 거의 같다는 사실을 알아내었다. 즉, 은하의 중심에서 멀어지더라도 회전 속도가 거의 일정하였다. 이는 나선 은하를 관측할 때 대부분의 물질이 은하 중심부에 모여 있는 것처럼 관측되지만 실제로는 은하 외곽에도 상당한 양의 물질이 분포하고 있음을 뜻한다. 전자기파로 감지할 수 없는 이러한 물질을 암흑 물질이라고 한다. 우리은하의 경우에는 암흑 물질의 질량이 우리은하 전체 질량의 약 90 %를 차지할 것으로 추정하고 있다.

케플러 회전
행성이 태양을 중심으로 공전할 때, 태양으로부터의 거리가 멀어질수록 공전 속도가 느려진다. 이와 같은 회전을 케플러 회전이라고 한다.

루빈(Rubin, V. C., 1928~2016)
미국의 천문학자로, 안드로메다은하의 회전 속도가 케플러 법칙을 따르지 않는다는 사실을 발견하여 암흑 물질 연구에 큰 업적을 남겼다.

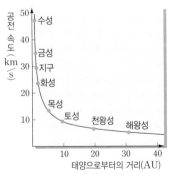

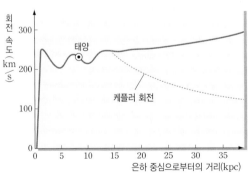

태양계 안에서 행성들의 공전 속도 중심(태양)으로부터의 거리에 따라 공전 속도가 느려지는 케플러 회전을 나타낸다.

우리은하 안에서 별들의 회전 속도 우리은하의 중심으로부터 거리가 멀어져도 회전 속도가 높은 상태로 거의 일정하게 유지되고 있다.

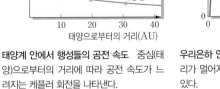

▲ **중심으로부터의 거리에 따른 회전 속도** 중심부에 질량이 집중되어 있는 태양계 안 행성들의 회전 속도와 비교해 볼 때, 우리은하는 중심부에 질량이 집중되어 있지 않음을 알 수 있다.

(2) **표준 모형과 암흑 물질:** 우주를 구성하는 입자들을 분류하고, 중력을 제외한 이들의 상호 작용을 밝히는 과학 이론을 표준 모형이라고 한다. 표준 모형에 따르면 우주는 쿼크와 렙톤 등 물질의 근간을 이루는 기본 입자와 광자(빛)처럼 힘을 전달하는 매개 입자, 그리고 질량을 보유하게 하는 힉스 입자로 이루어져 있다. 그런데 암흑 물질은 이러한 표준 모형으로도 설명할 수 없다. 표준 모형에서 제시하는 입자들과는 상호 작용을 하지 않고, 표준 모형이 아직 다루지 못하는 중력으로만 그 존재를 확인할 수 있기 때문이다.

(3) **암흑 물질의 특성:** 암흑 물질은 전자기파를 방출하거나 흡수하지 않아 직접 관측할 수 없지만 질량을 가지므로 중력에 따른 상호 작용으로부터 그 존재를 추정할 수 있다.

① **중력 효과:** 암흑 물질이 분포하는 곳에서는 그 중력의 효과에 의해 천체로부터 오는 빛의 경로가 휘어지고 밝기가 증가하는 중력 렌즈 현상이 일어나거나, 주변 별이나 은하의 운동이 교란되기도 한다. 또 광학적 관측으로 추정한 은하의 질량이 역학적인 방법으로 계산한 은하의 질량보다 작다는 사실로부터도 암흑 물질의 존재를 추정할 수 있다.

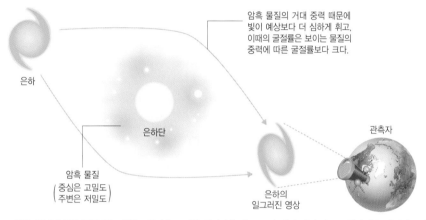

▲ **암흑 물질에 의한 중력 렌즈 현상** 중력은 공간을 휘어지게 하고, 그에 따라 빛의 경로도 휘어진다. 따라서 중력이 큰 가까운 천체에 의해 멀리 있는 은하의 빛이 휘어져 일그러지거나, 여러 개로 보이거나, 밝기가 증가하는 중력 렌즈 현상이 나타난다.

▲ **중력 렌즈 효과에 따른 초신성의 이미지** 멀리 있는 초신성 레프스달(SN Refsdal)의 빛이 막대한 질량의 은하단 MACS J1149.6+2223에 따른 중력 렌즈 효과로 확대 및 왜곡되어 4개로 관측된다. 초신성의 크기가 작아서 앞쪽의 타원 은하 주위로 4개의 점이 박힌 것처럼 보인다.

힉스 입자(Higgs boson)
표준 모형에서 기본 입자들에게 질량을 부여하는 매커니즘을 증명하는 입자로, 영국의 물리학자 힉스(Higgs, P.W., 1929~)가 1964년에 제안하였다. 지난 2013년에 유럽 입자 물리 연구소(Conseil Européenne pour la Recherche Nucléaire, CERN)에서 거대 강입자 가속기(Large Hadron Collider, LHC) 실험을 통해 그 존재를 확인하였다고 발표하였다.

암흑 물질의 후보 윔프
암흑 물질을 관측할 수 없는 것은 다른 물질과 상호 작용을 하지 않기 때문이다. 즉, 암흑 물질은 무겁고, 전기적으로 중성이며 다른 물질과 상호 작용을 하지 않는 성질을 가지고 있다. 그래서 한동안은 암흑 물질의 정체가 중성미자일 것이라고 생각해 왔다. 중성미자는 전하가 없고 전자기파를 발생하지 않기 때문이다. 그러나 중성미자는 다른 기본 입자에 비하여 질량이 매우 작고 속도도 매우 빠르기 때문에 은하의 중력장을 쉽게 탈출할 수 있으므로 암흑 물질이 될 수 없다. 따라서 가상의 새로운 입자를 생각해 내야만 했다. 이것이 바로 윔프이다. 윔프(WIMP)는 약하게 상호 작용을 하는 무거운 소립자(Weakly Interacting Massive Particles)를 뜻하는 말로, 많은 과학자들은 이 윔프를 암흑 물질의 후보 중의 하나로 여기고 있다.

② 암흑 물질의 분포: 현재까지의 연구 결과에 따르면 암흑 물질은 우주의 전체 구성 물질과 에너지 중 약 26.8 %를 차지한다. 이 값은 우주의 물질만을 고려할 때 전체 물질의 약 85 %에 이른다. 이러한 암흑 물질은 아직 발견되지 않은 새로운 입자일 것이라는 의견이 주류를 이루고 있다.

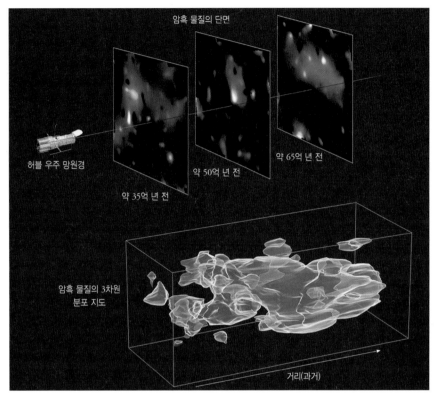

▲ **허블 우주 망원경이 촬영한 사진으로 암흑 물질의 분포 지도를 만드는 과정** 암흑 물질이 약 65억 년 전부터 약 35억 년 전까지 어떻게 변화했는지 알 수 있다. 거리에 따른 암흑 물질의 단면들(위쪽)을 연속으로 연결하면 3차원의 암흑 물질 분포 지도(아래쪽)를 얻을 수 있다.

2. 우주의 가속 팽창과 암흑 에너지

⑴ **우주의 가속 팽창**: 20세기 후반까지 과학자들은 빅뱅 이후 우주가 꾸준히 팽창하고 있지만 우주를 구성하는 물질의 중력 때문에 급팽창 이후 팽창 속도가 서서히 줄어들고 있을 것이라고 생각하였다. 그러나 과학자들이 Ia형 초신성의 적색 편이량과 겉보기 등급 관측 자료를 우주의 여러 가지 팽창 모형과 비교한 결과, 현재 우주의 팽창 속도는 오히려 점점 증가하고 있다는 사실이 밝혀졌다.

① **Ia형 초신성의 특성과 우주의 크기 변화**: Ia형 초신성은 백색 왜성이 일정한 질량에 이르러 폭발한 형태이다. 초신성이 방출하는 빛의 밝기는 폭발할 때의 질량과 관계가 있는데, Ia형 초신성은 최대 에너지 방출량이 일정하여 가장 밝아졌을 때의 절대 등급이 거의 일정하다. 따라서 Ia형 초신성의 겉보기 등급을 관측하여 절대 등급과 비교하면 초신성까지의 거리를 알아낼 수 있다. 그리고 Ia형 초신성으로부터 오는 빛의 스펙트럼을 통해 적색 편이량을 측정하면 우주가 얼마나 팽창하였는지를 알 수 있다.

Ia형 초신성
초신성은 폭발 과정과 스펙트럼의 특징에 따라 I형 초신성, II형 초신성으로 구분하며, 각 초신성은 다시 Ia형, Ib형, Ic형, II-p형, II-b형 등으로 세분할 수 있다. 초신성은 매우 밝게 빛나기 때문에 거리가 먼 은하의 거리를 구하는 데 이용된다.

② 우주의 가속 팽창: 1990년대 후반에 서로 다른 두 연구팀이 초신성들의 거리와 적색 편이 관계를 통해 우주가 어떻게 팽창하였는지를 연구하였는데, 이들은 우주가 감속 팽창을 할 것이라고 보았다. 그리고 만약 우주가 감속 팽창을 한다면 등속 팽창을 할 때에 비해 초신성이 밝게 보일 것이라고 예상하였다. 적색 편이가 의미하는 거리보다 초신성의 실제 거리가 더 가깝다면 초신성이 더 밝게 보일 것이고, 이는 우주의 팽창 속도가 느려지는 감속 팽창을 뜻하기 때문이다. 그런데 두 연구팀의 독자적인 관측 결과 모두 실제로는 초신성의 거리가 멀수록, 즉 먼 과거의 초신성들일수록 예상보다 적색 편이량이 작다는 결과를 얻었다. 이는 먼 과거의 초신성일수록 우주의 팽창 속도가 현재보다 작다는 뜻으로, 빅뱅 이후 우주의 팽창 속도가 일정하게 유지되거나 줄어드는 것이 아니라 더 빨라지는, 즉 가속 팽창을 하고 있음을 나타내는 것이다.

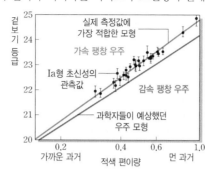

▲ **Ia형 초신성의 관측 결과** Ia형 초신성의 겉보기 등급이 클수록 적색 편이량이 예상보다 작게 나타난다. 이는 거리가 멀수록 우주의 팽창 속도가 현재보다 작았음을 뜻한다. 즉, 과거로부터 현재로 올수록 우주 팽창 속도가 커졌음을 뜻한다.

적색 편이량
스펙트럼에 나타난 적색 편이량은 원래 파장이 길어진 정도를 나타내며, 이를 통해 후퇴 속도를 알 수 있다. Ia형 초신성의 스펙트럼 분석에서 이 값은 우주가 팽창한 정도를 의미한다.

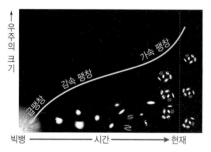

▲ **시간에 따른 우주의 크기** 그림은 다양한 거리의 초신성을 허블 망원경으로 관측하여 시간에 따른 우주 크기를 나타낸 것이다. 관측 가능한 밝기의 한계로 감속 팽창 영역에서는 초신성 관측이 어렵다.

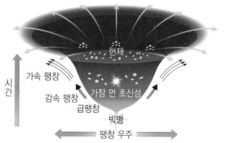

▲ **빅뱅 이후 우주의 팽창 속도 변화** 그림에서 우주는 아래쪽의 빅뱅으로부터 시간이 지날수록 팽창 속도가 변해 왔다. 즉, 우주는 빅뱅 → 급팽창 → 감속 팽창 → 가속 팽창의 과정을 거치고 있다.

(2) **암흑 에너지**: 우주가 가속 팽창하고 있다는 관측 결과는 중력과 반대로 작용하는 요소가 존재함을 뜻한다. 이렇게 중력과 반대로 척력으로 작용하면서 우주의 팽창을 가속하는 성분을 암흑 에너지(dark energe)라고 한다. 우주가 가속 팽창하려면 암흑 에너지의 효과가 점점 커져야 한다. 현재 과학자들은 우주가 가속 팽창하는 까닭을 우주가 팽창함에 따라 중력의 영향이 감소하고 암흑 에너지의 영향이 상대적으로 커지기 때문이라고 설명한다. 암흑 에너지의 정체와 성질은 아직까지 정확히 알려지지 않았다. 일부 과학자들은 아인슈타인이 제기했던 우주 상수로 암흑 에너지를 설명할 수 있다고 주장하지만, 암흑 에너지의 특성은 앞으로 많은 연구를 거쳐야 보다 정확히 알 수 있다.

▲ **암흑 에너지 과학 임무 위성(유클리드)** 수 년 내에 발사되어 은하의 형태와 위치, 운동 등을 관측함으로써 암흑 에너지의 존재를 간접적으로 추론할 수 있는 자료를 제공할 것으로 기대를 모으고 있다.

아인슈타인의 우주 상수
아인슈타인이 일반 상대성 이론을 발표할 당시에는 우주의 팽창이 밝혀지기 전이었다. 우주가 팽창하지 않는다면 중력에 의해 천체들이 가까워지고 결국에는 대충돌할 것이므로, 아인슈타인은 우주가 수축을 일으키는 중력에 반하는 힘인 우주 상수를 도입하였다. 이후 허블이 우주가 팽창한다는 사실을 밝혀내자 아인슈타인은 방정식에 추가된 우주 상수를 철회하면서 인생 최대의 실수라고 말하였다. 그런데 최근에 우주의 가속 팽창이 알려졌고, 이 가속 팽창의 원인인 암흑 에너지를 설명하기 위해 우주 상수와 같이 반중력의 역할을 하는 존재가 다시 필요해지게 되었다.

2 우주의 구성과 미래

과학과 기술의 발전은 가설과 추정 수준에 머물러 있었던 우주론을 정밀 과학의 수준으로 끌어올렸다. 그러나 우주의 구성 성분 중 인류가 어느 정도 이해하고 있는 보통 물질은 전체의 5 % 미만이고, 나머지는 거의 아무 것도 모르는 '암흑' 상태이다. 암흑 물질과 암흑 에너지의 실체를 알게 된다면 우주의 미래를 조금 더 이해할 수 있을 것이다.

1. 우주의 구성 성분

초신성 관측이나 우주 배경 복사의 관측 결과를 근거로, 우주는 약 4.9 %의 보통 물질과 약 26.8 %의 암흑 물질, 약 68.3 %의 암흑 에너지로 구성되어 있다고 추정한다. 우주는 탄생 이후 다양한 원자핵이 생성되는 복사 우세 단계, 원자와 은하계 등이 만들어지는 물질 우세 단계를 거쳐, 현재는 암흑 에너지가 우세해지는 단계에 이르렀다. 급팽창 직후에는 중력이 강하여 우주가 감속 팽창을 하였으나, 우주가 계속 팽창하면서 물질의 밀도가 낮아지므로 중력의 영향이 줄어들었다. 그러나 암흑 에너지의 밀도는 우주의 팽창과 관계없이 일정하기 때문에 다른 것들에 비해 영향력이 커지며 우주의 팽창을 가속시키는 역할을 하고 있다.

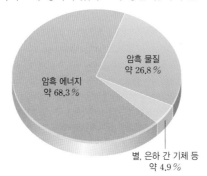

▲ **우주의 구성 성분** 전 우주의 구성 성분 중에서 보통 물질은 5 % 미만에 불과하며, 암흑 에너지와 암흑 물질이 대부분을 차지한다.

우주의 팽창에 따른 구성 성분 변화
우주의 팽창 초기에는 복사 에너지 밀도가 가장 우세했으나, 현재는 암흑 에너지 밀도가 가장 우세하다. 회색으로 색칠된 부분은 암흑 에너지의 밀도로, 관측 자료의 제약에 따라 구간으로 나타내었다.

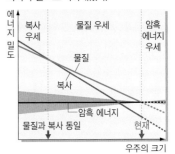

2. 우주의 미래

우주가 팽창을 계속하게 될지 아니면 다시 수축하게 될지는 우주의 밀도 값에 따라 결정된다. 특히, 우주의 밀도가 특정한 값을 가지게 되면 우주는 편평한 모양이 되는데, 이때의 값을 임계 밀도라고 한다. 즉, 임계 밀도는 팽창하는 우주와 수축하는 우주의 경계가 되는 값을 뜻한다.

(1) 빅뱅 우주론과 우주의 미래: 빅뱅 우주론의 모형에서는 우주의 밀도 값에 따라 공간의 곡률이 결정된다. 즉, 우주의 밀도를 임계 밀도로 나눈 값을 밀도 변수(Ω)라고 하며, 암흑 에너지가 없다고 가정하면 Ω에 따라 우주의 미래를 열린 우주, 평탄 우주, 닫힌 우주의 세 가지 모형으로 나타낼 수 있다.

$$\Omega = \frac{\text{우주의 밀도}}{\text{임계 밀도}}$$

① **열린 우주:** 우주의 밀도가 임계 밀도보다 작고($\Omega < 1$), 우주가 음의 곡률일 때로, 우주 공간이 바깥으로 휜 모양이며 계속 팽창하는 우주 모형이다.

② **평탄 우주:** 우주의 밀도가 임계 밀도와 정확히 같고($\Omega = 1$), 우주의 곡률이 0일 때로, 열린 우주와 닫힌 우주의 중간 상태를 계속 유지하면서 팽창을 겨우 지속하는 우주 모형이다.

③ **닫힌 우주:** 우주의 밀도가 임계 밀도보다 크고($\Omega > 1$), 우주가 양의 곡률일 때로, 우주 공간이 공처럼 안으로 휜 모양이며 우주의 팽창 속도가 느려지다가 팽창이 멈추고 다시 수축하는 우주 모형이다.

구분	우주의 밀도 변수	우주의 곡률	우주의 미래
열린 우주	$\Omega < 1$	$(-)$	계속 팽창
평탄 우주	$\Omega = 1$	0	팽창 속도 0으로 수렴
닫힌 우주	$\Omega > 1$	$(+)$	팽창하다가 수축

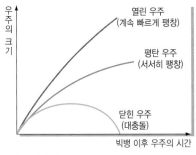

$\Omega < 1$
열린 우주

$\Omega = 1$
평탄 우주

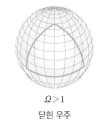

$\Omega > 1$
닫힌 우주

▲ 우주의 미래

(2) **표준 우주 모형과 우주의 미래:** 우주 배경 복사의 정밀한 관측에 따라 현재 우주가 편평하다는 사실이 알려졌다. 이러한 평탄 우주의 밀도는 임계 밀도와 같아야 하는데($\Omega = 1$), 관측 결과 우주의 밀도는 임계 밀도의 약 30 %에 불과하다. 즉, 빅뱅 우주론의 평탄 우주 모형은 관측 결과를 설명하지 못하고 있다. 이러한 관측 결과를 설명하기 위해 표준 우주 모형이 제안되었다. 표준 우주 모형(ΛCDM 모형)은 암흑 에너지(Λ)와 차가운 암흑 물질(Cold Dark Matter, CDM)을 모두 포함하는 우주 모형이다.

① **가속 팽창 우주:** 중력보다 암흑 에너지에 의한 척력이 강한 경우로, 암흑 에너지가 임계 밀도의 약 70 %, 물질의 밀도가 약 30 %를 차지한다. 따라서 밀도 변수 $\Omega = 1$이며, 평탄 우주에 해당한다. 현재의 관측 결과와 가장 잘 부합하는 우주 모형이다.

② **관성 우주:** 중력이나 척력에 영향을 미칠 수 있는 물질이나 에너지가 전혀 없는 경우로, 우주 팽창은 변함없이 항상 일정한 속도로 나타날 것이다.

③ **임계 우주:** 우주의 밀도가 임계 밀도와 같으며 암흑 에너지가 없고 중력이 우주를 다시 수축시킬 정도로 강하지 않은 경우로, 팽창 속도가 계속 느려지지만 팽창이 완전히 멈추지는 않는 우주가 된다.

④ **다시 수축하는 우주:** 중력이 강하고 암흑 에너지에 의한 척력이 약한 경우로, 다시 수축하여 종말을 맞는다.

차가운 암흑 물질

암흑 물질은 초기 우주에서의 평균 속력에 따라 차가운(cold) 암흑 물질, 뜨거운(hot) 암흑 물질로 구분된다. 뜨거운 암흑 물질은 빛의 속도에 가까운 빠른 속도로 움직이고, 차가운 암흑 물질은 뜨거운 암흑 물질보다 상대적으로 느리게 움직이며 우주 전역에 분포한다. 뜨거운 암흑 물질은 초은하단과 같은 큰 천체를 먼저 형성한 후 분리되어 작은 천체들을 형성하지만, 차가운 암흑 물질은 은하보다 작은 천체를 먼저 만들고 이들이 다시 합쳐져 계층적으로 성장하며 거대 우주 구조를 형성한다고 본다.

표준 우주 모형

급팽창 이론을 포함한 빅뱅 우주론에 암흑 물질과 암흑 에너지의 개념까지 모두 포함하는 최신의 우주론으로, 표준 우주 모형으로 우주의 구조를 계산한 결과는 지금까지 이루어진 우주 관측 사실들을 매우 정확하게 설명한다.

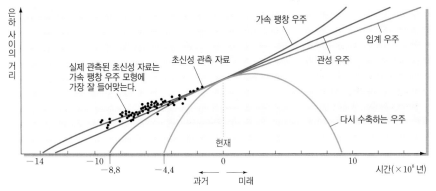

▲ 표준 우주 모형에 따른 우주의 미래

Ia형 초신성 관측과 우주의 가속 팽창

초신성은 우주에서 일어나는 매우 강력한 에너지 분출 현상이다. 이러한 초신성 중에서 Ia형 초신성의 폭발을 이용하면 멀리 떨어져 있는 천체까지의 거리를 측정할 수 있으며, 이 측정 결과를 이용하여 우주의 팽창 속도 변화를 알아낼 수 있다.

❶ 초신성은 어떻게 분류하는가?

초신성은 성간 물질에 질량이 큰 원소를 공급하는 데 결정적인 역할을 하며, 폭발로 발생한 충격파는 부근에 있는 성운에서 새로운 별이 만들어지게 하는 역할을 하기도 한다. 이러한 초신성은 하나의 은하에서 100년에 한 번 정도 탄생한다. 초신성은 광도 곡선과 스펙트럼을 기준으로 나눈다. 먼저 수소선의 존재를 기준으로 Ⅰ형 초신성과 Ⅱ형 초신성으로 구분하고, 두 형태의 초신성은 다시 흡수선과 광도 곡선(시간에 따른 초신성의 절대 등급 변화)의 모양에 따라 세분한다.

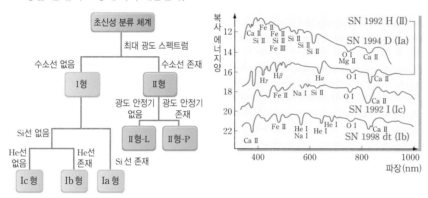

▲ **초신성의 분류** 초신성은 스펙트럼과 광도 곡선을 기준으로 나눈다.

▲ **초신성의 종류** Ⅰ형 초신성은 Ⅱ형 초신성과 달리 수소 흡수선이 나타나지 않는다.

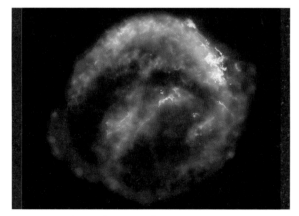

▲ **케플러 초신성의 잔해(Ia형 초신성)** 초신성 잔해들을 살펴보면 우리은하에서 100년에 한 번꼴로 초신성 폭발 사건이 일어나고 있다. 우리은하에서 관측된 가장 최근의 사례는 1604년 케플러 초신성으로, 관측 기록을 남긴 케플러의 이름을 딴 것이다.

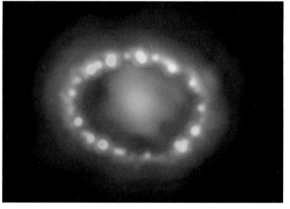

▲ **초신성 1987A의 잔해(Ⅱ형 초신성)** 붉은색 부분은 새로 생성된 물질을 나타내고, 초록색과 파란색 부분은 폭발하는 별의 항성풍이 주변의 성간 물질과 충돌하는 곳이다. 붉은색은 지상의 아타카마 전파 망원경으로, 녹색은 허블 망원경으로, 파란색은 찬드라 X선 망원경으로 촬영하여 합성한 영상이다.

② Ia형 초신성까지의 거리는 어떻게 구할까?

초신성 중에서 Ia형 초신성은 최대로 밝아졌을 때 절대 밝기가 최대이며, 그 때의 절대 등급이 항상 일정하다. Ia형 초신성은 백색 왜성이 한계 질량을 넘어서는 순간에 폭발을 일으키기 때문에 최대 밝기가 항상 −19.3 등급이 된다. 이때의 밝기는 은하 전체의 밝기에 이르기 때문에 매우 먼 거리에서도 쉽게 관측할 수 있고, 겉보기 등급만 측정하면 거리 지수를 이용하여 거리를 알 수 있다.

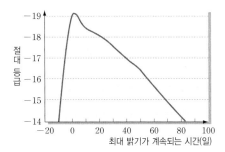

▲ **Ia형 초신성의 광도 곡선** Ia형 초신성이 최대로 밝아졌을 때 약 −19.3 등급이 된다.

③ 우주의 가속 팽창을 어떻게 알아냈을까?

1980년대에 과학자들은 우주가 급팽창한 이후 거의 일정한 속도로 팽창하다가 암흑 물질을 포함한 우주 구성 물질의 중력에 의해 팽창 속도가 점점 느려질 것이라고 예상하였다. 이를 확인하고자 2개의 서로 다른 팀이 초신성을 이용하여 우주의 팽창 속도를 추정하였다. 한 팀은 '초신성 우주론 프로젝트(Supernova Cosmology Project)' 팀이고, 다른 한 팀은 '적색 편이량이 큰 초신성 연구(High‑z Supernova Search)' 팀이었다. 두 팀의 관측 결과 모두 예상과 달리 현재의 우주가 약 70억 년 전에 비해 약 15 % 빠르게 팽창하였다.

두 연구팀은 1998년에 우주의 가속 팽창을 공식적으로 발표하였고, 이러한 팽창의 원인을 중력과 반대로 척력을 일으키는 암흑 에너지 때문이라고 추정하였다. 그 후 2003년 WMAP과 2013년 플랑크 위성의 정밀한 관측을 통해 우주가 보통 물질 약 4.9 %, 암흑 물질 약 26.8 %와 약 68.3 %의 암흑 에너지로 이루어져 있다는 결과를 얻었다. 다양한 우주 구성을 바탕으로 수행한 컴퓨터 모형 실험의 결과도 암흑 물질과 암흑 에너지의 존재를 고려할 때 현재의 가속 팽창과 잘 부합한다.

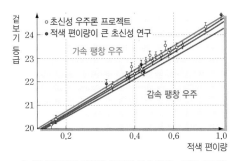

▲ **Ia형 초신성의 관측과 우주의 가속 팽창** 빛이 이동한 거리가 멀어질수록(겉보기 등급이 커질수록) 후퇴 속도(적색 편이량)가 예상보다 작다. 이는 먼 과거보다 현재의 우주 팽창 속도가 크다는 뜻이다.

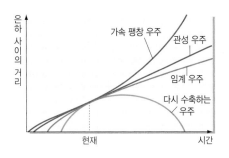

▲ **표준 우주 모형에 따른 우주의 미래** 암흑 물질과 암흑 에너지의 밀도를 고려한 표준 우주 모형은 가속 팽창하는 우주를 잘 설명할 수 있다.

02 우주의 구성과 운명

2. 외부 은하와 우주 팽창

① 암흑 물질과 암흑 에너지

1. 암흑 물질

• **암흑 물질의 특성**: 암흑 물질은 전자기파를 방출하거나 흡수하지 않기 때문에 직접 관측할 수 없지만 질량이 있으므로 (**❶**   )에 의한 상호 작용으로부터 그 존재를 추정할 수 있다.

• **암흑 물질과 (❷   ) 현상**: 가까운 천체 부근에 분포하는 암흑 물질의 중력에 의해 멀리 있는 천체로부터 오는 빛이 휘어져 그 모습이 일그러지거나 밝기가 변하기도 한다.

• **암흑 물질의 분포**: 우주의 전체 구성 성분 중 약 26.8 %를 차지한다.

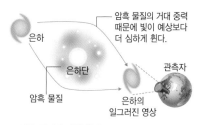

▲ **암흑 물질에 의한 현상**

2. 우주의 가속 팽창과 암흑 에너지

• **우주의 가속 팽창**: 과학자들은 (❸   )의 적색 편이량과 겉보기 등급을 관측한 결과 자료를 우주의 여러 가지 팽창 모형과 비교하여 현재 우주가 (❹   ) 팽창하고 있다는 사실을 확인하였다.

• **우주의 팽창 속도 변화**: 탄생 이후 우주의 팽창 속도는 일정하지 않았으며, 빅뱅 → (❺   ) → 감속 팽창 → 가속 팽창의 과정을 거쳐 변화하고 있다.

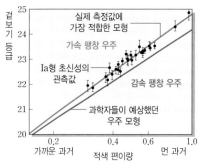

▲ **Ia형 초신성의 관측 결과와 우주의 가속 팽창**   ▲ **시간에 따른 우주의 크기**

• (**❻**   ): 물질에 따른 중력과는 반대 방향으로 작용하면서 우주의 팽창을 가속하는 우주의 성분으로, 그 특성을 알기 위해 계속 연구하고 있다.

② 우주의 구성과 미래

1. **우주의 구성 성분** 우주는 약 4.9 %의 보통 물질과 약 26.8 %의 (❼   ), 약 68.3 %의 암흑 에너지로 이루어져 있다.

2. **우주의 미래** 우주의 밀도에 따라 여러 가지 모형을 예상할 수 있으나 (❽   )에 의한 영향으로 앞으로 우주는 계속 가속 팽창할 것으로 추정한다.

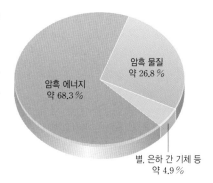

▲ **우주의 구성 성분**

01 그림은 암흑 물질의 존재를 확인할 수 있는 어느 방법을 나타낸 것이다.

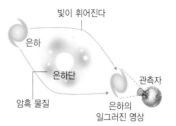

빛이 휘어진다
은하
은하단
관측자
암흑 물질
은하의 일그러진 영상

(1) 은하단의 질량에 의해 빛이 휘어지는 현상을 무엇이라고 하는지 쓰시오.

(2) 은하단에 포함된 암흑 물질의 양이 많을수록 빛이 휘어지는 현상은 어떠한지 쓰시오.

02 다음은 우주의 팽창 속도를 순서 없이 나열한 것이다.

> (가) 빅뱅　　　(나) 감속 팽창
> (다) 급팽창　　(라) 가속 팽창

(가)~(라)를 순서대로 나열하시오.

03 우주의 가속 팽창에 대한 설명으로 옳은 것만을 보기에서 있는 대로 고르시오.

> 보기
> ㄱ. 빅뱅 이후 우주의 팽창 속도는 계속 증가해 왔다.
> ㄴ. 가속 팽창을 일으키는 원인은 암흑 에너지이다.
> ㄷ. 우주가 가속 팽창하는 까닭은 우주가 팽창함에 따라 중력이 커지기 때문이다.
> ㄹ. 미래에 우주의 팽창 속도는 점차 줄어들 것이다.

04 그림은 우주의 구성 성분을 나타낸 것이다.

A~C와 관련된 설명을 보기에서 골라 옳게 짝 지으시오.

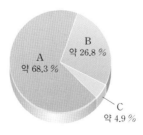

B 약 26.8 %
A 약 68.3 %
C 약 4.9 %

> 보기
> ㄱ. 전자기파 영역에서 관측이 가능하다.
> ㄴ. 직접 관측할 수는 없지만 질량을 보유한다.
> ㄷ. 중력에 반대 방향으로 작용하는 것으로 추정된다.

05 그림은 우주에 존재하는 보통의 물질만을 고려할 때 시간에 따른 우주의 크기 변화를 나타낸 것이다.

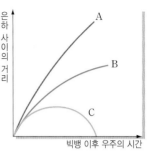

은하 사이의 거리
A
B
C
빅뱅 이후 우주의 시간

(1) 우주의 미래는 A~C에서 각각 어떠한 모형으로 변화할지 쓰시오.

(2) A~C에서 우주의 밀도와 임계 밀도의 크기를 각각 비교하시오.

06 그림은 곡률에 따른 우주의 모습을 나타낸 것이다.

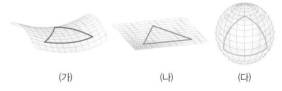

(가)　　　(나)　　　(다)

(1) (가)~(다)를 우주의 곡률이 큰 것부터 작은 것 순으로 나열하시오.

(2) (가)~(다)에서 우주의 평균 밀도를 큰 것부터 작은 것 순으로 나열하시오. (단, 우주의 임계 밀도는 같다.)

(3) (가)~(다) 중 현재 우주의 곡률에 해당하는 것은 무엇인지 쓰시오.

07 우주의 구성과 미래에 대한 설명으로 옳은 것만을 보기에서 있는 대로 고르시오.

> 보기
> ㄱ. 우주는 보통 물질, 암흑 물질, 암흑 에너지로 이루어져 있다.
> ㄴ. 우주가 팽창함에 따라 상대적으로 암흑 에너지 효과가 점점 작아진다.
> ㄷ. 최근 관측 결과로부터 우주의 팽창 속도는 점점 빨라지고 있다.

고난도

01 ❯은하의 회전 곡선과 암흑 물질의 발견
그림은 우리은하 중심으로부터의 거리에 따른 별들의 회전 속도를 나타낸 것이다.
이에 대한 설명으로 옳은 것만을 보기에서 있는 대로 고른 것은?

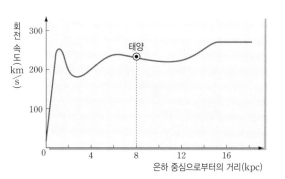

과학자들은 은하 중심을 돌고 있는 별의 회전 속도가 중심에서 멀수록 느릴 것으로 예상했으나, 실제 관측 결과 은하 중심에서 멀어지더라도 거의 일정한 속도로 회전하고 있었다.

보기
ㄱ. 우리은하의 물질은 거의 대부분 중심부에 분포한다.
ㄴ. 전자기파를 방출하는 물질의 분포를 알아낼 수 있다.
ㄷ. 은하 중심으로부터 태양보다 먼 곳에 중력 작용을 일으키는 물질이 존재한다.

① ㄱ　　　　② ㄷ　　　　③ ㄱ, ㄴ　　　　④ ㄱ, ㄷ　　　　⑤ ㄴ, ㄷ

02 ❯암흑 물질에 의한 중력 효과
그림 (가)는 멀리서 오는 빛이 휘어져 관측되는 현상을, (나)는 아벨 1689 은하단의 모습을 나타낸 것이다.

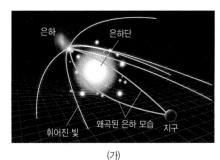

(가)

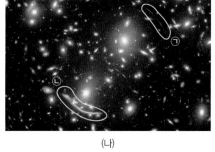

(나)

암흑 물질은 빛을 방출하지 않기 때문에 보이지 않지만, 질량이 있으므로 여러 가지 관측으로 존재를 추정할 수 있다. 특히 암흑 물질이 분포하는 곳에서는 그 중력의 효과로 빛의 경로가 휘어지거나, 주변의 별이나 은하의 운동이 교란되기도 한다.

이에 대한 설명으로 옳은 것만을 보기에서 있는 대로 고른 것은?

보기
ㄱ. (가)에서 빛의 경로가 휘어지는 현상을 중력 렌즈 효과라고 한다.
ㄴ. (나)에서 ㉠, ㉡과 같이 길쭉하게 휘어진 빛은 아벨 1689 은하단보다 가까이 있는 천체이다.
ㄷ. 아벨 1689 은하단에 암흑 물질이 존재한다면 광학적 관측으로 추정한 질량이 역학적인 방법으로 계산한 질량보다 작다.

① ㄱ　　　　② ㄴ　　　　③ ㄱ, ㄷ　　　　④ ㄴ, ㄷ　　　　⑤ ㄱ, ㄴ, ㄷ

03 ▶ 우주의 가속 팽창

그림은 **Ia형** 초신성을 관측하여 알아낸 적색 편이량과, **Ia형** 초신성이 가장 밝을 때의 겉보기 등급을 나타낸 것이다.

이에 대한 설명으로 옳은 것만을 보기에서 있는 대로 고른 것은?

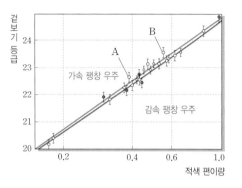

• Ia형 초신성까지의 거리가 멀어질수록 스펙트럼에 나타난 적색 편이량은 등급 측정을 통해 예상한 적색 편이량보다 작다. 이로부터 과거에는 우주의 팽창 속도가 현재보다 작았다는 것을 알 수 있다.

보기

ㄱ. 가장 밝아졌을 때의 절대 등급은 A와 B가 같다.

ㄴ. 후퇴 속도는 A가 B보다 빠르다.

ㄷ. A와 B 모두 적색 편이량으로 추정한 거리보다 겉보기 등급을 관측하여 추정한 거리가 더 가깝다.

① ㄱ   ② ㄷ   ③ ㄱ, ㄴ   ④ ㄴ, ㄷ   ⑤ ㄱ, ㄴ, ㄷ

04 ▶ 우주의 팽창 속도 변화

그림은 빅뱅 이후부터 현재까지 우주의 팽창 속도 변화를 나타낸 것이다.

이에 대한 설명으로 옳은 것만을 보기에서 있는 대로 고른 것은?

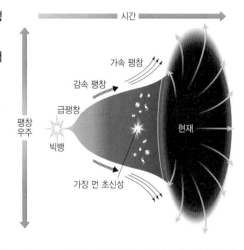

• 우주는 빅뱅 직후 급팽창이 일어났으며, 그 후 팽창 속도가 조금씩 줄어들다가 다시 가속 팽창하고 있다.

보기

ㄱ. 급팽창이 지속된 시간은 감속 팽창이 지속된 시간에 비해 매우 짧았다.

ㄴ. 감속 팽창하는 동안 우주의 크기는 감소하였다.

ㄷ. 초신성 관측을 통해 우주의 가속 팽창을 확인할 수 있다.

① ㄱ   ② ㄴ   ③ ㄱ, ㄴ   ④ ㄱ, ㄷ   ⑤ ㄴ, ㄷ

05 > 우주의 구성

표는 우주를 구성하고 있는 물질과 에너지의 양을 나타낸 것이다.

우주의 구성	A	B	C
비율	약 68.3 %	약 26.8 %	약 4.9 %

이에 대한 설명으로 옳은 것만을 보기에서 있는 대로 고른 것은?

보기

ㄱ. A는 우주의 가속 팽창을 일으키는 원인으로 추정된다.

ㄴ. B는 전자기파를 방출하거나 흡수하는 물질이다.

ㄷ. C는 대부분 수소와 헬륨으로 이루어져 있다.

① ㄱ   ② ㄴ   ③ ㄱ, ㄷ   ④ ㄴ, ㄷ   ⑤ ㄱ, ㄴ, ㄷ

과학자들은 초신성 관측 결과와 우주 배경 복사의 관측 결과를 근거로 보통 물질과 암흑 물질, 암흑 에너지가 우주를 구성하고 있다고 추정하고 있다.

06 > 우주의 탄생과 진화

그림은 우주의 탄생과 진화를 나타낸 것이다.

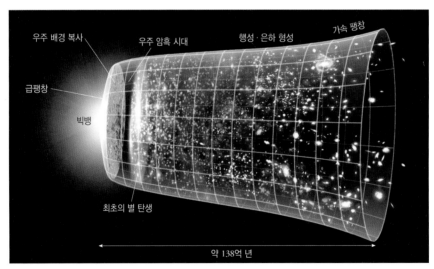

이에 대한 설명으로 옳은 것만을 보기에서 있는 대로 고른 것은?

보기

ㄱ. 우주의 보통 물질은 거의 대부분 급팽창 시기에 생성되었다.

ㄴ. 우주 배경 복사가 형성된 시기에 암흑 물질은 거의 존재하지 않았다.

ㄷ. 가속 팽창은 암흑 에너지 효과가 상대적으로 점점 커지기 때문에 일어난다.

① ㄱ   ② ㄷ   ③ ㄱ, ㄴ   ④ ㄴ, ㄷ   ⑤ ㄱ, ㄴ, ㄷ

우주의 급팽창은 빅뱅 직후 우주의 온도가 매우 높았을 때 일어났다. 우주 배경 복사는 원자가 형성된 이후에 나타났으며, 가속 팽창을 일으키는 원인은 암흑 에너지 때문인 것으로 추정된다.

07 〉우주의 구성 요소 변화

그림은 어느 가속 팽창 우주 모형에서 시간에 따른 우주 구성 요소 A~C의 밀도를 나타낸 것이다.

이에 대한 설명으로 옳은 것만을 보기에서 있는 대로 고른 것은? (단, A~C는 각각 보통 물질, 암흑 물질, 암흑 에너지 중의 하나이다.)

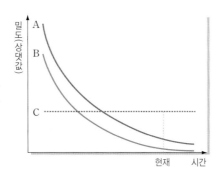

• 보통 물질은 전자기파와 상호 작용하므로, 광학적 관측을 통해 확인할 수 있다. 암흑 물질은 다른 천체에 미치는 중력 효과를 이용하여 존재를 확인할 수 있다. 암흑 에너지는 중력의 반대 방향으로 작용하는 척력 역할을 하는 것으로 추정한다.

보기
ㄱ. A는 중력 렌즈 현상을 관측하여 존재를 확인할 수 있다.
ㄴ. B는 별과 은하를 구성하는 보통 물질이다.
ㄷ. 미래에 C가 우주의 팽창에 미치는 영향이 거의 일정해진다.

① ㄱ   ② ㄴ   ③ ㄷ   ④ ㄱ, ㄴ   ⑤ ㄴ, ㄷ

08 〉우주의 밀도와 곡률

그림은 우주의 밀도에 따라 달라지는 우주의 곡률을 나타낸 것이다.

　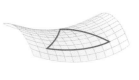　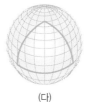

(가)　　　　　　(나)　　　　　　(다)

• 우주의 밀도와 임계 밀도를 비교하여 우주의 미래를 열린 우주, 평탄 우주, 닫힌 우주로 구분할 수 있다.

이에 대한 설명으로 옳은 것만을 보기에서 있는 대로 고른 것은? (단, (가)~(다)에서 임계 밀도는 같다.)

보기
ㄱ. (가)는 평탄 우주이다.
ㄴ. (나)에서 우주의 곡률은 (+)이다.
ㄷ. 우주의 밀도는 (나)>(다)이다.

① ㄱ   ② ㄴ   ③ ㄱ, ㄷ   ④ ㄴ, ㄷ   ⑤ ㄱ, ㄴ, ㄷ

09 › 우주론의 원리

다음은 최근의 관측 결과를 나열한 것이다.

(가) 거리가 먼 은하일수록 후퇴 속도가 크다.

(나) 초신성의 겉보기 등급이 예상보다 더 어둡게 나타난다.

(다) 나선 은하에서, 은하 중심에서 멀어지더라도 별의 회전 속도가 거의 일정하다.

(가)~(다)와 관련이 깊은 우주론적 사실을 옳게 짝 지은 것은?

	(가)	(나)	(다)
①	우주 팽창	가속 팽창	암흑 물질 존재
②	우주 팽창	가속 팽창	암흑 에너지 존재
③	우주 팽창	우주의 급팽창	암흑 에너지 존재
④	가속 팽창	우주 팽창	암흑 물질 존재
⑤	가속 팽창	우주의 급팽창	암흑 에너지 존재

• (가)는 1929년 허블이 관측하였고, (나)는 1990년대 후반에 초신성 우주론 프로젝트 팀과 적색 편이량이 큰 초신성 연구팀이 관측하였다. (다)는 1960년대 말에 루빈이 관측하였다.

10 › 시간에 따른 우주의 구성 변화

그림 (가)는 빅뱅 이후 시간에 따른 우주의 크기를, (나)는 A 시기와 현재 우주의 구성 비율을 나타낸 것이다.

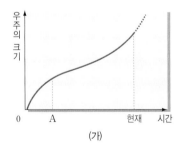
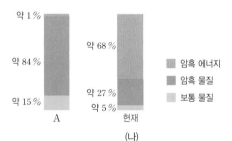

(가)   (나)

이에 대한 설명으로 옳은 것만을 보기에서 있는 대로 고른 것은?

> 보기
> ㄱ. 빅뱅 직후 현재까지 우주의 크기는 일정한 비율로 증가하였다.
> ㄴ. A 시기에는 주로 암흑 물질의 영향으로 우주의 팽창 속도가 감소하였다.
> ㄷ. 우주의 크기가 커질수록 암흑 에너지의 영향이 감소하였다.

① ㄱ   ② ㄴ   ③ ㄷ   ④ ㄱ, ㄷ   ⑤ ㄴ, ㄷ

• 우주가 가속 팽창하기 위해서는 중력과 반대 방향으로 작용하는 암흑 에너지의 효과가 점점 커져야 한다. 현재 우주가 가속 팽창하는 까닭은 암흑 에너지가 점점 커지기 때문이 아니라 암흑 에너지 효과가 상대적으로 커지기 때문이다.

11 ❯ 우주의 가속 팽창

그림 (가)~(다)는 우주의 나이가 약 100억 년일 때 은하 A를 출발한 빛이 현재 지구에 도달하는 모습을 나타낸 것이다.

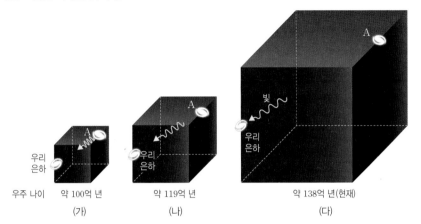

우주 나이   약 100억 년   약 119억 년   약 138억 년(현재)
                 (가)   (나)   (다)

• 가까운 거리의 초신성에 비해 먼 거리에 위치한 초신성에서 적색 편이량이 예상보다 더 작게 측정된다. 이는 먼 과거일수록 예상한 것보다 우주의 팽창 정도가 작다는 것을 의미한다.

이에 대한 설명으로 옳은 것만을 보기에서 있는 대로 고른 것은? (단, 이 기간 동안 우주는 계속 가속 팽창하였다.)

보기
ㄱ. 현재 지구에서 관측된 A는 약 38억 년 전의 모습이다.
ㄴ. (가)에서 우주 배경 복사의 온도는 약 2.7 K보다 높았다.
ㄷ. A에서 출발한 빛의 적색 편이량은 (가)~(나) 기간보다 (나)~(다) 기간이 크다.

① ㄱ   ② ㄷ   ③ ㄱ, ㄴ   ④ ㄴ, ㄷ   ⑤ ㄱ, ㄴ, ㄷ

12 ❯ 우주의 미래

그림은 표준 우주 모형에 따른 우주의 미래를 나타내는 세 모형 A~C와 임계 우주를 나타낸 것이다.
이에 대한 설명으로 옳은 것만을 보기에서 있는 대로 고른 것은?

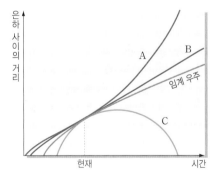

• A는 가속 팽창 우주, B는 관성 우주, C는 다시 수축하는 우주에 해당한다.

보기
ㄱ. A는 시간에 따라 팽창 속도가 증가하는 우주이다.
ㄴ. B는 암흑 에너지와 중력의 영향이 가장 크게 미치는 우주이다.
ㄷ. C는 우주의 팽창 속도가 감소하여 다시 수축하는 우주이다.

① ㄱ   ② ㄷ   ③ ㄱ, ㄷ   ④ ㄴ, ㄷ   ⑤ ㄱ, ㄴ, ㄷ

01 ❯ 허블의 은하 분류

그림은 여러 은하를 형태에 따라 분류하는 과정을 나타낸 것이다.

이에 대한 설명으로 옳은 것만을 보기에서 있는 대로 고른 것은?

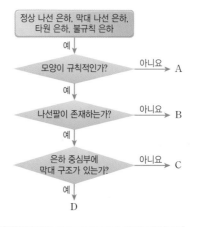

> 허블은 외부 은하를 가시광선 영역에서 관측되는 형태에 따라 타원 은하(E), 정상 나선 은하(S), 막대 나선 은하(SB), 불규칙 은하(Irr)로 분류하였다. 우리은하는 막대 나선 은하에 해당한다.

┌─ 보기 ────────────────────────────────
ㄱ. A는 대부분 나이가 많은 별들로 이루어져 있다.
ㄴ. B는 편평도에 따라 세분할 수 있다.
ㄷ. C와 D는 모두 은하 원반이 존재한다.
ㄹ. 우리은하는 D에 속한다.
└──────────────────────────────────────

① ㄱ, ㄴ   ② ㄱ, ㄹ   ③ ㄴ, ㄷ   ④ ㄱ, ㄴ, ㄷ   ⑤ ㄴ, ㄷ, ㄹ

02 ❯ 나선 은하와 타원 은하의 특징

그림 (가), (나)는 서로 다른 두 은하의 가시광선 영상을 나타낸 것이다.

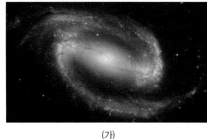

(가)   (나)

> 타원 은하를 구성하는 별은 주로 나이가 많은 붉은색 별이다. 나선 은하의 경우 나선팔에는 파란색의 젊은 별이 분포하고, 헤일로에는 붉은색의 나이가 많은 별이 분포한다.

이에 대한 설명으로 옳은 것만을 보기에서 있는 대로 고른 것은?

┌─ 보기 ────────────────────────────────
ㄱ. 별의 평균 색지수는 (가)가 (나)보다 크다.
ㄴ. 전체 질량 중 성간 물질이 차지하는 비율은 (가)가 (나)보다 크다.
ㄷ. (나) 형태의 은하는 시간이 지남에 따라 (가) 형태의 은하로 진화한다.
└──────────────────────────────────────

① ㄱ   ② ㄴ   ③ ㄱ, ㄴ   ④ ㄱ, ㄷ   ⑤ ㄴ, ㄷ

03 ▸ 퀘이사

다음은 어떤 특이 은하의 특징을 설명한 것이다.

- 우주 탄생 초기의 천체이며, 적색 편이가 매우 크게 나타난다.
- 크기가 태양계 정도인 것으로 추정하고 있다.
- 방출하는 에너지는 우리은하의 수백 배~수천 배에 이르고, 중심부에 거대 블랙홀이 있을 것으로 추정하고 있다.

이 특이 은하의 가시광선 영상으로 가장 적절한 것은?

① ② ③ ④ ⑤

• 퀘이사는 우주 탄생 초기의 천체이며, 매우 큰 적색 편이가 나타난다. 현재까지 알려진 가장 멀리 있는 퀘이사는 우주의 나이 약 10억 년 이전에 생긴 것으로 현재 우리가 관측할 수 있는 가장 먼 거리의 천체이다.

04 ▸ 전파 은하

그림 (가)와 (나)는 외부 은하 NGC 4486을 각각 가시광선과 전파로 관측하여 나타낸 것이다.

(가) 가시광선 영상   (나) 전파 영상

이에 대한 설명으로 옳은 것만을 보기에서 있는 대로 고른 것은?

> **보기**
> ㄱ. 이 은하는 세이퍼트은하이다.
> ㄴ. 제트의 분출 모습은 (가)보다 (나)에서 잘 관측된다.
> ㄷ. 우리은하에 비해 전파 영역에서 수백 배 이상의 에너지를 방출한다.

① ㄱ ② ㄴ ③ ㄱ, ㄴ ④ ㄱ, ㄷ ⑤ ㄴ, ㄷ

• 전파 영역에서 매우 강한 복사를 방출하는 은하를 전파 은하라고 한다. 보통의 은하에서는 전파 복사가 별에서 방출되지만 전파 은하의 경우에는 주로 성간 물질에서 나오는 것으로 알려졌다.

05 > 허블 법칙

그림은 외부 은하의 거리와 어떤 물리량 X의 관계를 나타낸 것이다.

물리량 X로 적절한 것만을 보기에서 있는 대로 고른 것은?

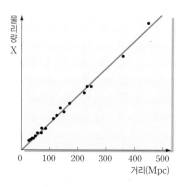

허블은 외부 은하들의 거리와 적색 편이량을 측정하여 외부 은하의 거리와 후퇴 속도가 비례함을 알아냈다. 이를 허블 법칙이라고 한다.

보기
ㄱ. 적색 편이량
ㄴ. 젊은 별의 비율
ㄷ. 외부 은하의 질량
ㄹ. 시선 방향으로 멀어지는 속도

① ㄱ, ㄴ   ② ㄱ, ㄷ   ③ ㄱ, ㄹ   ④ ㄴ, ㄷ   ⑤ ㄷ, ㄹ

06 > 우주의 팽창과 풍선 모형 실험

그림은 허블 법칙에 따라 일정하게 팽창하는 우주의 모습을 알아보기 위한 풍선 모형을 나타낸 것이다.

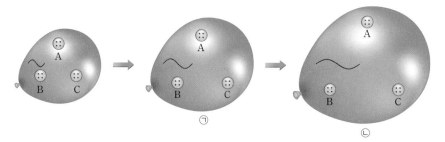

풍선이 부풀어 오를 때 풍선 표면의 모든 단추는 서로 멀어진다. 이때 단추 사이의 간격이 멀수록 더 빨리 멀어지며, 팽창하는 풍선 표면에서 팽창의 중심은 없다.

이에 대한 설명으로 옳은 것만을 보기에서 있는 대로 고른 것은? (단, 풍선 표면에 고정시킨 단추 A~C는 외부 은하를 비유하고, 물결 무늬(~)는 우주 배경 복사를 비유한다.)

보기
ㄱ. 풍선의 내부는 팽창하는 우주 공간에 해당한다.
ㄴ. A~C가 서로 멀어지는 속도는 ㉠보다 ㉡에서 빠르다.
ㄷ. 우주가 팽창하더라도 우주 배경 복사의 파장은 일정하게 유지된다.

① ㄱ   ② ㄴ   ③ ㄱ, ㄴ   ④ ㄱ, ㄷ   ⑤ ㄴ, ㄷ

다음은 우주론의 원리에 대한 설명을 나타낸 것이다.

> 우주는 모든 방향에 대하여 균질하며 등방적이다. 즉, 관측자가 우주의 어느 방향으로 보아도 은하의 분포 밀도가 평균적으로 균질하며, 이러한 특징이 우주의 어느 위치에서나 똑같이 성립한다는 것이다. 이를 우주론의 원리라고 한다.

균질하고 등방적인 우주에서 우리은하로부터의 거리 r에 따른 외부 은하의 개수 분포 N으로 가장 적절한 것은? (단, N은 거리 r에 해당하는 구의 내부에 있는 은하의 개수를 나타낸다.)

①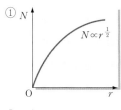

②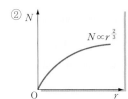

③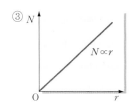

④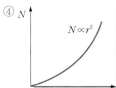

⑤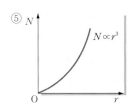

다음은 빅뱅 우주론만으로 설명하기 어려운 세 가지 문제점에 대한 설명을 나타낸 것이다.

> (가) 우주의 곡률이 거의 완벽하게 0이다.
> (나) 우주의 정반대 방향에서 오는 우주 배경 복사가 완전히 균일하다.
> (다) 우주에는 무수히 많은 자기 단극이 존재해야 한다.

(가)~(다)의 문제점을 해결하기 위한 급팽창 이론의 설명으로 옳은 것만을 보기에서 있는 대로 고른 것은?

보기
ㄱ. (가) – 우주의 밀도는 임계 밀도와 같기 때문에 편평하게 보인다.
ㄴ. (나) – 급팽창 이전에는 우주의 크기가 작아 정보를 교환할 수 있었다.
ㄷ. (다) – 급팽창 시기에 자기 단극이 서로 결합하여 대부분 소멸하였다.

① ㄱ   ② ㄴ   ③ ㄷ   ④ ㄱ, ㄷ   ⑤ ㄴ, ㄷ

• 우주론의 원리에 따르면 우주 어느 곳에 있는 어떠한 관측자라도 동일한 현상을 관측해야 한다. 즉, 우주의 어느 곳도 특별하지 않다는 것이 우주론의 원리이다. 모든 우주론은 이 우주론의 원리를 바탕으로 하고 있다.

• 급팽창 이론은 빅뱅 우주론이 해결하지 못한 중요한 문제들을 해결해 주었다.

09 ▶ 우주의 모형

그림 (가)~(다)는 빅뱅 우주론을 바탕으로 하는 우주의 미래에 관한 모형 세 가지를 나타낸 것이다.

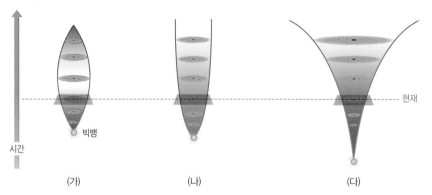

(가)   (나)   (다)

이에 대한 설명으로 옳은 것만을 보기에서 있는 대로 고른 것은?

보기
ㄱ. (가)는 닫힌 우주이다.
ㄴ. 우주의 평균 밀도는 (나)보다 (다)일 때 크다.
ㄷ. 미래에 허블 상수 값은 (다)일 때 가장 크다.

① ㄱ   ② ㄴ   ③ ㄱ, ㄴ   ④ ㄱ, ㄷ   ⑤ ㄴ, ㄷ

• 우주의 미래는 우주의 평균 밀도에 따라 열린 우주, 닫힌 우주, 평탄 우주가 있다.

10 ▶ 우주의 구성 성분

그림은 우주의 구성 성분을 나타낸 것이다.
이에 대한 설명으로 옳은 것만을 보기에서 있는 대로 고른 것은?

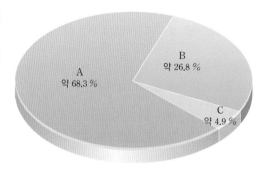

보기
ㄱ. A는 전자기파를 방출하거나 흡수하는 물질이다.
ㄴ. B와 C는 모두 중력 렌즈 현상을 일으킬 수 있다.
ㄷ. 우주의 가속 팽창을 일으키는 원인은 C로 추정된다.

① ㄱ   ② ㄴ   ③ ㄱ, ㄷ   ④ ㄴ, ㄷ   ⑤ ㄱ, ㄴ, ㄷ

• 최근의 관측 결과에 따르면 우주의 구성 성분 중 수소, 헬륨과 같은 보통 물질의 비율은 약 4.9 %에 불과하고, 나머지는 암흑 물질과 암흑 에너지로 이루어져 있다고 한다.

11 ❯ 암흑 에너지와 가속 팽창

그림은 외부 은하에서 발견된 Ia형 초신성의 관측 자료와, 우주 팽창을 설명하기 위한 두 모형 A와 B를 나타낸 것이다.

이에 대한 설명으로 옳은 것만을 보기에서 있는 대로 고른 것은?

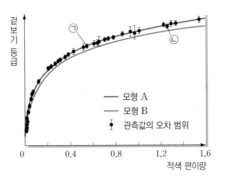

> 과학자들은 Ia형 초신성의 적색 편이량과 겉보기 등급을 관측한 결과 자료를 우주의 여러 가지 팽창 모형과 비교하여 현재 우주가 가속 팽창하고 있다는 사실을 확인하였다.

보기
ㄱ. ㉠과 ㉡은 최대 광도가 같다.
ㄴ. 암흑 에너지 효과는 모형 A보다 모형 B에서 크다.
ㄷ. ㉠과 ㉡은 모두 적색 편이로부터 구한 거리보다 더 가까운 거리에 위치한다.

① ㄱ   ② ㄴ   ③ ㄱ, ㄴ   ④ ㄱ, ㄷ   ⑤ ㄱ, ㄴ, ㄷ

12 ❯ 우주의 미래

그림은 현재의 우주 팽창 속도를 바탕으로 과거와 미래의 우주 크기 변화를 A~C의 세 가지 모형으로 나타낸 것이다.

이에 대한 설명으로 옳은 것만을 보기에서 있는 대로 고른 것은?

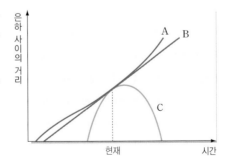

> 우주가 영원히 팽창할지, 팽창을 멈추게 될지는 우주 내부에 있는 물질과 에너지를 모두 포함한 우주의 밀도에 따라 결정된다.

보기
ㄱ. 빅뱅 이후 현재까지 우주의 평균 팽창 속도는 A 모형이 가장 크다.
ㄴ. 우주의 밀도는 B보다 C 모형에서 크다.
ㄷ. 암흑 에너지 효과를 고려하면 우주의 미래 모습은 B 모형에 가깝다.

① ㄱ   ② ㄴ   ③ ㄱ, ㄴ   ④ ㄱ, ㄷ   ⑤ ㄱ, ㄴ, ㄷ

01 그림 (가)와 (나)는 서로 다른 두 특이 은하의 모습을 나타낸 것이다.

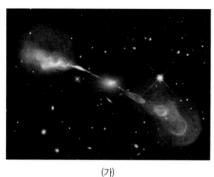

(가)   (나)

(1) (가) 은하에서 나타난 구조적 특징을 서술하시오.

_____

(2) (나) 은하의 스펙트럼에서 관측되는 특징을 서술하시오.

_____

KEY WORDS
(1) • 전파 은하
(2) • 세이퍼트은하

02 그림 (가)는 외부 은하 X의 적색 편이량을, (나)는 외부 은하의 거리와 시선 속도의 관계를 나타낸 것이다.

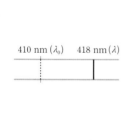

410 nm (λ_0)   418 nm (λ)

(가)   (나)

(1) (가)의 자료로부터 외부 은하 X의 후퇴 속도를 구하는 과정을 서술하시오. (단, 빛의 속도 c는 $3.0 \times 10^5 \, \mathrm{km/s}$이다.)

_____

(2) 위 (1)에서 구한 값과 (나)를 이용하여 외부 은하 X의 거리를 구하는 과정을 서술하시오.

_____

KEY WORDS
(1) • $\dfrac{v}{c} = \dfrac{\lambda - \lambda_0}{\lambda_0}$
(2) • 허블 법칙

03

표는 서로 다른 두 시기에 측정한 허블 상수를 나타낸 것이다.

시기	A (1930년, 허블)	B (2013년, 플랑크 위성)
허블 상수(km/s/Mpc)	500	72

(1) A 시기와 B 시기에 측정된 허블 상수를 기준으로 할 때 우주의 팽창 속도는 어느 시기가 더 큰지 비교하시오.

_____

(2) A 시기와 B 시기에 측정된 허블 상수를 기준으로 우주의 나이를 각각 구하시오. (단, 계산 과정을 제시하시오.)

_____

KEY WORDS
(1) • 허블 상수의 의미
(2) • 허블 상수와 우주 나이의 관계
 • $1 \, \mathrm{Mpc} = 3.0 \times 10^{19} \, \mathrm{km}$

04

그림 (가)와 (나)는 대표적인 두 우주론에서 시간의 경과에 따라 우주가 어떻게 변화할지 나타낸 것이다.

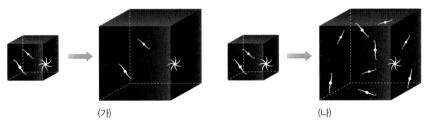

(가)   (나)

(1) (가)와 (나)는 각각 어느 우주론을 나타내는지 쓰시오.

_____

(2) (가)와 (나)의 우주론에서 우주의 밀도, 온도, 크기는 각각 어떻게 달라지는지 서술하시오.

_____

KEY WORDS
(1) • 정상 우주론과 빅뱅 우주론
(2) • 우주의 팽창

05 다음은 관측을 통해 알아낸 우주론적 사실들을 나열한 것이다.

KEY WORDS
• 우주 배경 복사
• 가벼운 원소의 비율
• 허블 법칙

> (가) 하늘의 모든 방향에서 약 2.7 K에 해당하는 복사 에너지가 검출된다.
>
> (나) 우주를 구성하는 물질의 대부분은 수소와 헬륨이며, 이들의 질량비는 약 3 : 1이다.
>
> (다) 우주는 모든 방향에 대하여 균질·등방적으로 팽창하고 있다.

(1) (가)~(다) 중에서 정상 우주론과 빅뱅 우주론에서 공통적으로 설명할 수 있는 관측 사실을 고르고, 그 까닭을 서술하시오.

(2) (가)~(다) 중에서 빅뱅 우주론으로만 설명 가능한 관측 사실을 고르고, 그 까닭을 서술하시오.

06 그림은 급팽창 이론에 근거하여 초기 우주에서 우주의 크기 변화를 예전 모형과 비교하여 나타낸 것이다.

KEY WORDS
• 우주 배경 복사의 균질성
• 관측 가능한 우주의 곡률

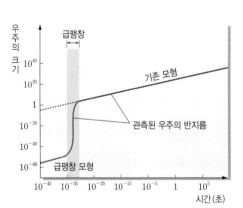

(1) 급팽창 이전과 이후에 우주의 크기와 우주의 지평선의 크기를 비교하시오.

(2) 현재 하늘의 모든 방향에서 관측되는 우주 배경 복사가 매우 균질한 까닭을 급팽창과 관련 지어 서술하시오.

그림은 Ia형 초신성을 관측하여 적색
편이량과 겉보기 등급의 관계를 나타
낸 것이다.

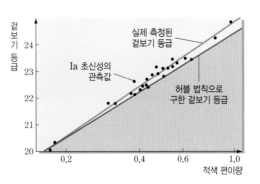

KEY WORDS
⑴ • Ia형 초신성의 절대 등급
⑵ • 우주의 팽창 속도 변화
   • 가속 팽창

⑴ Ia형 초신성은 겉보기 등급을 알면 거리를 구할 수 있다. 그 까닭을 Ia형 초신성의 특성
과 관련지어 서술하시오.

⑵ 허블 법칙으로 구한 Ia형 초신성의 겉보기 등급과 실제 측정된 Ia형 초신성의 겉보기 등
급의 차이는 Ia형 초신성까지의 거리와 어떤 관계가 있는지 서술하시오.

08

그림은 빅뱅 이후 우주의 팽창 속도의 변
화를 나타낸 것이다.

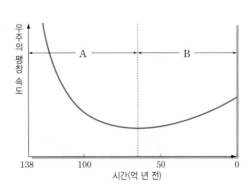

KEY WORDS
• 우주의 밀도
• 암흑 에너지 효과

⑴ 우주의 크기는 어떻게 변해 왔는지 A 시기와 B 시기에 나타난 우주의 팽창 속도 변화와
관련지어 서술하시오.

⑵ A 시기와 B 시기에 우주의 팽창 속도 변화에 영향을 미친 주요 원인은 각각 무엇인지 서
술하시오.

09 그림은 새로운 법칙 발견과 관측 사실로부터 우주론이 수정되면서 발전한 과정을 나타낸 것이다.

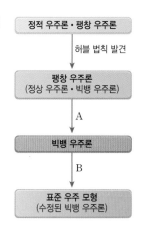

KEY WORDS
(1) • 우주 배경 복사
(2) • 우주의 가속 팽창

(1) A에 해당하는 과학적 발견 두 가지를 서술하시오.

_____

(2) B에 해당하는 주요 과학적 관측 사실은 무엇인지 서술하시오.

_____

10 그림은 우주의 크기 변화와 서로 다른 세 시기에 우주의 구성을 나타낸 것이다. (단, A~C는 각각 보통 물질, 암흑 물질, 암흑 에너지 중 하나이다.)

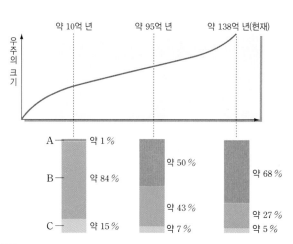

KEY WORDS
• 우주의 구성
• 가속 팽창의 원인

(1) A~C는 각각 무엇인지 쓰시오.

_____

(2) 미래에 우주의 팽창 속도는 어떻게 달라질지 A~C의 비율 변화와 관련지어 서술하시오.

_____

관측 도구의 발달과 빅뱅 우주론

과거 아날로그 텔레비전 채널을 돌리다 보면 방송이 나오지 않는 채널에서 '치익~' 하는 회색 화면을 볼 수 있었다. 이 화면 신호의 약 1 %는 우주 배경 복사이다. 이렇게 일상에서도 쉽게 접할 수 있는 우주 배경 복사가 어떻게 빅뱅 우주론의 증거가 될 수 있었을까?

▲ 아날로그 텔레비전의 화면 신호

빅뱅 우주론의 선구자인 가모는 우주가 초고온 상태에서 폭발했다면 과거의 흔적이 우주에 남아 있을 것이라고 생각하였다. 그는 빅뱅 이후 우주의 온도가 수천 K일 때 방출된 빛이 우주 전역으로 퍼졌고, 이 빛이 현재는 수 K에 해당하는 우주 배경 복사로 존재할 것이라고 예측했다. 가모의 예측은 펜지어스와 윌슨에 의해 우연히 발견되었다. 그들은 1964년 통신위성의 잡음을 제거하기 위한 실험을 하다가 이 잡음이 가모가 예측한 우주 배경 복사이며, 약 2.7 K의 흑체 복사에 해당한다는 것을 알게 되었다.

우주의 나이 약 38만 년 이전에는 우주의 온도가 높아 원자핵과 전자가 분리되어 있었다. 이 시기에는 전자가 빛(광자)을 흡수하고, 다시 방출하는 과정이 끊임없이 반복되어 빛이 자유롭게 진행하지 못하였다. 우주 온도가 약 3000 K으로 낮아졌을 때 원자핵과 전자가 결합하여 원자가 형성되었고, 이때부터 빛이 우주 공간을 자유롭게 나아갈 수 있게 되었다. 이 빛은 우주 공간에 거의 균일하게 존재하는데, 펜지어스와 윌슨이 관측한 신호가 바로 이 당시에 형성된 빛(광자)이다.

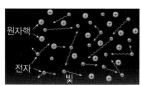
▲ 원자 형성 이전의 우주   ▲ 원자 형성 이후의 우주

1989년에 미국항공우주국은 COBE 위성을 발사하였다. COBE의 정밀한 관측을 통해 우주 배경 복사에 미세한 비등방성이 있다는 것을 확인하였고, 우주 배경 복사 지도를 작성하였다.

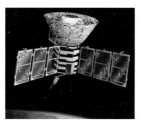
▲ COBE 위성

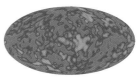
▲ 우주 배경 복사 지도

우주 배경 복사가 완전하게 균일하지 않다는 것은 어떤 의미일까? 이는 초기 우주에 물질의 밀도 차이가 있었음을 뜻한다. 이러한 밀도 차이는 물질이 모여 별과 은하를 형성하는 씨앗이 되었을 것으로 추정한다. 우주가 완전하게 균일했다면 별과 은하를 포함하여 우리가 존재할 수 없었을 것이다.

우주 배경 복사 연구는 우주의 온도뿐만 아니라 우주의 곡률, 정밀한 허블 상수 측정, 우주를 구성하는 성분에 대한 정보까지 제공해 준다. 인류는 COBE 이후로도 WMAP, 플랑크 위성을 통해 우주 배경 복사를 정밀하게 측정하였고, 이러한 노력은 앞으로도 계속될 것이다.

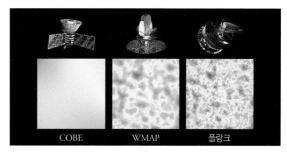
COBE   WMAP   플랑크
▲ 관측 위성에 따른 우주 배경 복사 지도의 정밀도 비교

예시 문제

제시문을 읽고 물음에 답하시오.

(제시문 1) 우주 공간의 가스와 먼지가 밀집되어 원시별이 만들어진다. 이후, 별의 온도와 밀도가 상승하여 별의 중심 온도가 약 1000만 K에 이르면 수소 원자핵 4개가 융합하여 헬륨 원자핵 1개가 만들어지는 핵융합 반응이 시작되고, 막대한 에너지를 생산하여 방출하는 주계열성 단계의 별이 된다. 태양 전체 질량 중 약 10 %가 수소 핵융합 반응에 참여하며, 지금으로부터 약 50억 년 후 중심부의 수소가 모두 고갈되면 헬륨만 존재하게 된다. 이때 태양은 적색 거성으로 진화한다.

(제시문 2) 별 주위를 공전하는 행성에 생명체가 존재하는 데 있어 가장 중요한 요소는 액체 상태의 물이다. 행성에 이러한 액체 상태의 물이 존재하기 위해서는 중심별로부터 적당한 거리만큼 떨어져 있어야 하며, 별 주변에서 액체 상태의 물이 존재할 수 있는 영역을 생명 가능 지대라고 한다. 주계열성의 경우 생명 가능 지대는 중심별의 질량 또는 광도가 클수록 별로부터 멀어지고, 그 폭도 넓어진다. 지구는 태양계의 생명 가능 지대에 위치하며, 태양이 방출하는 에너지는 지구 생명체 존재의 근원이 된다.

(제시문 3) 태양에서 가장 가까운 수성에는 대기가 거의 없으며, 금성에는 주로 이산화 탄소로 이루어진 약 95기압의 대기가 존재한다. 화성에는 전체의 약 95 %가 이산화 탄소로 이루어진 약 0.01기압의 대기가 존재한다.

1 다음 자료와 제시문 1을 활용하여 태양이 주계열 단계에서 머물 수 있는 전체 시간을 계산하시오.

- 태양의 질량은 약 2×10^{30} kg이고, 이 중에서 수소 핵융합에 참여할 수 있는 중심핵의 질량은 태양 전체 질량의 약 10 %이다.
- 현재 태양의 광도는 약 3.9×10^{26} J/s이고, 이러한 광도는 지속적으로 유지된다고 가정한다.
- 수소 핵융합 반응 시에는 약 0.7 %의 질량 결손(Δm)이 발생하여, 질량−에너지 등가 원리($E = \Delta mc^2$, $c = 3 \times 10^8$ m/s)에 따라 에너지로 변환된다.

2 제시문 2를 바탕으로 앞으로 약 50억 년 후에 태양계에서 생명 가능 지대의 범위가 현재와 비교하여 어떻게 달라질지 서술하시오.

3 제시문 3에서 언급된 세 행성 중 온실 효과가 가장 크게 일어나는 행성부터 온실 효과가 작게 일어나는 순서대로 나열하고, 그렇게 답한 까닭을 서술하시오.

● 출제 의도
수소 핵융합 반응을 정량적으로 계산할 수 있는지 평가하며, 중심별의 진화에 따른 생명 가능 지대의 변화와 행성의 대기 조건에 따른 온실 효과를 이해하고 있는지 평가한다.

문제 해결 과정

1 태양이 수소 핵융합 반응을 통해 방출할 수 있는 총 에너지를 태양의 광도로 나누면 태양이 주계열 단계에서 머물 수 있는 시간을 구할 수 있다.

2 태양이 적색 거성으로 진화함에 따라 광도가 커진다. 이때 태양계 행성의 단위 면적에 입사하는 에너지양이 증가하여 행성의 표면 온도가 높아진다. 따라서 행성 표면에 액체 상태의 물이 존재할 수 있는 영역은 중심별에서 멀어진다. 중심별에서 생명 가능 지대가 멀어짐에 따라 이 생명 가능 지대에 속하는 행성의 온도가 낮아지는데, 온도가 낮아지는 비율은 중심별에서 멀어질수록 점점 작아진다. 따라서 생명 가능 지대의 폭은 중심별에서 가까울 때보다 멀 때 그 폭이 더 넓다.

3 지구형 행성의 대기 조건 중 온실 효과에 미치는 주요 요인은 대기압과 대기 성분이다. 대기압은 금성＞화성＞수성이고, 주요 대기 성분은 금성과 화성이 이산화 탄소로 동일하다.

문제 해결을 위한 배경 지식

- 광도는 단위 시간 동안 별이 방출한 총 에너지에 해당하며, 별은 일생의 대부분을 주계열 단계에서 보낸다.
- 중심별 주변의 생명 가능 지대는 중심별의 광도가 높을수록 별에서 멀어지고, 그 폭이 넓어진다.
- 행성 대기 중 온실 기체의 조성 비율과 대기압이 높을수록 온실 효과가 크다.

예시 답안

1 수소 핵융합 반응 시 나타나는 질량 결손 비율은 약 $0.7\ \%$이고, 수소 핵융합에 참여할 수 있는 중심핵의 질량은 태양 전체 질량의 약 $10\ \%$이다. 따라서 태양이 주계열 단계에 머무는 동안 중심핵에서 수소 핵융합으로 생성 가능한 총 에너지양 $E_\odot$은 다음과 같다.

$$E_\odot = \Delta mc^2 = 2 \times 10^{30}\,\mathrm{kg} \times 0.1 \times 0.007 \times (3 \times 10^8\,\mathrm{m/s})^2 = 1.26 \times 10^{44}\,\mathrm{J}$$

현재 태양의 광도는 약 $3.9 \times 10^{26}\,\mathrm{J/s}$이다. 태양이 이 광도를 유지할 수 있는 시간 t는 다음과 같다.

$$t = \frac{E_\odot}{L_\odot} = \frac{1.26 \times 10^{44}}{3.9 \times 10^{26}} = 3.23 \times 10^{17}\,\mathrm{s} = 1.0 \times 10^{10}\,\text{년}$$

그러므로 태양은 약 100억 년 동안 현재의 광도를 유지할 수 있다.

2 주계열성이 수소 핵융합 과정을 거쳐 수소를 모두 소모하면 적색 거성 단계로 넘어가게 된다. 따라서 태양(중심별)은 약 50억 년 후에 크기가 커지고 광도도 증가한다. 즉, 앞으로 약 50억 년 후에 태양은 적색 거성으로 진화하여 현재보다 광도가 커진다. 따라서 태양계의 행성에 도달하는 태양 복사 에너지양이 증가하게 되므로 생명 가능 지대는 태양으로부터 더 멀어지고, 생명 가능 지대의 폭도 넓어진다. 그 까닭은 제시문 2에서 알 수 있듯이 생명 가능 지대란 중심별로부터 적당한 거리만큼 떨어져 있어 액체 상태의 물이 존재할 수 있는 범위이기 때문이다.

3 온실 효과가 큰 행성부터 나열하면 '금성＞화성＞수성' 순이다. 금성의 대기는 대부분 온실 기체인 이산화 탄소로 구성되어 있고, 대기압이 약 95기압으로 매우 높아 온실 효과가 가장 크게 나타난다. 화성은 대기가 대부분(약 95 %) 온실 기체인 이산화 탄소로 구성되어 있으나, 대기압이 약 0.01기압으로 매우 낮아 온실 기체의 양이 적기 때문에 온실 효과가 작게 나타난다. 수성은 대기가 거의 존재하지 않기 때문에 온실 효과가 거의 나타나지 않는다.

실전 문제

> 정답과 해설 **164**쪽

1 제시문을 읽고 물음에 답하시오.

(가) 케플러 우주 망원경은 외계 행성이 중심별의 앞쪽 면을 지나갈 때 일으키는 식 현상을 관측하여 외계 행성을 발견한다. 오른쪽 그림과 같이 행성이 관측자와 별 사이에 위치하게 되면 별의 밝기 F가 감소하는데, 이때 밝기 감소량 ΔF는 행성의 단면적에 비례한다.

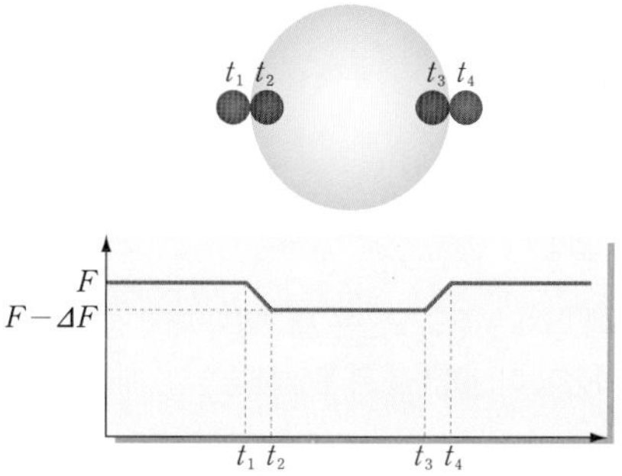

(나) 외계 행성을 탐사하는 또 다른 방식은 별빛의 도플러 효과를 이용하는 것이다. 오른쪽 그림과 같이 질량이 m_1인 별과 m_2인 행성이 공통 질량 중심을 중심으로 각각 원운동한다고 할 때 두 천체가 질량 중심에서 각각 a_1, a_2 떨어진 거리에서 v_1, v_2의 속도로 원 운동한다면 주기 P는 케플러 제 3법칙으로부터 $P^2 \propto a^3$이 성립한다. 또 두 천체 사이의 거리 $a = a_1 + a_2$이고, 공전 속도 $v_1 = \dfrac{2\pi a_1}{P}$, $v_2 = \dfrac{2\pi a_2}{P}$의 관계를 나타낸다.

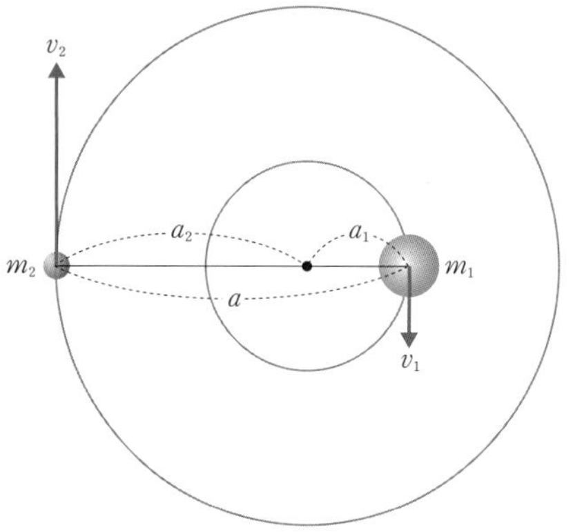

(1) (가)에서 $\dfrac{\Delta F}{F}$를 별의 반지름 R_S와 행성의 반지름 R_P로 나타내고, 이 값을 외계 행성을 발견할 확률과 관련지어 서술하시오.

(2) (나)에서 공전 주기 P가 일정할 경우, 별 m_1에 대한 행성 m_2의 질량비 $\dfrac{m_2}{m_1}$가 클수록 스펙트럼에 나타난 흡수선의 최대 파장 편이량 $\dfrac{\lambda - \lambda_0}{\lambda}$도 커진다는 것을 증명하시오.

답안

• **출제 의도**
외계 행성을 발견하는 데 가장 많이 활용되는 식 현상을 이용하는 방법과 도플러 효과를 이용하는 방법의 원리를 정확하게 이해하고 있는지 평가한다.

• **문제 해결을 위한 배경 지식**
• 관측자의 시선 방향에 행성의 공전 궤도면이 위치할 때 행성의 면적만큼 중심별을 가려 중심별의 광도가 감소한다. 행성의 크기가 클수록 광도가 줄어드는 정도가 크다.
• 도플러 효과를 이용하여 외계 행성을 발견할 경우, 흡수선의 파장 편이량이 커야 행성을 발견하기 쉽다. 흡수선의 편이량이 크려면 시선 방향으로의 속도 변화가 커야 한다.

2 제시문을 읽고 물음에 답하시오.

• 출제 의도
식 현상을 이용한 외계 행성 탐사 방법의 원리를 역학적으로 이해할 수 있는지 평가한다.

(가) 외계 행성은 가시광선을 거의 방출하지 않으므로 외계 행성이 관측자와 중심별 사이에 위치하게 되면 중심별의 밝기가 감소한다. 행성이 중심별의 적도면을 통과하는 것으로 관측될 때 중심별의 북극에서 내려다 본 모양은 아래 그림과 같다. 이때 식이 시작되어 끝날 때까지의 시간 T는 공전 주기가 P라면 $T = P \times \dfrac{\theta}{2\pi}$가 성립하며, 각도 θ는 행성의 공전 궤도 반지름 a에 반비례한다.

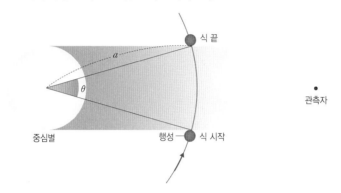

• 문제 해결을 위한 배경 지식
• 행성이 원 궤도로 공전할 경우, 공전 속도(v)는 공전 궤도 반지름(a)의 제곱근에 반비례한다.
$$v \propto \frac{1}{\sqrt{a}}$$
• 중심각이 θ 라디안이고, 반지름이 a일 때, 원호의 길이 $l = a\theta$이다.

(나) 행성이 중심별을 도는 공전 주기 P와 궤도 반지름 a 사이에는 다음과 같은 관계가 성립하는데, 이를 케플러 제3법칙이라고 한다.
$$P^2 \propto a^3$$

(1) 제시문 (가)와 (나)에 근거하여 외계 행성에 의한 중심별의 식이 지속되는 시간 T와 행성의 공전 궤도 반지름 a는 어떤 관계가 있는지 서술하시오.

(2) 태양 근처에 있는 어떤 외계 행성계의 관측자가 태양을 관측하는 동안 지구에 의한 식 현상과 목성에 의한 식 현상을 모두 관측하였다. 위 (1)의 결과를 이용하여, 지구에 의해 식이 지속되는 시간은 목성에 의해 식이 지속되는 시간의 몇 배인지 계산하시오. (단, 목성의 공전 궤도 반지름은 $5.2\,\mathrm{AU}$이고, $\sqrt{5.2} \fallingdotseq 2.3$이다.)

답안

3 제시문을 읽고 물음에 답하시오.

● 출제 의도
별의 밝기와 등급의 관계, 거리와 밝기 관계를 활용하여 별의 개수 분포를 이해할 수 있는지 평가한다.

(가) 등급 m인 별의 밝기를 l_m이라고 하면, 한 등급 간 별의 밝기 차이는 $\dfrac{l_m}{l_{m+1}}$로 나타낼 수 있다. 5등급 간의 밝기 차이는 약 100배이므로 $\left(\dfrac{l_m}{l_{m+1}}\right)^5 = 100$이다. 따라서 $\left(\dfrac{l_m}{l_{m+1}}\right) = 10^{\frac{2}{5}}$이다.

(나) [그림 1]은 별의 겉보기 등급에 따른 개수 분포를 나타낸 것으로, m 등급보다 밝게 보이는 별의 개수 분포를 나타낸 것이다. 겉보기 등급이 m인 별보다 밝게 보이는 별의 개수, $N(<m)$이 겉보기 등급이 증가함에 따라 어떻게 변하는지 나타낸 것이다. 성간 공간에 별빛을 흡수하는 물질이 없다고 가정하면, 별의 밝기는 거리의 제곱에 반비례하여 감소한다.

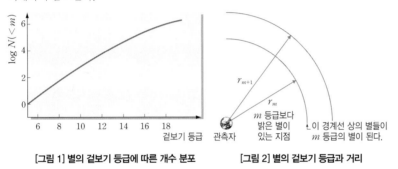

[그림 1] 별의 겉보기 등급에 따른 개수 분포　　[그림 2] 별의 겉보기 등급과 거리

● 문제 해결을 위한 배경 지식
● 별의 밝기(l)는 거리(r)의 제곱에 반비례한다.
$$l \propto \frac{1}{r^2}$$
● 별의 절대 밝기가 동일하다면 m보다 밝은 별의 개수 $N(<m)$은 공간의 부피에 비례한다.
$$N(<m) \propto r_m{}^3$$
● 5등급 간에 별의 밝기가 10배 차이가 난다면 1등급의 밝기 차이는 $10^{\frac{1}{5}}$ 배이다

(1) 만약 절대 밝기가 일정한 별들이 우주 공간에 균일하게 분포한다면 [그림 2]와 같이 $N(<m)$은 어느 일정한 거리 이내의 모든 별의 개수와 같을 것이다. 이를 바탕으로 별의 겉보기 등급에 따른 개수 분포를 구하고, 그 결과를 [그림 1]과 비교하시오.

(2) 만약 사람의 눈이 지금보다 민감하여 5등급 간의 밝기 차이가 10배라고 한다면, [그림 1]의 결과는 어떻게 달라졌을지 서술하시오.

답안

4 제시문을 읽고 물음에 답하시오.

> (가) 그림은 우리은하 중심으로부터의 거리에 따른 회전 속도를 나타낸 것이다.
>
>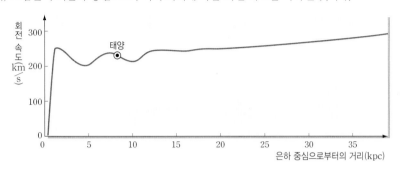
>
> (나) 태양은 우리은하의 중심으로부터 약 8.5 kpc 떨어진 위치에서 약 220 km/s의 속도로 우리은하를 회전하고 있다. 이때 태양의 공전 궤도보다 안쪽에 존재하는 모든 물질이 우리은하 중심부의 한 점에 모여 있다고 가정하고, 그 질량을 구할 수 있다. 즉, 우리은하 중심부의 질량을 M, 태양의 질량을 $M_\odot$라고 하면, 태양에 미치는 만유인력에 의해 태양이 원 운동하므로, 태양에 미치는 만유인력=태양의 구심력이다.
>
> $$G\frac{M \cdot M_\odot}{r^2} = \frac{M_\odot \cdot v^2}{r} \quad (r: \text{공전 궤도 반지름, } v: \text{공전 속도})$$

(1) 제시문 (나)에 근거하여 중심부의 질량 M을 구하시오. (단, $1\,\text{kpc} = 3.0 \times 10^{19}\,\text{m}$이고, 태양의 질량 $M_\odot = 2.0 \times 10^{30}\,\text{kg}$, $G = 6.67 \times 10^{-11}\,\text{m}^3/\text{kg} \cdot \text{s}^2$이다.)

(2) 제시문 (나)의 방법을 이용하여 우리은하 중심으로부터 $30\,\text{kpc}$ 거리 안에 있는 물질의 질량은 태양 질량의 몇 배인지 구하시오.

(3) 우리은하에서 빛을 내는 물질들의 질량은 태양 질량의 약 10^{11}배로 추정한다. 과정 (2)에서 구한 우리은하의 질량과 비교해 보고, 그 결과를 암흑 물질의 존재와 관련지어 서술하시오.

> **답안**
> _____
>
> _____
>
> _____
>
> _____

• **출제 의도**

전자기파로 관측이 불가능한 암흑 물질은 중력에 의한 상호 작용을 이용하여 그 존재를 추정할 수 있음을 이해할 수 있는지 평가한다.

• **문제 해결을 위한 배경 지식**

• 우리은하의 회전 곡선과 중력을 이용한 계산에 따르면 우리은하의 질량은 태양 질량의 약 10^{12}배로 추정한다. 이는 빛을 방출하지 않는 막대한 양의 암흑 물질이 우리은하의 외곽부에 분포함을 의미한다.

부록

III 우주의 신비

1. 별과 외계 행성계

01 별의 특성과 종류

탐구 확인 문제 020쪽

01 ㄱ, ㄴ **02** (1) 주계열성 영역 (2) 질량이 클수록 수명이 짧다.

01 H - R도에서 세로축 위로 갈수록 광도가 커지므로 별이 방출하는 에너지양이 많다. 거성은 주계열성보다 반지름이 크고, 초거성은 거성보다 반지름이 크다. 적색 거성은 백색 왜성에 비해 표면 온도가 낮다.

02 (1) 별은 일생의 약 90 %를 주계열성으로 보낸다. 성단이 젊은 별들로 이루어져 있다고 했으므로, 대부분의 별들이 주계열 단계에 머무르고 있을 것이다.
(2) 질량이 큰 주계열성일수록 에너지를 많이 소모하므로 수명이 짧다.

개념 모아 정리하기 021쪽

❶ 플랑크　❷ 짧아진다　❸ 파란　❹ 붉은　❺ 높은
❻ 낮은　❼ O　❽ M　❾ 슈테판·볼츠만　❿ 분광형
⓫ 절대 등급　⓬ 주계열성　⓭ 붉은　⓮ 초거성　⓯ 백색 왜성

개념 기본 문제 022쪽

01 (가) 연속 스펙트럼　(나) 흡수선 스펙트럼　(다) 방출선 스펙트럼

02 ㄱ, ㄴ　**03** (1) T^4 (2) $4\pi R^2 \cdot \sigma T^4$ (3) $R = \dfrac{1}{2T^2}\sqrt{\dfrac{L}{\pi\sigma}}$

04 (1) (라), (바) (2) (나), (사)　**05** (1) A: 초거성, B: 주계열성,
C: 적색 거성, D: 백색 왜성　(2) B>D>C>A
(3) A<B<C<D

01 (가)는 연속적인 빛의 띠가 나타나는 연속 스펙트럼이다. (나)에서는 어두운 흡수선 스펙트럼이 나타난다. (다)에서는 특정 파장의 빛이 강하게 보이는 방출선 스펙트럼이 나타난다.

02 ㄱ. 태양을 하버드 분광 분류법에 따라 분류하면 G2형에 해당한다.
ㄴ. 별의 표면 온도에 따라 대기를 이루고 있는 원소들의 이온화 정도가 달라지므로 스펙트럼에 나타나는 흡수선의 파장과 그 세기가 다르다.
바로 알기 ㄷ. 분광형이 O형인 별은 파란색으로 보이고, M형으로 갈수록 점점 붉게 보인다.
ㄹ. 별의 분광형과 가장 관련 깊은 물리량은 표면 온도이다.

03 (1) 별은 흑체에 가까우며, 흑체가 단위 시간 동안 단위 면적에서 방출하는 복사 에너지양은 표면 온도(T)의 4제곱에 비례한다.
(2) 별이 단위 시간 동안 전체 면적에서 방출하는 에너지양(L)은 단위 면적에서 방출하는 에너지양(E)을 별의 전체 표면적에 곱한 값과 같다. 그러므로 $L =$ 별의 표면적 $\times E$ $= 4\pi R^2 \cdot \sigma T^4$이다.
(3) 별의 광도 L과 별의 표면 온도 T를 알면 다음과 같이 별의 반지름 R를 구할 수 있다.

$$L = 4\pi R^2 \cdot \sigma T^4 \implies R = \frac{1}{2T^2}\sqrt{\frac{L}{\pi\sigma}}$$

04 H - R도에서 가로축은 별의 분광형 또는 표면 온도로 나타내고, 세로축은 별의 절대 등급 또는 광도로 나타낸다. H - R도는 이 도표를 작성하였던 헤르츠스프룽(Hertzsprung)과 러셀(Russell)의 이름에서 첫 글자를 따서 붙인 명칭이다.

05 (1) A는 H - R도의 오른쪽 최상단에 분포하는 초거성이다. B는 주계열성으로, H - R도의 왼쪽 위에서 오른쪽 아래로 향하는 좁은 띠 영역에 분포한다. C는 H - R도에서 주계열성보다 위쪽에 분포하는 적색 거성이며, 초거성보다 아래쪽에 분포한다. D는 주계열성의 아래쪽에 분포하는 백색 왜성이다.
(2) H - R도에서 왼쪽으로 갈수록 표면 온도가 높아진다. 따라서 별의 표면 온도는 B>D>C>A이다.
(3) H - R도에서 위쪽으로 갈수록 광도가 증가하므로 절대 등급이 작아진다. 따라서 절대 등급은 A<B<C<D이다.

개념 적용 문제

01 ③	02 ②	03 ②	04 ⑤	05 ④	06 ④
07 ①	08 ②	09 ③	10 ②		

01 ㄱ. 최대 에너지를 나타내는 파장은 A가 B보다 짧다. 따라서 별의 표면 온도는 A가 B보다 높다.

ㄴ. A와 B의 절대 등급이 같으므로 등급과 밝기 관계로부터 별의 광도는 A와 B가 같다는 것을 알 수 있다.

바로 알기 ㄷ. 별의 반지름은 광도가 클수록, 표면 온도가 낮을수록 크다. 광도는 A와 B가 같으므로, 표면 온도가 낮은 B가 A보다 반지름이 크다.

02 ㄴ. 별의 표면 온도에 따라 분광형을 나열하면 O, B, A, F, G, K, M 순이다. 따라서 표면 온도는 별 (나)가 가장 높다.

바로 알기 ㄱ. (가)는 분광형이 A형인 별이므로 흰색으로 보인다.

ㄷ. 태양의 분광형은 G2형이다. 따라서 G형인 (다)의 스펙트럼과 가장 비슷할 것이다.

03 ㄷ. 태양의 분광형은 G2형이므로 철(Fe I) 흡수선이 수소 흡수선보다 강하게 나타난다. 수소 흡수선은 A형 별에서 강하게 나타난다.

바로 알기 ㄱ. 별의 스펙트럼에 나타난 흡수선은 대부분 별빛이 별의 대기층을 통과하는 과정에서 형성된다.

ㄴ. 파란색 별인 O형, B형의 경우 헬륨 흡수선이 잘 나타난다. 분자 흡수선은 M형 별에서 잘 나타난다.

04 ㄱ. ㉠은 ㉡보다 최대 에너지를 나타내는 파장이 더 짧다. 따라서 표면 온도는 ㉠이 ㉡보다 높다.

ㄴ. 별 ㉠은 U 필터 영역을 통과한 빛이 B 필터를 통과한 빛보다 세기가 크다. 따라서 별 ㉠은 U 등급이 B 등급보다 작고 밝다.

ㄷ. ㉡의 B 필터 영역을 통과한 별빛의 세기가 V 필터를 통과한 별빛의 세기보다 작다. 따라서 B 등급이 V 등급보다 커서 별 ㉡의 색지수 $(B-V)$는 $(+)$값을 나타낸다.

05 ㄱ. 별의 표면 온도가 같아서 분광형이 같더라도 광도가 다르면 스펙트럼의 특징도 다르다. M-K 분류법은 별의 스펙트럼을 분류할 때 광도와 표면 온도를 모두 고려한 것이다.

ㄷ. M-K 분류법에 따르면 태양은 표면 온도를 기준으로 G2형에 속하고, 광도를 기준으로 왜성(주계열성) V에 속한다. 따라서 태양은 G2V형으로 분류된다.

바로 알기 ㄴ. 광도 계급의 I형(초거성)에서 VI형(준왜성)으로 갈수록 별의 반지름이 작아진다.

06 ㄱ. (가)는 분광형이 B3형이고, (나)는 G2형이며, 질량은 (가)가 (나)의 15배다. 따라서 (가)는 (나)보다 표면 온도가 높고 밝은 별이므로 절대 등급이 더 작다.

ㄷ. (다)는 (나)에 비해 절대 등급이 크고(어둡고), 표면 온도가 높은 별이다. 따라서 (다)는 H-R도에서 주계열성의 왼쪽 아래에 위치하는 백색 왜성에 해당하고, 반지름이 (가)와 (나)에 비해 작다.

바로 알기 ㄴ. 단위 면적에서 단위 시간 동안 방출하는 에너지양은 표면 온도의 4제곱에 비례하므로 분광형이 G2형인 (나)보다 A0형인 (다)가 더 많다.

07 ㄱ. H-R도에서 가장 아래쪽에 위치한 별은 광도가 작아서 절대 등급이 가장 큰 별이다. 따라서 별 (나)가 H-R도에서 가장 아래쪽에 위치한다.

바로 알기 ㄴ. 별 (다)는 분광형이 B0로, (가)~(라) 중에서 표면 온도가 가장 높다. 따라서 최대 에너지를 방출하는 파장(λ_{max})이 가장 짧다.

ㄷ. 별의 반지름은 H-R도에서 왼쪽 아래에 위치할수록 작다. 즉, 광도가 작고, 표면 온도가 높을수록 반지름이 작다. (가)는 (다)보다 광도가 크고, 표면 온도는 낮기 때문에 반지름이 더 크다.

08 ㄴ. H-R도에서 왼쪽으로 갈수록 표면 온도가 높으므로 Y는 태양보다 표면 온도가 높다.

바로 알기 ㄱ. H-R도에서 주계열성은 태양을 포함하여 왼쪽 위에서 오른쪽 아래로 대각선의 띠 모양으로 나타난다. X는 주계열성인 태양의 오른쪽 위에 위치하고, 절대 등급이 −5등급에 이르므로 초거성에 해당한다.

ㄷ. 별의 밀도는 초거성인 X가 가장 작고, 백색 왜성인 Y가 가장 크다.

09 ㄱ. 주계열성은 질량이 클수록 중심부의 온도가 높고 수소 핵융합에 의해 생성되는 에너지양이 많다. 따라서 별이 방출하는 에너지양은 질량이 클수록 많다.

ㄴ. 주계열성은 표면 온도가 높을수록 광도가 크므로 절대 등급이 작다.

바로 알기 ㄷ. 색지수가 클수록 표면 온도가 낮으며, 주계열성은 표면 온도가 낮을수록 반지름과 질량이 작다.

10 ㄱ. H-R도에서 주계열성은 왼쪽 위에서 오른쪽 아래로 대각선의 띠 모양으로 나타난다. 따라서 태양 주변의 별들은 주계열성이 가장 많다는 것을 알 수 있다.

ㄹ. 시리우스 B가 프로키온 B보다 H−R도의 왼쪽에 위치하므로 표면 온도가 높다. 표면 온도가 높을수록 색지수가 작으므로 시리우스 B가 프로키온 B보다 색지수가 작다.

바로 알기 ㄴ. 리겔은 태양보다 H−R도의 위쪽에 위치하므로 절대 등급이 작다. 즉, 광도가 크다.

ㄷ. H−R도에서 안타레스는 알데바란 A보다 오른쪽 위에 분포하므로 광도가 더 크고, 표면 온도는 더 낮다. 따라서 안타레스가 알데바란 A보다 반지름이 크다.

02 별의 진화와 에너지원

▸ **개념 기본 문제**   040쪽

01 ㄱ   **02** (1) (나)의 질량이 (가)의 질량보다 크다. (2) (가)
(3) 진화하는 데 걸리는 시간은 (가)가 (나)보다 길다. (4) C>B>A
03 (1) 헬륨 (2) (가)   **04** (1) ㉠: 복사층, ㉡: 대류핵
(2) 질량: (가)<(나), 중심 온도: (가)<(나)   **05** (1) ㉠: C(탄소),
㉡: Fe(철) (2) (나)

01 ㄱ. (가) → (나) 과정은 성운 내부에서 원시별이 탄생하는 과정이다. 원시별은 성운 내부의 밀도가 높고 온도가 낮은 곳에서 성간 물질이 모여 탄생한다.

바로 알기 ㄴ. (나) → (다) 과정은 원시별이 중력 수축하여 주계열성으로 진화하는 과정이다. 이 과정에서 별의 크기는 점점 작아진다.

ㄷ. 별의 질량이 클수록 원시별을 거쳐 주계열성이 되는 데 걸리는 시간이 짧다.

02 (1), (2) (가)는 질량이 태양 정도인 별의 진화 과정이고, (나)는 태양보다 질량이 훨씬 큰 별의 진화 과정이다.

(3) 질량이 클수록 진화가 빠르므로 (가)가 (나)보다 진화 시간이 오래 걸린다.

(4) 백색 왜성 A보다 초신성 폭발로 만들어진 중성자별 B의 평균 밀도가 더 크다. 블랙홀 C는 중성자별보다 더 심하게 수축되었을 때 만들어지므로 평균 밀도가 가장 크다.

03 (1), (2) 수소 원자핵 4개가 융합하여 헬륨 원자핵 1개를 생성한다. 이때 질량이 약 0.7 % 감소하며, 감소된 질량에 해당하는 만큼 에너지가 발생한다. 즉, 질량은 수소 원자핵 4개가 헬륨 원자핵 1개보다 크다.

04 (1) (가)는 별의 외곽층에 대류층이 존재하므로 질량이 태양의 2배보다 작은 별이며, ㉠은 복사층이다. (나)는 질량이 태양의 2배 이상인 별이며, ㉡은 대류가 일어나는 핵이다.
(2) 주계열성은 질량이 클수록 중심부의 온도가 높다. 따라서 질량과 중심 온도는 (나)가 (가)보다 높다.

05 (1) (가)는 질량이 태양 정도인 별(적색 거성)이므로 헬륨 핵융합 반응까지 일어날 수 있다. 따라서 중심부에는 탄소로 이루어진 핵이 존재한다. (나)는 질량이 태양보다 훨씬 큰 별(초거성)이므로 핵융합 반응에 의해 최종적으로 철 원자핵이 형성된다.

(2) (나)의 중심부에 철이 생성되면 더 이상 핵융합 반응이 일어나지 못하여 급격한 수축이 일어난다. 이때 발생한 열이 외부로 전달되어 매우 짧은 시간 동안 폭발적인 핵융합 반응을 일으키는데, 이를 초신성 폭발이라고 한다.

▸ **개념 적용 문제**   041쪽

01 ⑤   **02** ③   **03** ③   **04** ④   **05** ②   **06** ②
07 ③   **08** ③   **09** ①   **10** ⑤

01 ㄱ. A와 B는 모두 주계열로 진화하는 별이다. 따라서 A와 B는 원시별에 해당한다.

ㄴ. 질량이 클수록 원시별에서 주계열성으로 진화하는 데 걸리는 시간이 짧다. A는 B보다 질량이 큰 주계열성으로 진화하므로 A가 B보다 질량이 크다는 것을 알 수 있다.

ㄷ. 원시별인 A와 B는 모두 진화하는 동안 중력 수축에 의해 반지름이 감소한다.

02 ㄱ. 현재 이 별은 주계열 단계에 위치한다. 따라서 별의 중심부에서는 수소 핵융합 반응이 진행 중이다.

ㄴ. 탄생 후 약 100억 년이 지나면 적색 거성으로 진화한다. 적색 거성이 되었을 때의 표면 온도는 주계열성인 현재보다 낮아진다.

바로 알기 ㄷ. 탄생 후 약 110억 년이 지나면 행성상 성운을 거쳐 백색 왜성이 형성된다. 따라서 이 별은 초신성 폭발을 일으키지 않는다.

03 ㄷ. Ⅲ단계에서 형성된 (가)는 백색 왜성이고, (나)는 중성자별 또는 블랙홀이다. 따라서 반지름은 (가)가 (나)보다 크다.
바로 알기 ㄱ. Ⅰ단계에서 별 A와 B는 모두 주계열성이다. 주계열성은 질량이 클수록 표면 온도가 높다. 별 B는 별 A와 달리 초신성 폭발을 일으키므로, 질량이 더 크고 표면 온도가 더 높음을 알 수 있다.
ㄴ. Ⅱ단계에서 별의 중심부 온도가 높을수록 더 무거운 원자핵이 만들어질 수 있다. 별 A는 적색 거성 단계에서 탄소 핵이 생성될 수 있고, 별 B는 초거성 단계에서 철 핵이 생성될 수 있다. 따라서 중심부의 온도는 B가 A보다 높다.

04 ㄱ. (가)는 행성상 성운이고, (나)는 초신성 잔해이다. (가)는 (나)보다 질량이 작은 별이 진화하여 형성되었다.
ㄴ. (나)는 초신성 폭발에 따른 잔해이므로 중심부에 중성자별 또는 블랙홀이 존재할 것이다.
바로 알기 ㄷ. (가)와 (나)의 물질들은 모두 우주 공간으로 점점 흩어져 성간 물질로 되돌아간다.

05 ㄷ. 적색 거성에서 백색 왜성이 형성되는 동안 별은 매우 불안정하여 팽창과 수축을 반복하고, 별의 외곽 물질이 우주 공간으로 방출되어 행성상 성운이 형성된다.
바로 알기 ㄱ. 이 별은 진화의 마지막 단계에서 백색 왜성이 형성되므로 태양 정도의 질량을 가진 별이다.
ㄴ. (나)에서는 중심에서 헬륨 핵융합 반응이 일어나고, 중심부를 둘러싼 외각층에서 수소 핵융합 반응이 일어나고 있으므로 적색 거성 단계 B에 해당한다.

06 원시별은 중력 수축에 의해 발생하는 열에너지가 별의 주요 에너지원이고, 주계열성은 중심부에서 일어나는 수소 핵융합 반응이 주요 에너지원이다. 적색 거성은 중심부에서 헬륨 핵융합 반응이 일어난다. 따라서 A는 원시별, B는 적색 거성, C는 주계열성이다.

07 ㄱ. 자료에서 제시된 수소 핵융합 반응의 경로는 탄소, 질소, 산소가 촉매 역할을 하여 헬륨 원자핵이 생성되는 CNO 순환 반응이다.
ㄴ. CNO 순환 반응에서는 4개의 수소 핵이 촉매 역할을 하는 탄소, 질소, 산소 원자핵들과의 반응을 거쳐 최종적으로 1개의 헬륨 원자핵을 생성한다.

바로 알기 ㄷ. CNO 순환 반응은 태양보다 질량이 약 2배 이상 큰 주계열성의 중심부에서 활발하다. 질량이 태양 정도인 주계열성에서는 P−P 반응이 활발하다.

08 ㄱ, ㄴ. 이 별은 크기가 일정하게 유지되는 주계열성이다. 주계열성은 중심부로 향하는 중력과 바깥쪽으로 향하는 기체 압력 차로 발생하는 힘 A가 균형을 이루어 정역학 평형 상태를 유지한다.
바로 알기 ㄷ. 원시별의 내부에서는 힘 A보다 중력이 우세하여 중력 수축이 일어난다.

09 ㄱ. (가)에서는 중심부에 대류가 일어나는 핵(대류핵)이 존재하므로 태양보다 질량이 큰 주계열성이다. (나)에서는 별의 중심부 바깥에 대류층이 존재하므로 태양과 질량이 비슷한 별이다. 따라서 별의 질량은 (가)가 (나)보다 크다.
바로 알기 ㄴ. 주계열성은 질량이 클수록 표면 온도가 높다. 따라서 별의 표면 온도는 질량이 큰 (가)가 (나)보다 높다.
ㄷ. (나)는 태양과 질량이 비슷한 별이므로 중심부에서는 주로 P−P 반응에 의해 헬륨 핵이 생성된다.

10 ㄱ. (가)는 중심부에 철 핵이 존재하는 초거성의 내부 구조이고, (나)는 주계열성의 내부 구조이다. (다)는 주계열 이후 거성 단계에서 중심부에 아직 철이 생성되지 않았다. 따라서 이 별의 진화 순서는 (나) → (다) → (가)이다.
ㄴ. 별의 반지름은 주계열성인 (나)가 거성 단계인 (다)보다 작다.
ㄷ. 중심부의 온도가 높을수록 더욱 무거운 원자핵이 만들어질 수 있다. 따라서 철 원자핵이 존재하는 (가)가 탄소 원자핵이 존재하는 (다)보다 중심부의 온도가 높다.

03 외계 행성계 탐사

탐구 확인 문제 055쪽

01 ㄱ **02** (1) ㉠ > ㉡ > ㉢ (2) ㉢ (3) ㉡

01 ㄱ. 태양계에서 액체 상태의 물이 존재하는 행성은 지구뿐이며, 생명 가능 지대는 금성과 화성 궤도 사이에 있다.
바로 알기 ㄴ. 주계열성의 분광형이 O형에 가까울수록 광도가 크고 질량이 크며, 질량이 클수록 수명이 짧아 생명체 존재가 어렵다.

ㄷ. 별의 질량이 너무 크거나 작으면 생명체가 탄생하고 진화하기에 적합하지 않다.

02 (1) 행성 ㉠, ㉡, ㉢의 중심별은 분광형이 각각 B형, G형, M형이므로 생명 가능 지대까지의 거리는 B형＞G형＞M형 순이다. 따라서 공전 궤도 반지름의 크기는 ㉠＞㉡＞㉢ 순이다.
(2) 중심별의 질량이 작을수록 진화 속도가 느리므로 행성 ㉢이 생명 가능 지대에 가장 오래 머물 수 있다.
(3) 중심별의 분광형이 B형이면 진화 속도가 너무 빠르고, M형이면 생명 가능 지대가 별에서 너무 가까운 곳에 위치한다. 따라서 생명체가 탄생하고 진화하기에 적합한 행성은 ㉡이다.

01 ㄱ. 태양이 아닌 별 주위를 공전하는 행성을 외계 행성이라고 한다.
ㄷ. 행성이 별 주위를 공전할 때는 공통 질량 중심을 기준으로 공전한다.
(바로 알기) ㄴ. 외계 행성은 직접 관측이 어렵기 때문에 대부분 간접적인 방법으로 탐사한다.

02 외계 행성은 직접 관측이 어렵기 때문에 대부분 간접적인 방법을 통해 탐사한다. 간접적인 탐사 방법에는 크게 시선 속도 변화를 이용하는 방법, 식 현상에 의한 밝기 변화를 이용하는 방법, 미세 중력 렌즈 현상을 이용하는 방법 등이 있다.

03 ㄱ. 별이 행성과의 공통 질량 중심을 회전함에 따라 관측자에게 접근하거나 멀어지는 시선 속도 변화가 나타난다.
ㄷ. 별과 행성이 각각 1과 1′에 위치할 때는 별이 관측자에 가까워지므로 별빛 스펙트럼의 청색 편이가 나타난다.
(바로 알기) ㄴ. 행성의 질량이 클수록 중심별의 시선 속도 변화가 크게 나타나므로 외계 행성을 찾는 데 유리하다.

04 ㄴ, ㄷ. 행성이 중심별의 앞면을 지날 때 별의 일부가 가려져 별의 밝기가 감소한다. 이때 별의 밝기 변화가 나타나는 주기는 행성의 공전 주기와 같다.
(바로 알기) ㄱ. 행성의 공전 궤도면과 관측자의 시선 방향이 거의 나란해야 행성에 의한 식 현상을 관측할 수 있다.

05 (1) 멀리 있는 별의 별빛이 가까운 별과 그 주변 행성의 중력에 의해 미세하게 휘어져서 더 밝게 보이는 현상이 나타난다.
(2) 미세 중력 렌즈 현상을 이용하여 외계 행성을 탐사하는 방법은 가까운 별 및 그 별이 거느리는 행성에 의해 멀리 있는 별의 밝기가 미세하게 변화하는 현상을 관측하는 것이다. 따라서 멀리 있는 별 주변에 있는 행성의 존재 여부는 알아낼 수 없다.

06 ㄱ. 외계 행성은 시선 속도 변화와 식 현상을 이용하여 발견된 것들이 비교적 많다. 따라서 미세 중력 렌즈 현상을 이용하여 발견한 행성보다 도플러 효과(시선 속도 변화)를 이용하여 발견한 행성이 많다.
(바로 알기) ㄴ. 외계 행성의 질량은 목성과 비슷한 경우가 가장 흔하다. 따라서 크기는 대부분 지구보다 크다는 것을 알 수 있다.
ㄷ. 발견된 외계 행성 중 공전 궤도 반지름은 1 AU보다 작은 경우가 더 많다. 이 행성들의 공전 주기는 대체로 목성의 공전 주기보다 짧다.

07 (1) A는 별 주변에서 액체 상태의 물이 존재할 수 있는 영역이며, 생명 가능 지대라고 한다.
(2) 생명 가능 지대는 별의 광도가 클수록 중심별에서 멀어지고, 그 폭이 넓어진다.
(3) 중심별의 질량이 작을수록 별의 광도가 작고, 수명이 길다. 별의 수명이 길수록 그 주변의 생명 가능 지대의 폭은 좁다.

08 ㄴ. 행성에 생명체가 존재하기 위한 가장 중요한 요소는 액체 상태의 물이다.
ㄹ. 행성 대기의 두께가 적당하여 온실 효과가 알맞게 일어나면 생명체가 탄생하여 살아가기에 안정된 환경이 유지될 수 있다.

바로 알기 ㄱ. 대기 중 질소나 산소의 존재 여부는 생명체가 존재하기 위한 필수적인 조건에 해당하지 않는다.

ㄷ. 행성에 자기장이 존재하면 우주 또는 중심별로부터 입사하는 고에너지 입자를 차단할 수 있다.

09 ㄱ. 최근에는 지구와 비슷한 환경을 가진 외계 행성의 탐사에 집중하고 있다. 즉, 생명 가능 지대에 위치한 지구 규모의 외계 행성의 탐사가 주류를 이루고 있다.

ㄴ. 행성 대기의 스펙트럼을 분석하면 생명체 존재 가능성과 관련 있는 특정 성분(오존, 메테인, 수증기 등)의 존재 여부를 확인할 수 있다.

바로 알기 ㄷ. 별까지의 거리는 매우 멀기 때문에 현재로서는 외계 행성에 우주 탐사선을 보내는 일이 어렵다.

10 액체 상태의 물은 생명체가 존재하기 위한 가장 필수적인 조건으로 꼽히고 있다. 물은 생명 활동에 필수가 되는 여러 가지 물질들을 녹여 생물체가 쉽게 흡수할 수 있게 하며, 비열이 커서 생명체가 항상성을 유지하는 데 중요한 역할을 한다. 또 물은 액체에서 고체가 될 때 밀도가 감소하기 때문에 겨울철에 호수의 표면부터 언다. 그 결과 얼음 밑의 수중 생태계가 유지될 수 있다.

개념 적용 문제 060쪽

01 ②	02 ①	03 ①	04 ②	05 ⑤	06 ④
07 ④	08 ①	09 ②	10 ③	11 ②	12 ④
13 ③	14 ⑤				

01 ㄷ. 행성의 공전 궤도면이 관측자의 시선 방향과 나란하므로 식 현상이 나타난다. 따라서 행성이 중심별 앞을 지날 때 나타나는 별의 밝기 변화를 관측하여 행성의 존재를 확인할 수 있다.

바로 알기 ㄱ. 별빛 스펙트럼을 분석하여 별의 분광형을 알아내면 별의 표면 온도를 추정할 수 있다. 그러나 분광형으로부터 행성의 존재 여부를 확인할 수는 없다.

ㄴ. 행성의 중력에 의해 중심별의 빛이 굴절하는 현상이 나타나더라도 중심별의 밝기 변화에 미치는 영향(밝기 증가율)은 미미하다. 따라서 이를 관측하여 행성의 존재를 확인하기 어렵다.

02 ㄱ. t_1일 때 중심별의 시선 속도가 (−)이므로 관측자 방향으로 가까워진다. 따라서 도플러 효과에 의해 별빛 스펙트럼의 청색 편이가 나타난다.

바로 알기 ㄴ. t_1일 때 최대 시선 속도로 접근하고 t_3일 때 최대 시선 속도로 멀어지므로, 중간 위치인 t_2에서 외계 행성과 별은 일직선상에 위치하지만 행성은 별 뒤로 지나가기 때문에 식 현상이 나타나지 않는다.

ㄷ. 외계 행성의 공전 주기는 시선 속도 변화가 나타나는 주기와 같다. 따라서 외계 행성의 공전 주기는 $(t_3 - t_1)$의 2배이다.

03 ㄱ. (가)는 식 현상을 이용한 외계 행성 탐사 방법이므로 행성의 반지름이 클수록 탐사에 유리하다. 따라서 (가)는 지구 규모의 행성보다 목성 규모의 행성 탐사에 유리하다.

바로 알기 ㄴ. (나)에서 B일 때 배경 별과 가까운 별이 일직선상에 위치하므로, 중력 렌즈 효과에 의해 배경 별빛의 밝기가 가장 밝아진다.

ㄷ. (가)에서 식 현상은 행성의 공전 궤도면이 시선 방향에 나란할 경우에 일어나지만, (나)의 미세 중력 렌즈 현상은 행성의 공전 궤도면이 기울어진 정도에 상관없이 발생한다.

04 ㄴ. 별과 행성은 공통 질량 중심을 같은 주기, 같은 방향으로 공전한다.

바로 알기 ㄱ. 행성이 A에 위치할 때 지구로부터 멀어지고, 이때 공통 질량 중심의 반대편에 위치한 별은 지구로 접근한다. 따라서 별빛 스펙트럼에서 청색 편이가 나타난다.

ㄷ. 행성의 질량이 현재보다 작아지면 공통 질량 중심의 위치는 별 쪽으로 이동할 것이다.

05 ㄱ. A는 행성이 중심별의 앞면을 통과하는 데 걸린 시간에 해당한다. 따라서 중심별의 반지름이 크면 A가 길어진다.

ㄴ. B는 행성에 의해 중심별이 가려져 중심별의 밝기가 감소한 비율에 해당한다. 따라서 행성의 반지름이 클수록 중심별이 가려지는 면적이 커지므로 B가 커진다.

ㄷ. C는 행성에 의한 식 현상이 일어나는 주기이다. 따라서 C는 행성의 공전 주기에 해당한다.

06 ㄱ. (가)에서 먼 별의 밝기가 증가하는 까닭은 가까운 별과 행성의 중력에 의해 별빛이 휘기 때문이다. 특히 먼 별의 밝기가 최대일 때는 가까운 별과 먼 별이 일직선상에 위치하여 가장 가까워졌을 때이다.

ㄷ. (가)와 (나)는 모두 가까운 별의 질량이 클수록 먼 별의 밝기 변화가 크다.

07 ㄴ. (나)의 행성들은 식 현상에 의해 발견되었으므로 공전 궤도면이 관측자의 시선 방향에 거의 나란하다.

ㄷ. 외계 행성을 직접 관측하는 방법으로 발견하는 것은 외계 행성까지의 거리가 지구로부터 매우 가까운 경우에만 가능하다. 따라서 지구로부터의 거리는 (가)의 행성이 (나)의 행성보다 대체로 가깝다.

바로 알기 ㄱ. 행성은 주로 가시광선보다 적외선 복사를 방출하기 때문에 (가)에서 직접 발견된 행성들은 대부분 적외선 영역에서 관측한 것이다.

08 ㄱ. (가)에서 외계 행성이 발견된 중심별의 질량은 대부분 태양 질량의 1배~1.2배에 해당한다. 따라서 외계 행성은 태양과 질량이 비슷한 별 주변에서 가장 많이 발견되고 있음을 알 수 있다.

바로 알기 ㄴ. 직접 관측을 통해 발견된 외계 행성의 수는 극히 적다. 케플러 우주 망원경은 식 현상이 일어나는 동안 별의 밝기 변화를 관측하여 행성의 존재를 확인한다.

ㄷ. 발견된 외계 행성들은 대부분 목성이나 해왕성과 같은 목성형 행성이다. 행성들의 구성 성분은 성간 물질에서 유래한 것이며, 성간 물질에서 가장 풍부한 성분은 수소와 헬륨이다. 따라서 거대 행성인 목성형 행성은 가스형 행성일 가능성이 매우 높다.

09 ㄷ. (다)의 외계 행성계에서 중심별은 분광형과 질량이 모두 태양과 같은 주계열성이므로 생명 가능 지대는 태양계의 생명 가능 지대와 비슷한 거리에 위치한다. 따라서 태양 – 지구의 거리인 1 AU 거리에 위치한 행성은 생명 가능 지대에 해당하여 행성 표면에 액체 상태의 물이 존재할 수 있다.

바로 알기 ㄱ. 생명 가능 지대의 폭은 중심별의 광도가 클수록 넓다. 따라서 (가)~(다) 중 분광형이 B5형인 (나)에서 생명 가능 지대의 폭이 가장 넓을 것이다.

ㄴ. 중심별의 질량이 클수록 진화 속도가 빠르므로 행성에서 안정된 환경이 유지되는 시간이 짧다. 따라서 (나)는 안정된 환경이 유지되는 시간이 가장 짧다.

10 ㄷ. A~C 중에서 생명 가능 지대에 위치한 행성은 B이다. 따라서 액체 상태의 물이 존재할 가능성이 가장 높은 행성은 B이다.

바로 알기 ㄱ. A의 중심별은 태양보다 질량이 작은 주계열성이므로 표면 온도가 더 낮다.

ㄴ. B는 생명 가능 지대에 위치하지만 C는 생명 가능 지대의 바깥쪽에 위치하며, 중심별로부터의 거리도 더 멀다. 따라서 행성의 단위 면적에 입사하는 중심별의 에너지양은 B가 C보다 많다.

11 ㄴ. 지구는 탄생한 이후 현재까지 1 AU 위치에 머물고 있으므로 생명 가능 지대에 머물 수 있는 총 기간은 대략 50억 년이다.

바로 알기 ㄱ. 이 별은 태양과 질량이 같으므로 수명도 태양과 거의 비슷할 것이다. 태양의 예상 수명은 약 100억 년이며, 일생의 대부분을 주계열성으로 보낸다. 적색 거성이 되면 급격하게 광도가 커지므로 생명 가능 지대가 중심별로부터 급격하게 멀어진다. 제시된 자료에서 별이 탄생한 후 약 50억 년이 지났을 때 생명 가능 지대가 중심별로부터 서서히 멀어지고 있으므로 아직 주계열 단계에 해당한다는 것을 알 수 있다.

ㄷ. 금성은 지구보다 태양으로부터 더 가까운 거리에 위치한다. 즉, 중심별인 태양으로부터의 거리는 1 AU보다 작다. 태양이 진화함에 따라 생명 가능 지대가 태양으로부터 멀어지므로 금성은 미래에 생명 가능 지대에 위치할 수 없다.

12 ㄱ. 별의 질량이 클수록 수명이 짧다. 주계열성의 수명이 짧을수록 광도가 크므로 중심별로부터 생명 가능 지대의 거리가 멀다.

ㄷ. 스피카는 태양 질량의 약 10배인 별이므로 진화 속도가 태양보다 빠르다. 따라서 스피카를 공전하는 행성에서는 생명체가 진화하는 데 필요한 시간을 확보하기 어렵다.

바로 알기 ㄴ. 백조자리 61B는 태양보다 광도가 훨씬 작으므로 별 주변에서 액체 상태의 물이 존재할 수 있는 범위, 즉 생명 가능 지대의 범위가 태양계보다 좁다.

13 ㄱ. 화성의 지표에 액체 상태의 물이 흘렀던 흔적이 존재하므로, 과거에 화성의 표면 온도는 현재보다 높았을 것이라고 추정할 수 있다.

ㄴ. 유로파의 표면은 얼음으로 덮여 있으므로, 지표면의 평균 반사율은 암석으로 이루어진 화성보다 유로파가 높을 것이라고 추정할 수 있다.

바로 알기 ㄷ. 태양계에서 생명 가능 지대에 위치하는 행성은 지구뿐이다. 화성과 유로파의 경우는 대기 조건이나 지표 조건에 따라 액체 상태의 물이 존재했거나, 존재할 가능성이 있는 사례에 해당한다.

14 ㄱ. 생명 활동과 관련 있을 것으로 추정할 수 있는 대기 성분에는 오존, 메테인, 수증기 등이 있다. 이 중 오존은 산소의 존재와 관련 있으며, 자외선을 차단해 주는 역할을 할 수 있다.

메테인은 유기물과 관련된 성분이며, 수증기는 행성에 액체 상태의 물이 존재할 가능성을 암시한다.

ㄴ. 전파는 다른 전자기파에 비해 성간 물질에 의해 흡수되거나 산란될 가능성이 가장 적다. 따라서 멀리 떨어진 두 지역에서 신호를 주고받을 경우 주로 전파를 이용하며, 외계 지적 생명체도 전파를 이용할 것으로 보아 전파 신호를 탐색한다.

ㄷ. (가)와 (나)와 같이 외계 생명체를 탐사하는 주요 목적 중 하나는 우주와 생명에 대한 이해의 폭을 넓히는 것이다.

통합 실전 문제
068쪽

01 ②	02 ⑤	03 ②	04 ④	05 ⑤	06 ③
07 ⑤	08 ②	09 ⑤	10 ④	11 ②	12 ④
13 ①	14 ④	15 ①	16 ②		

01 ㄷ. 수소 흡수선은 A0형 별에서 가장 강하게 나타난다. 따라서 (가)~(라) 중 스펙트럼에 나타난 수소 흡수선의 세기는 (라)에서 가장 강하다.

바로 알기 ㄱ. 분광형이 K5형인 (나)의 표면 온도는 분광형이 B0형인 (가)의 표면 온도보다 더 낮다. 그런데 별 (가)와 (나)의 광도는 같으므로 표면 온도가 더 낮은 (나)가 (가)보다 크다.

ㄴ. 별의 단위 면적에서 방출되는 에너지양은 슈테판·볼츠만 법칙에 의해 표면 온도의 4제곱에 비례한다. 분광형이 A0형인 (라)의 표면 온도가 분광형이 G2형인 (다)의 표면 온도보다 더 높으므로 별의 단위 면적에서 방출되는 에너지양은 (라)가 (다)보다 많다.

02 ⑤ ⓒ의 분광형은 K형이고, ⓔ의 분광형은 G형이다. 태양이 표면 온도가 약 5800 K인 G형 별이라는 것을 알고 있으므로, (나)에서 Ca Ⅱ 흡수선의 상대적 세기는 G형보다 K형에서 강하다는 것을 알 수 있다. 따라서 Ca Ⅱ 흡수선의 상대적인 세기는 ⓒ이 ⓔ보다 강하다.

바로 알기 ① 정역학 평형을 유지하는 별은 주계열성이다. 따라서 ⑤~ⓔ 중 정역학 평형 상태를 유지하는 별은 ⑤과 ⓔ이다.

② ⓒ은 적색 거성이므로 중심부의 수소를 모두 소진한 상태이다.

③ ⓔ은 주계열성이므로 별의 중심부에서 수소 핵융합 반응이 일어나고 있다.

④ H Ⅰ 흡수선의 상대적 세기는 표면 온도가 약 9000 K~약 10000 K에서 가장 강하므로 A형 별에 해당한다. 따라서 B형 별인 ⑤보다 A형 별인 ⓐ에서 H Ⅰ 흡수선의 상대적 세기가 강하다.

03 ㄴ. ⑤의 중심부에서는 수소 핵융합 반응이 일어나고, ⓒ의 중심부에서는 헬륨 핵융합 반응이 일어난다. 따라서 중심핵의 온도는 ⑤ 단계보다 ⓒ 단계일 때 높다.

바로 알기 ㄱ. ⑤ 단계는 주계열 단계이며, 별은 일생의 대부분을 이 단계에서 보낸다.

ㄷ. ⓒ → ⓐ 단계에서는 행성상 성운이 형성되면서 중심부에 백색 왜성이 만들어진다. 철보다 무거운 원소는 초신성 폭발 단계에서 만들어진다.

04 ㄱ. (가)는 (나)에 비해 표면 온도가 낮은 별들이 많다. 따라서 붉은색 별의 비율은 (가)가 (나)보다 높다.

ㄷ. 성단을 이루는 별들은 거의 동시에 만들어지지만 질량에 따라 진화 속도가 다르다. 성단의 나이가 많을 경우 (가)와 같이 질량이 작은 주계열성도 적색 거성으로 진화한다. 그러나 성단의 나이가 적을 경우 (나)와 같이 대부분의 별들이 주계열성으로 존재한다. 따라서 성단이 형성된 시기는 (가)가 (나)보다 오래되었다.

바로 알기 ㄴ. (가)는 질량이 큰 별들이 대부분 거성 단계에 위치하고, (나)는 성단을 이루는 별들의 대부분이 주계열성이다. 따라서 (나)가 (가)보다 주계열성의 비율이 높다.

05 ㄷ. A는 B보다 질량이 큰 주계열성이다. 따라서 표면 온도는 A가 B보다 높다.

ㄹ. 헬륨 흡수선은 태양보다 질량이 훨씬 큰 O형 별이나 B형 별에서 관측된다. B는 태양과 질량이 같으므로 G형 별이며, 헬륨 흡수선이 관측되지 않는다.

바로 알기 ㄱ. A는 B보다 질량이 크므로 수명이 짧다.

ㄴ. 광도가 클수록 절대 등급이 작으므로 질량이 큰 A가 B보다 광도가 크고, 절대 등급이 작다.

06 ㄱ. 수소 핵융합 반응은 수소 원자핵 4개가 헬륨 원자핵 1개로 융합하는 반응으로, 온도가 1000만 K 이상일 경우에 일어날 수 있다.

ㄷ. 이 반응에서는 감소된 질량이 아인슈타인의 질량-에너지 등가 원리($E = \Delta mc^2$)에 따라 에너지로 전환된다. 질량 감소량이 5.02×10^{-29} kg이고, 빛의 속도가 3×10^8 m/s이므로, 이 반응에서 생성되는 핵에너지 E는 다음과 같이 구할 수 있다.

$$E = (5.02 \times 10^{-29} \, \text{kg}) \times (3 \times 10^8 \, \text{m/s})^2$$
$$\fallingdotseq 4.5 \times 10^{-12} \, \text{J}$$

바로 알기 ㄴ. 수소 핵융합 반응은 주계열성의 중심부뿐만 아니라 거성의 중심핵을 둘러싼 외곽층에서도 일어날 수 있다.

07 ㄱ. 주계열성에서 일어나는 수소 핵융합 반응에는 양성자–양성자 반응(P–P 반응)과 탄소·질소·산소 순환 반응(CNO 순환 반응)이 있다. 질량이 작은 주계열성에서는 (가)의 P–P 반응이 우세하게 일어나고, 질량이 큰 주계열성에서는 (나)의 CNO 순환 반응이 우세하게 일어난다.

ㄴ. (가)의 P–P 반응과 (나)의 CNO 순환 반응은 별 중심부의 온도에 따라 결정된다. 별의 질량이 큰 경우 중심부의 온도가 높아 (가)보다 (나)의 반응이 우세해진다.

ㄷ. 별의 질량이 태양의 2배 이상인 경우, 중심부에는 대류가 일어나는 핵이 존재한다. 이러한 대류핵에서는 (가)의 P–P 반응보다 (나)의 CNO 순환 반응이 우세하게 일어난다.

08 ㄴ. 주계열성은 기체의 압력 차로 발생한 힘과 중력이 평형을 이루어 일정한 크기를 유지하는데, 이를 정역학 평형 상태라고 한다.

(바로 알기) ㄱ. A는 내부의 기체 압력에 따른 힘이고, B는 중력이다.
ㄷ. 주계열성이 거성으로 진화할 때 중심부에서는 중력이 더 우세하여 수축이 일어나고, 바깥층에서는 압력 차에 의한 힘이 더 우세하여 팽창이 일어난다.

09 ㄱ. 초거성인 (가)의 질량이 적색 거성인 (나)의 질량보다 크다.

ㄴ. (가)의 철 핵에서는 핵융합 반응이 일어날 수 없으므로 중력 수축이 일어날 것이다.

ㄷ. (나)의 적색 거성은 앞으로 팽창과 수축을 반복하면서 별의 외곽층이 바깥으로 분출되어 행성상 성운을 형성하고, 중심부는 수축하여 백색 왜성이 만들어질 것이다.

10 ㄱ. 별의 진화 속도는 질량이 클수록 빠르다. (나)에서 초신성 폭발이 일어나므로 별의 질량은 (나)가 더 크고, 별의 진화 속도도 (나)가 더 빠르다.

ㄴ. A는 적색 거성, B는 백색 왜성에 해당한다. 별의 표면 온도는 적색 거성보다 백색 왜성이 더 높다.

(바로 알기) ㄷ. C는 초신성 폭발 시 중심부가 심하게 수축하여 형성되는 블랙홀이다. 블랙홀은 밀도가 너무 커서 표면에서 빛조차 빠져나오지 못한다.

11 ㄴ. 행성이 A에 위치할 때 별은 지구로 접근하고, 행성이 B에 위치할 때 별은 지구로부터 멀어진다. 따라서 별빛 스펙트럼에 나타난 흡수선의 파장은 별이 지구로 접근하여 청색 편이가 나타나는 A일 때보다 별이 멀어져서 적색 편이가 나타나는 B일 때 더 길다.

(바로 알기) ㄱ. 별과 행성은 공통 질량 중심을 같은 방향과 같은 주기로 회전한다.
ㄷ. 별빛 스펙트럼에 나타나는 파장 변화량은 별과 관측자 사이의 상대적인 운동(접근 또는 후퇴)에 따라 달라지며, 지구로부터 이 외계 행성까지의 거리와는 무관하다.

12 ㄱ. 밝기 변화가 나타나는 주기는 (나)보다 (가)에서 길다. 따라서 행성의 공전 주기는 A가 B보다 길다.

ㄷ. 스펙트럼에 나타난 흡수선의 파장 변화량은 중심별의 시선 속도에 비례한다. 두 별의 질량이 같다면 중심별로부터 행성까지의 거리가 가까울수록 중력 효과가 커서 행성의 공전 주기가 짧아지며 중심별의 시선 속도가 크다. (가), (나) 중심별의 질량이 같고 행성의 공전 주기는 A가 B보다 더 길기 때문에 중심별로부터의 거리는 A가 B보다 더 멀다. 따라서 스펙트럼에 나타난 흡수선의 파장 변화량은 (가)보다 (나)에서 크다.

(바로 알기) ㄴ. (가), (나)의 중심별은 질량이 같은 주계열성이므로 별의 반지름과 표면 온도는 거의 같다고 할 수 있다. 따라서 식 현상에 의한 밝기 변화량은 행성의 반지름에 의해 결정된다. (가)보다 (나)에서 별의 밝기 감소율이 크므로 행성의 반지름은 B가 A보다 크다는 것을 알 수 있다.

13 ㄱ. 이 탐사 방법은 미세 중력 렌즈 현상을 이용하여 외계 행성을 탐사하는 방법이다.

(바로 알기) ㄴ. (나)는 멀리 있는 배경 별 B의 밝기 변화를 나타낸 것이다.
ㄷ. (나)의 ⊙은 관측자로부터 가까운 별 A의 주위를 공전하는 외계 행성에 의해 나타난 밝기 변화이다.

14 ㄴ. 태양과 질량이 비슷한 별의 생명 가능 지대는 1 AU 부근에 위치하며, 이곳에 위치한 행성의 공전 주기는 지구와 비슷한 365일 정도로 (나)의 B 부근에 해당한다. 생명 가능 지대는 중심별의 질량이 클수록 멀어지므로, 태양보다 질량이 큰 별의 경우 액체 상태의 물이 존재하는 생명 가능 지대가 위치할 가능성은 A보다 B가 더 크다.

ㄷ. 외계 행성 A, B의 질량은 같고, A 외계 행성계 중심별의 질량은 B 외계 행성계 중심별의 질량보다 크다. 중심별의 질량이 클수록 중심별과 공통 질량 중심 사이의 거리가 가깝다. 중심별과 공통 질량 중심 사이의 거리는 A의 행성계가 B의 행성계보다 작다.

(바로 알기) ㄱ. (가)에서 발견된 외계 행성들의 공전 주기는 거의 대부분 100일 미만이다. 따라서 지구보다 공전 주기가 짧다.

15 ㄱ. 중심별에서 생명 가능 지대까지의 거리는 (가)가 (나)보다 멀다. 따라서 중심별의 광도는 (가)가 (나)보다 크다.

바로 알기 ㄴ. 중심별의 반지름은 광도가 크고 표면 온도가 낮을수록 크다. (가)의 중심별이 (나)의 중심별보다 광도가 크고 표면 온도는 같으므로 반지름은 (가)가 더 크다.

ㄷ. A는 생명 가능 지대보다 중심별과 가까운 쪽에 있고, B와 C는 생명 가능 지대에 위치한다. 따라서 표면 온도가 가장 높은 행성은 A이다.

16 ㄷ. 타이탄에는 거대한 메테인 호수가 존재한다. 지구에서 액체 상태의 물이 증발과 응결을 거쳐 순환이 일어나는 것처럼 타이탄에서도 액체 상태의 메테인이 증발과 응결을 거쳐 순환이 일어날 수 있다.

바로 알기 ㄱ. 행성 X는 화성보다 태양으로부터 먼 궤도에 위치한 목성형 행성(토성)이다.

ㄴ. 엔켈라두스는 생명 가능 지대보다 먼 곳에 위치하여 표면에 액체 상태의 물이 존재하기 어렵다. 그러나 표면의 두꺼운 얼음층 밑에는 액체 상태의 물이 존재할 것으로 추정한다.

사고력 확장 문제

076쪽

01 (1) 1등급인 별은 6등급인 별보다 약 100배 밝으므로 1등급 사이에는 약 $100^{\frac{1}{5}}$배(약 2.5배)의 밝기 차이가 있다. 즉, 1등급 차이 나는 두 별의 밝기 비$= 100^{\frac{1}{5}} ≒ 2.5$이다. 따라서 겉보기 등급이 각각 m_1, m_2인 두 별의 겉보기 밝기를 각각 l_1, l_2라고 하면, 다음과 같은 관계가 성립한다.

$$m_2 - m_1 = -2.5 \log \frac{l_2}{l_1}$$

(2) $M_2 - M_1 = -2.5 \log \frac{L_2}{L_1}$에 별 S의 절대 등급과 광도 및 태양의 절대 등급과 광도를 대입하여 정리하면, 별 S의 광도를 구할 수 있다.

모범 답안 (1) ㉠: $-2.5 \log \frac{l_2}{l_1}$, ㉡: $-2.5 \log \frac{L_2}{L_1}$

(2) 별 S의 절대 등급 M과 광도 L 및 태양의 절대 등급 $M_⊙$, 광도 $L_⊙$을 포그슨 공식에 대입하면 다음과 같은 관계가 성립한다.

$$M - M_⊙ = -2.5 \log \frac{L}{L_⊙}$$

그런데 별 S의 절대 등급이 태양보다 7.5등급 작다고 했으므로

$$-7.5 = -2.5 \log \frac{L}{L_⊙}$$

$$\log \frac{L}{L_⊙} = 3$$

$$L = 1000 L_⊙$$

그러므로 이 별 S의 광도는 태양의 1000배이다.

	채점 기준	배점(%)
(1)	㉠과 ㉡을 모두 옳게 답한 경우	40
	㉠과 ㉡ 중에서 한 가지만 옳게 답한 경우	20
(2)	풀이 과정과 답을 모두 옳게 나타낸 경우	60
	풀이 과정에 부적절한 내용이 포함된 경우	30

02 (1) 흑체는 표면 온도(T)가 높을수록 최대 에너지를 방출하는 파장(λ_{max})이 짧아지는데, 이를 빈의 변위 법칙이라고 한다.

(2), (3) 표면 온도가 높은 별일수록 파장이 짧은 파란 빛이 상대적으로 강하고, 노란 빛이 약하다. 따라서 B 영역에서 측정한 등급이 작고, V 영역에서 측정한 등급이 커서 색지수 ($B-V$)는 ($-$)값을 나타낸다. 이와 반대로 표면 온도가 낮은 별은 색지수가 ($+$)값을 나타낸다.

모범 답안 (1) 최대 에너지를 방출하는 파장은 ㉠이 ㉡보다 짧으므로 표면 온도는 ㉠이 ㉡보다 높다.

(2) ㉠에서 색지수 ($B-V$)< 0이고, ㉡에서 색지수 ($B-V$)> 0이다.

(3) 별의 표면 온도가 높을수록 짧은 파장의 빛이 더 강하여 B등급이 V등급보다 작다. 따라서 색지수 ($B-V$)가 작아진다.

	채점 기준	배점(%)
(1)	표면 온도와 λ_{max}의 관계를 옳게 서술한 경우	30
	㉠의 표면 온도가 더 높다고만 서술한 경우	15
(2)	㉠의 색지수 ($B-V$)는 ($-$)이고, ㉡의 색지수 ($B-V$)는 ($+$)라고 옳게 서술한 경우	30
	㉠과 ㉡의 상대적인 크기만 비교한 경우	15
(3)	색지수와 표면 온도의 관계를 옳게 서술한 경우	40
	색지수와 표면 온도의 관계를 일부만 옳게 서술한 경우	20

03 (1) A는 백색 왜성, B는 주계열성, C는 거성이다.

(2) 거성 단계의 별은 중심핵에서 헬륨 핵융합이 일어나고, 중심핵을 둘러싼 외곽층에서 수소 핵융합 반응이 진행되면서 표면 온도가 상승하며 광도가 약간 감소하여 다시 주계열성의 위치인 ㉠ 부근에 잠시 머물기도 한다. 이 위치에 있더라도 중심부에서 안정적으로 수소 핵융합 반응이 일어나는 별이 아니므로 주계열성이 아니다.

모범 답안 (1) A에서는 핵융합 반응이 일어나지 않는다. B에서는 중심핵에서 수소 핵융합 반응이 일어난다. C에서는 중심부에서 헬륨 핵융합 반응이 일어나고, 중심부를 둘러싼 외곽층에서 수소 핵융합 반응이 일어난다.

(2) ㉠은 거성 단계에 있는 별이 표면 온도와 광도가 빠르게 변하는 과정에서 잠시 머무는 위치이다. 주계열성은 질량이 클수록 주계열 단계에 머무는 시간이 짧다. 성단의 H-R도에서 ㉠보다 질량이 작은 주계열성도 거성으로 진화하였다. 즉, ㉠의 별들은 내부가 불안정하여 정역학 평형을 유지하지 못하는 거성이므로 주계열성이 아니다.

	채점 기준	배점(%)
(1)	A~C 핵융합 반응 종류를 모두 옳게 서술한 경우	40
	A~C 중 일부만 옳게 서술한 경우	20
(2)	정역학 평형을 유지하지 못하는 거성임을 옳게 서술한 경우	60
	정역학 평형과 관련지어 일부 옳게 서술한 경우	30

04 (1) (가)의 행성상 성운의 중심부에는 백색 왜성이 있고, (나)의 초신성 잔해의 중심부에는 중성자별 또는 블랙홀이 존재할 수 있다.
(2) 행성상 성운과 초신성 잔해를 이루는 물질들은 처음에 별을 만들었던 성간 물질로 되돌아간다.
모범 답안 (1) (가)는 행성상 성운이고 (나)는 초신성 잔해이다. 중심부에 위치한 천체는 (가)의 경우 백색 왜성이고, (나)의 경우 중성자별 또는 블랙홀이다. 중심부 천체의 밀도는 (가)<(나)이다.
(2) (가)와 (나)의 밝은 부분은 별의 외곽층을 이루고 있던 물질이다. 이 물질들이 팽창하면서 온도가 낮아지며 점점 밀도가 희박해지면서 성간 물질의 일부가 된다.

	채점 기준	배점(%)
(1)	(가)와 (나) 천체의 명칭을 옳게 답하고, 중심부 천체의 밀도를 옳게 비교한 경우	50
	(가)와 (나)의 명칭과 중심부 천체의 밀도 비교 중 한 가지만 옳게 답한 경우	25
(2)	팽창하여 온도가 낮아지면서 성간 물질이 된다고 옳게 서술한 경우	50
	성간 물질이 된다고만 서술한 경우	25

05 철 원자핵은 다른 원자핵에 비해 안정하기 때문에 철보다 더 무거운 원자핵을 만들기 위해서는 에너지를 흡수하는 반응이 일어나야 한다.
모범 답안 철 원자핵은 핵자당 결합 에너지가 가장 크므로 가장 안정한 원자핵이다. 따라서 핵융합에 의해 철보다 무거운 원자핵이 만들어지더라도 붕괴하여 철 원자핵이 된다.

채점 기준	배점(%)
핵자당 결합 에너지의 크기와 원자핵의 안정성의 관계를 통해 철보다 무거운 원자핵이 생성되지 않는 까닭을 옳게 서술한 경우	100
철 원자핵이 가장 안정하기 때문이라고만 서술한 경우	50

06 (1) A는 행성의 식 현상으로 나타난 중심별의 밝기 감소량을 나타낸다. 행성의 반지름이 클수록 중심별이 많이 가려지므로 A도 커진다.
(2) t_2일 때 식 현상이 일어났으므로 행성은 t_3일 때 지구로부터 멀어진다. 이때 중심별은 지구 쪽으로 접근한다.
(3) 중심별의 질량이 클수록 행성이 중심별에 미치는 중력 효과가 작아져 중심별의 시선 속도 변화가 작아진다. 이와 반대로 행성의 질량이 크면 중심별에 미치는 중력 효과가 커져 중심별의 시선 속도 변화가 커진다.
모범 답안 (1) 행성의 반지름(또는 크기)
(2) a
(3) 중심별의 질량이 클수록 $\Delta\lambda_{max}$가 작아지고, 행성의 질량이 클수록 $\Delta\lambda_{max}$가 커진다.

	채점 기준	배점(%)
(1)	행성의 반지름 또는 크기라고 옳게 답한 경우	20
	그 외의 답	0
(2)	a라고 옳게 답한 경우	20
	그 외의 답	0
(3)	중심별의 질량과 행성의 질량이 시선 속도의 변화에 따른 스펙트럼 흡수선의 파장 변화량에 미치는 영향을 모두 옳게 서술한 경우	60
	중심별의 질량과 행성의 질량이 시선 속도 변화에 따른 스펙트럼 흡수선의 파장 변화량에 미치는 영향 중 일부만 옳게 서술한 경우	30

07 (1) 중심별의 밝기 감소가 지속되는 시간은 행성이 중심별의 앞면을 통과하는 데 걸리는 시간에 해당한다. 따라서 B는 A보다 식 현상이 지속되는 시간이 길다는 것을 알 수 있다. 한편, 행성이 중심별의 앞면을 통과하는 데 걸리는 시간은 행성의 공전 속도가 느릴수록 길어지므로 B가 A보다 공전 궤도 반지름이 커서 공전 속도가 느리다는 것을 알 수 있다.
(2) 중심별의 밝기 감소량은 행성이 가리는 면적에 비례하므로 행성 반지름의 제곱에 비례한다.
모범 답안 (1) 행성에 의해 식 현상이 지속되는 시간은 B가 A보다 길다. 따라서 공전 속도가 느리고 공전 궤도 반지름이 큰 행성은 B이다.
(2) 중심별의 밝기 변화량은 A가 B의 3배이다. 따라서 반지름은 A가 B의 $\sqrt{3}$배이다.

	채점 기준	배점(%)
(1)	공전 궤도 반지름이 큰 행성을 옳게 제시하고, 그 까닭을 옳게 서술한 경우	50
	공전 궤도 반지름이 큰 행성만 옳게 답한 경우	20
(2)	행성 반지름은 A가 B의 $\sqrt{3}$배라고 옳게 답하고, 그 까닭을 중심별의 밝기 변화와 관련지어 서술한 경우	50
	A의 반지름이 B의 반지름보다 크다고만 서술한 경우	25

08 (1) 현재까지 알려진 생명과학 지식을 바탕으로 할 때, 생명체가 존재하기 위한 필수적인 요소는 액체 상태의 물이다. 지구 생명체를 기준으로 할 때, 생명 현상이 지속되려면 반드시 액체 상태의 물이 필요하다. 즉, 생명체가 존재하기 위해서는 행성에 액체 상태의 물이 있어야 한다. 행성에 액체 상태의 물이 존재하기 위해서는 중심별로부터 적당한 거리만큼 떨어져 있어야 하는데, 별 주변에서 액체 상태의 물이 존재할 수 있는 영역을 생명 가능 지대라고 한다. 생명 가능 지대는 별의 광도가 클수록 중심별에서 멀어지고, 그 폭이 넓어진다. 그러므로 생명 가능 지대가 중심별로부터 가장 멀리 떨어져 있는 케플러-452의 광도가 가장 크고, 생명 가능 지대가 중심별과 가장 가까운 케플러-186의 광도가 가장 작다.

(2) 광도가 작은 별은 질량이 작고, 광도가 큰 별은 질량도 크다. 별의 질량이 크면 별의 수명은 짧으므로 진화 속도가 빠르고, 별의 질량이 작으면 수명이 상대적으로 길어 진화 속도도 느리다.

(모범 답안) (1) 광도는 '케플러-452 > 태양 > 케플러-186' 순이다.
(2) 케플러-186f의 중심별이 광도가 가장 작으므로 질량도 작아 진화 속도가 가장 느리다. 따라서 생명 가능 지대에 가장 오래 머물 수 있는 행성은 케플러-186f이다.

	채점 기준	배점(%)
(1)	케플러-452, 태양, 케플러-186의 순으로 옳게 답한 경우	40
	그 외의 답	0
(2)	생명 가능 지대에 가장 오래 머물 수 있는 행성을 옳게 답하고, 그 까닭을 별의 진화 속도와 관련지어 옳게 서술한 경우	60
	행성은 옳게 제시하였으나 그 까닭에 대한 설명이 부족한 경우	30

2. 외부 은하와 우주 팽창

01 외부 은하와 빅뱅 우주론

01 ③, ④   **02** (1) 약 43.6 km/s/Mpc   (2) 약 43600 km/s

01 **바로 알기** ①, ② 후퇴 속도는 적색 편이량에 비례하며, 멀리 있는 외부 은하일수록 후퇴 속도가 크다.
⑤ 우주 팽창에 따라 은하들 사이의 간격이 모두 멀어지므로 (라) 은하에서 (가) 은하를 보더라도 적색 편이가 나타난다.

02 (1) 탐구 활동에서 작성한 그래프의 추세선을 이용하면 기울기는 약 43.6 km/s/Mpc이며, 이 값이 허블 상수에 해당한다.
(2) 허블 법칙을 이용하면 '후퇴 속도 = 허블 상수 × 거리'이므로 후퇴 속도는 $43.6 \, \mathrm{km/s/Mpc} \times 1000 \, \mathrm{Mpc} = 43600 \, \mathrm{km/s}$이다.

❶ 외부 은하   ❷ 나선팔   ❸ 불규칙
❹ 제트   ❺ 퀘이사   ❻ 세이퍼트은하
❼ 적색   ❽ H(허블 상수)   ❾ 헬륨
❿ 우주 배경 복사   ⓫ 편평성   ⓬ 지평선

01 ㄱ   **02** ㄷ, ㄹ   **03** (1) (가) 타원 은하, (나) 막대 나선 은하,
(다) 불규칙 은하, (라) 정상 나선 은하   (2) (나), (라)   (3) (가)
04 ㉠: 전파, ㉡: 제트   **05** ㄱ, ㄷ   **06** ㄱ, ㄴ, ㄹ   **07** ㄱ, ㄷ
08 ㄴ, ㄹ   **09** (1) A<B   (2) 약 67 km/s/Mpc
(3) 약 670 km/s   **10** ㄷ   **11** ㄱ, ㄴ   **12** ㄴ, ㄷ
13 (1) ㉠: 편평성, ㉡: 지평선   (2) 급팽창 이론

01 ㄱ. 안드로메다은하는 20세기 초까지 정확한 거리를 측정하지 못하여 우리은하 내부에 있는 성운으로 알고 있었으나 허블의 관측으로 우리은하 밖에 있는 외부 은하임이 알려졌다.
바로 알기 ㄴ. 안드로메다은하는 비교적 가까운 거리에 있는 외부 은하이다. 거리가 매우 멀어 하나의 별처럼 보이는 은하는 퀘이사이다.
ㄷ. 연주 시차를 관측하여 거리를 측정할 수 있는 천체는 주로 태양 주변에 있는 100 pc 이내의 별들이다.

02 ㄷ, ㄹ. 특정한 모양이 없는 은하는 불규칙 은하로 분류하며, 우리은하는 나선팔과 막대 구조를 나타내고 있으므로 막대 나선 은하로 분류한다.
바로 알기 ㄱ. 은하들 중에 가장 많은 비율을 차지하는 은하는 나선 은하이다.
ㄴ. 허블은 외부 은하의 모양이 일정한 방향으로 진화하고 있다고 생각하였으나, 훗날 은하의 진화와 형태 사이에는 아무런 관련이 없음이 밝혀졌다.

03 (1) (가)는 타원 모양이고 나선팔이 없는 타원 은하이다. (나)는 나선팔과 막대 구조가 있는 막대 나선 은하이다. (다)는 일정한 모양이 존재하지 않는 불규칙 은하이고, (라)는 나선팔이 있으나 막대 구조가 없는 정상 나선 은하이다.
(2) 중앙 팽대부와 원반 구조를 가지고 있는 은하는 나선 은하이므로 (나)와 (라)가 여기에 속한다.
(3) 새로 탄생하는 젊은 별이 거의 존재하지 않으며, 주로 나이가 많은 별들로 이루어져 있는 은하는 타원 은하이다.

04 전파 은하는 대부분 가시광선 영역에서 관측할 때보다 전파 영역에서 관측할 때 잘 나타난다. 이들은 중심에 핵을 가지고 있고, 양쪽에 로브라고 불리는 거대한 돌출부가 있으며, 로브와 핵이 제트로 연결되어 있다.

05 ㄱ. 퀘이사는 하나의 별처럼 보이므로 준항성체라고도 한다.
ㄷ. 퀘이사는 우주 탄생 초기의 천체로, 거리가 멀기 때문에 매우 큰 적색 편이가 나타난다.
바로 알기 ㄴ. 퀘이사는 우리은하로부터 매우 멀리 떨어져 있는 천체이다.

06 ㄱ, ㄴ, ㄹ. 특이 은하에는 전파 은하, 세이퍼트은하, 퀘이사 등이 있으며, 이들은 모두 중심부에 거대 블랙홀이 있을 것으로 추정되는 활동성 은하들이다.
바로 알기 ㄷ. 렌즈형 은하는 타원 은하와 나선 은하의 중간 형태를 나타내고 있는 은하로, 특이 은하에 속하지 않는다.

07 ㄱ, ㄷ. 서로 다른 두 은하가 충돌하여 형성되는 충돌 은하 내부의 거대한 분자 구름에서는 새로운 별들이 활발하게 만들어질 수 있는 것으로 알려져 있다.
바로 알기 ㄴ. 은하의 충돌은 우주 탄생 초기뿐만 아니라 최근에도 활발하게 일어나고 있다.

08 허블 상수는 은하의 거리와 후퇴 속도와의 상관 관계를 나타내는 상수로, 우주의 팽창 정도를 나타낸다. 허블 상수를 결정하기 위해서는 은하의 거리와 후퇴 속도를 알아야 하는데, 후퇴 속도는 스펙트럼에 나타난 적색 편이량으로부터 알 수 있다.

09 (1) A는 B보다 후퇴 속도가 작다. 후퇴 속도가 작을수록 스펙트럼에 나타난 적색 편이량도 작다.

(2) 후퇴 속도를 v, 은하의 거리를 r라고 할 때 허블 법칙은 다음과 같이 나타낼 수 있다.

$$v = H \times r \, (H: \text{허블 상수})$$

따라서 허블 상수는 거리와 후퇴 속도를 나타낸 그래프에서 기울기에 해당한다. 제시되어 있는 그래프에서 기울기는 약 67 km/s/Mpc이다.

(3) 허블 법칙을 이용하여 구하면 후퇴 속도는 약 670 km/s 이다.

$$v = H \times r \, (H: \text{허블 상수})$$
$$= 67 \, \text{km/s/Mpc} \times 10 \, \text{Mpc} = 670 \, \text{km/s}$$

10 ㄷ. 우주가 팽창함에 따라 은하들은 서로 멀어지고 있다. 따라서 멀리 있는 외부 은하에서 우리은하를 관측하면 적색 편이가 나타난다.

바로 알기 ㄱ. 팽창하는 우주에서 특별한 팽창의 중심은 존재하지 않는다.

ㄴ. 우주의 팽창 속도는 시간에 따라 다르지만 팽창 속도는 위치에 따라 다르지 않다. 우주는 현재 모든 방향으로 균일하게 팽창하고 있다.

11 ㄱ, ㄴ. 빅뱅 우주론에 따르면 우주는 과거의 어느 시점에서 탄생하여 팽창하기 시작하였고, 팽창에 따라 온도와 밀도가 계속 낮아졌다.

바로 알기 ㄷ. 허블 법칙은 빅뱅 우주론뿐만 아니라 정상 우주론으로도 설명할 수 있다.

ㄹ. 빅뱅 직후 핵합성으로 생성된 원소는 수소와 헬륨이다. 헬륨보다 무거운 원소들은 별의 진화 과정에서 생성되었다.

12 ㄴ, ㄷ. 우주 배경 복사는 우주의 나이 약 38만 년일 때 우주가 투명해지면서 우주 전체에 퍼진 복사의 흔적으로, 빅뱅 우주론의 강력한 증거이다. 우주 배경 복사는 거의 균일하지만 방향에 따라 미세한 온도 차이가 존재한다.

바로 알기 ㄱ. 우주 배경 복사는 우주의 온도가 약 3000 K일 때 형성되었으나, 우주의 계속적인 팽창에 따라 현재는 약 2.7 K의 흑체 복사로 관측된다.

13 빅뱅 우주론이 해결하지 못한 3가지 문제점은 편평성 문제, 지평선 문제, 자기 단극 문제이다. 편평성 문제는 현재의 우주가 거의 완벽하게 평탄한 까닭을 설명하기 어렵다는 것이고, 지평선 문제는 우주의 정반대 방향에서 오는 우주 배경 복사의 온도가 동일한 까닭을 설명하기 어렵다는 것이다. 자기 단극 문제는 초기 우주에서 형성된 자기 단극이 발견되지 않는 까닭을 설명하기 어렵다는 것이다. 최근에는 빅뱅 직후 우주가 극히 짧은 시간 동안 급격히 팽창했다는 급팽창 이론을 통해 빅뱅 우주론이 해결하지 못한 중요한 문제들을 밝히고 있다.

개념 적용 문제   098쪽

01 ④	02 ④	03 ②	04 ①	05 ②	06 ②
07 ⑤	08 ⑤	09 ⑤	10 ①	11 ⑤	12 ④
13 ①	14 ③	15 ⑤	16 ①		

01 ④ ⓒ은 정상 나선 은하이고, ⓓ은 막대 나선 은하이다. 두 은하 모두 은하 원반이 존재한다.

바로 알기 ① ⓐ은 타원 은하이다. 은하핵이 없는 은하는 타원 은하와 불규칙 은하이다.

② 은하의 진화와 형태 사이에는 아무런 관련이 없음이 밝혀졌다.

③ ⓒ과 ⓓ을 나누는 기준은 막대 구조의 유무이다.

⑤ 나선팔이 없는 은하는 ⓐ의 타원 은하와 ⓔ의 불규칙 은하이다.

02 ㄱ. ⓐ은 편평도에 따라 세분할 수 있는 타원 은하이고, ⓑ은 렌즈형 은하이다. 렌즈형 은하는 은하 원반을 가지고 있지만 나선팔은 보유하지 않는다. 따라서 ⓐ과 ⓑ은 모두 나선팔이 존재하지 않는다.

ㄷ. 나이 많은 별은 주로 질량이 작은 별이며, 질량이 작은 별은 표면 온도가 낮아 붉은색으로 보인다. 따라서 붉은색 별의 비율은 주로 나이가 많은 별로 이루어진 타원 은하 ⓐ에서 가장 높다.

바로 알기 ㄴ. ⓒ의 나선 은하에는 중앙 팽대부에 주로 나이 많은 별이 분포한다. 따라서 중앙 팽대부의 크기가 작을수록 표면 온도가 높은 파란색 별의 비율이 상대적으로 높다.

03 ㄴ. 이 은하는 세이퍼트은하이다. 세이퍼트은하의 중심부에는 거대 블랙홀이 존재할 것으로 추정하고 있다.

바로 알기 ㄱ. 세이퍼트은하는 매우 밝은 핵과 넓은 방출선 스펙트럼이 관측된다.

ㄷ. 세이퍼트은하는 대부분 나선 은하 형태로 관측되며, 나선 은하가 은하 충돌을 거쳐 형성되지는 않는다.

04 ㄱ. A는 하나의 별처럼 보이고, 후퇴 속도가 매우 큰 퀘이사이다. 퀘이사는 에너지 방출량이 우리은하의 수백 배~수천 배에 이른다.

바로 알기 ㄴ. B는 제트와 로브가 관측되는 전파 은하이다. 우주 초기에 형성된 천체는 퀘이사인 A이다.

ㄷ. 원래 파장이 390 nm인 흡수선의 관측 파장은 A가 440 nm이고, B가 400 nm이다. 따라서 적색 편이량 $\frac{\Delta\lambda}{\lambda_0}$는 A가 B의 5배이다. $v = c \times \frac{\Delta\lambda}{\lambda_0}$ (v: 후퇴 속도, c: 빛의 속도)이므로, 후퇴 속도도 A가 B의 5배가 되어 A가 B보다 5배 멀리 있다는 것을 알 수 있다.

05 ㄷ. 충돌 과정에서 은하 안의 거대한 분자 구름들이 서로 충돌하고 압축되면서 가스와 먼지의 밀도가 증가한다. 이곳에서 새로운 별이 만들어질 수 있다.

바로 알기 ㄱ. 은하가 충돌하더라도 별 사이의 평균 거리가 매우 멀기 때문에 별들이 서로 충돌하여 파괴되는 경우는 거의 없다.

ㄴ. 은하의 분포가 훨씬 더 균일하다면 은하에 작용하는 중력이 특정한 방향으로 쏠리는 경우가 더 드물 것이고, 그에 따라 은하의 충돌 빈도가 훨씬 낮을 것이다.

06 ㄴ. 은하 A와 B의 스펙트럼에서 모두 적색 편이가 나타나므로 두 은하 모두 우리은하로부터 멀어지고 있다.

바로 알기 ㄱ. $v = H \times r$로부터 $\frac{\text{후퇴 속도}(v)}{\text{거리}(r)} = $ 허블 상수(H)이다. 그러므로 (나)에서 허블 상수는 $\frac{b}{a}$이다.

ㄷ. B에서 A를 관측하면 A는 B로부터 멀어지는 것으로 관측된다. 따라서 A의 스펙트럼에서 적색 편이가 나타날 것이다.

07 ㄴ. 우주의 팽창 속도가 일정했다고 가정하면 허블 상수의 역수는 우주의 나이에 해당한다. 1930년대 측정된 허블 상수가 1980년대에 측정된 허블 상수보다 크므로, 허블 상수를 기준으로 계산한 우주의 나이는 1980년대에 더 크게 계산되었다.

ㄷ. 관측된 적색 편이량으로부터 외부 은하의 후퇴 속도를 알 수 있다. 후퇴 속도를 허블 상수로 나누면 은하까지의 거리가 된다. 1980년대 측정된 허블 상수가 더 작으므로 1930년대보다 은하까지의 거리가 더 크게 계산된다.

바로 알기 ㄱ. 측정된 허블 상수 값이 달라지는 까닭은 측정 과정의 오차 때문이다. 특히, 은하까지의 거리를 측정한 값이 크게 달라지면서 이와 관련된 허블 상수도 크게 수정되었다.

08 ㄴ. 천체의 시직경은 거리에 반비례한다. 따라서 B의 시직경은 A의 시직경의 $\frac{1}{4}$배이므로 거리는 4배 멀다. 허블 법칙에 따르면 거리와 후퇴 속도는 비례하고, 후퇴 속도는 적색 편이량에 비례한다. 따라서 흡수선의 적색 편이량$\left(\frac{\lambda-\lambda_0}{\lambda_0}\right)$도 B가 A의 4배인 0.004이다.

ㄷ. $v = c \times \frac{\lambda-\lambda_0}{\lambda_0}$ (c: 빛의 속도)이고, B의 적색 편이량은 A의 4배이므로, $\frac{\lambda-\lambda_0}{\lambda_0}$는 0.004이다. 따라서 후퇴 속도 $v = 0.004\,c$이다. 그러므로 B는 지구로부터 빛의 속도의 약 0.4 %로 멀어지고 있다.

바로 알기 ㄱ. 같은 크기를 가진 은하의 시직경의 비가 4배이므로 거리의 비도 4배이다. 따라서 지구로부터의 거리는 B가 A의 4배이다.

09 ㄱ. 우리은하에서 측정된 허블 상수는 외부 은하 A, B, C의 거리에 대한 후퇴 속도의 비와 같다. 따라서 허블 상수는 $\frac{3500\,\text{km/s}}{50\,\text{Mpc}} = \frac{1400\,\text{km/s}}{20\,\text{Mpc}} = 70\,\text{km/s/Mpc}$이다.

ㄴ. A에서 측정한 우리은하의 후퇴 속도는 3500 km/s이고, C의 후퇴 속도는 7000 km/s로 우리은하의 2배이다.

ㄷ. A~C 은하에서 측정된 허블 상수는 모두 동일하다. 따라서 우주 팽창의 특별한 중심은 존재하지 않으며, 우주의 어느 곳에서 관측하더라도 허블 법칙이 동일하게 성립한다.

10 ㄱ. 이 우주론에서는 우주의 질량이 계속 증가하고, 평균 밀도가 일정하다. 따라서 이 우주론은 우주가 팽창하면서 새로운 물질이 계속 생성되는 정상 우주론이며, 연속 창조설이라고도 한다.

바로 알기 ㄴ. 정상 우주론에서는 우주가 계속 팽창하고 있으며 허블 법칙이 성립한다고 설명한다.

ㄷ. 우주 배경 복사는 빅뱅 우주론의 근거이다.

11 ㄱ. (가)의 ㉠은 현재 우주의 모든 방향에서 관측되고 있는 약 2.7 K의 흑체 복사 곡선이다.

ㄴ. (나)로부터 우주 배경 복사가 방향에 따라 미세한 차이가 있었음을 알 수 있다. 이러한 미세한 차이는 초기 우주에서 물질 분포의 차이를 의미하며, 은하와 별을 생성하는 씨앗 역할을 하였다.

ㄷ. 우주가 팽창함에 따라 우주 배경 복사의 세기는 점점 낮아지고 파장은 길어질 것이다.

12 ㄱ. (가)에서 양성자와 중성자의 개수비는 14 : 2이다. 양성자와 중성자의 질량은 거의 같으므로 질량비는 약 7 : 1이다.

ㄷ. (나)에서 수소 원자핵과 헬륨 원자핵의 개수비가 12 : 1이고, 질량비는 3 : 1이다. 현재 우주에 존재하는 수소와 헬륨의 질량비를 이 모형으로 잘 설명할 수 있다.

바로 알기 ㄴ. (나)에서 수소 원자핵은 양성자에 해당한다. 따라서 수소 원자핵과 헬륨 원자핵의 개수비는 12 : 1이다.

13 ㄱ. 우주의 온도가 낮아진 이후에 원자핵과 전자가 결합하였다. 따라서 우주의 온도는 (가) 시기보다 (나) 시기에 높았다.

바로 알기 ㄴ. 우주의 급팽창은 빅뱅 직후 물질이 존재하기 이전에 일어났다.

ㄷ. 우주 배경 복사는 중성 원자가 생성된 직후에 형성되었으므로 (가) 시기에 존재하였다.

14 우주의 곡률이 완전하게 0인 편평한 우주로 관측되는 것은 편평성 문제(A)이고, 우주 배경 복사가 우주의 정반대 쪽에서 거의 균질하게 관측되는 것은 지평선 문제(B)이다. 초기 우주에서 풍부했던 자기 단극이 발견되지 않는 문제는 자기 단극 문제(C)이다.

15 ㄱ, ㄴ. A 시기에 우주는 빛보다 빠른 속도로 급격한 팽창이 일어났으며, 이를 우주의 급팽창이라고 한다. 급팽창 이전에는 우주의 크기가 우주의 지평선보다 훨씬 작았기 때문에 충분히 균질해질 수 있었다.

ㄷ. 우주 배경 복사는 급팽창 이후에 우주의 나이가 약 38만 년이 되었을 때 형성되었다.

16 ㄱ. 현재 우주의 지평선 부근에 위치한 A와 B 방향에서 오는 우주 배경 복사가 거의 균일하게 관측된다.

바로 알기 ㄴ. 현재 A와 B는 상호 작용을 할 수 없는 우주의 지평선 부근에 위치한다.

ㄷ. 급팽창 이전에는 우주의 크기가 우주의 지평선보다 훨씬 작았기 때문에 충분히 상호 작용을 하여 우주의 에너지 밀도가 균일해질 수 있었다.

02 우주의 구성과 운명

개념 모아 정리하기   114쪽

❶ 중력   ❷ 중력 렌즈   ❸ Ia형 초신성   ❹ 가속   ❺ 급팽창
❻ 암흑 에너지   ❼ 암흑 물질   ❽ 암흑 에너지

개념 기본 문제   115쪽

01 (1) 중력 렌즈 현상 (2) 암흑 물질의 양이 많을수록 멀리 있는 은하로부터 오는 빛이 많이 휘어진다.   **02** (가) → (다) → (나) → (라)
03 ㄴ   **04** A-ㄷ, B-ㄴ, C-ㄱ   **05** (1) A: 열린 우주,
B: 평탄 우주, C: 닫힌 우주   (2) A: 우주 밀도 < 임계 밀도,
B: 우주 밀도 = 임계 밀도, C: 우주 밀도 > 임계 밀도
06 (1) (다) > (나) > (가)   (2) (다) > (나) > (가)   (3) (나)   **07** ㄱ, ㄷ

01 (1) 은하단의 질량에 의해 멀리서 오는 빛이 휘어지는 현상을 중력 렌즈 현상이라고 한다.

(2) 빛이 휘어질 것으로 예상했던 것과 실제 관측에서 휘어지는 정도를 비교하여 암흑 물질의 존재를 확인할 수 있다. 멀리서 오는 빛이 휘어지는 정도는 가까운 은하단에 존재하는 암흑 물질의 양이 많을수록 더 크다.

02 빅뱅 우주론에 따르면 우주는 빅뱅에 의해 시작되었고, 그 직후 급팽창이 일어났다. 이후 물질의 중력에 의해 팽창 속도가 조금씩 줄어드는 감속 팽창을 하다가 암흑 에너지 효과가 상대적으로 우세해진 이후부터 현재까지 가속 팽창을 하고 있다.

03 ㄴ. 현재 우주는 가속 팽창 중이며, 그 원인은 암흑 에너지 때문인 것으로 추정하고 있다.

바로 알기 ㄱ. 빅뱅 직후 우주는 급팽창하였고, 한동안 팽창 속도가 줄어드는 감속 팽창을 하다가 다시 팽창 속도가 빨라지는 가속 팽창을 하고 있다.

ㄷ. 우주가 가속 팽창하는 까닭은 우주가 팽창함에 따라 물질에 의한 중력 효과가 작아지고, 암흑 에너지 효과가 상대적으로 커지기 때문이다.

ㄹ. 미래에 우주의 팽창 속도는 현재보다 더 빨라질 것으로 예상하고 있다.

04 ㄱ. 우주에는 약 68.3 %의 암흑 에너지(A)와 약 26.8 %의 암흑 물질(B), 약 4.9 %의 보통 물질(C)이 존재하는 것으로 추정한다. 보통 물질 C는 전자기파를 흡수하거나 방출하기 때문에 이 영역에서 관측이 가능하다.

ㄴ. 암흑 물질 B는 전자기파와 상호 작용을 하지 않아서 직접 관측할 수 없지만 질량을 가지므로 중력에 의한 상호 작용이 나타나기 때문에 이를 관측하여 그 존재를 확인할 수 있다. 암흑 물질이 분포하는 곳에서는 그 중력의 효과에 의해 천체로부터 오는 빛의 경로가 휘어지거나 밝기가 증가하는 중력 렌즈 현상이 일어날 수 있다.

ㄷ. 암흑 에너지 A는 중력에 반대 방향으로 작용하여 우주를 가속 팽창시키는 원인으로 추정되고 있다.

05 A는 우주의 밀도가 임계 밀도보다 작아 우주의 곡률이 (−)인 열린 우주이고, B는 우주의 밀도가 임계 밀도와 같아 우주의 곡률이 0인 평탄 우주이다. C는 우주의 밀도가 임계 밀도보다 커서 우주의 곡률이 (+)인 닫힌 우주이다.

06 ⑴ (가)는 열린 우주, (나)는 평탄 우주, (다)는 닫힌 우주이다. 따라서 우주의 곡률은 (다)가 가장 크고, (가)가 가장 작다.
⑵ 우주의 밀도를 임계 밀도와 각각 비교할 때 (나)는 임계 밀도와 같지만 (가)는 임계 밀도보다 작고, (다)는 임계 밀도보다 크다.
⑶ 현재의 정밀한 관측을 통해 알아낸 우주의 곡률은 평탄 우주인 (나)이다.

07 ㄱ, ㄷ. 우주는 보통 물질, 암흑 물질, 암흑 에너지로 구성되어 있다. 관측 결과, 우주는 암흑 에너지 효과로 인해 팽창 속도가 점차 증가하는 가속 팽창 중이다.
바로 알기 ㄴ. 우주가 팽창함에 따라 물질의 효과가 작아지므로 암흑 에너지 효과가 상대적으로 커진다.

01 ㄷ. 별의 회전 속도가 태양보다 멀리 떨어진 곳에서도 거의 일정한 까닭은 태양의 바깥쪽에 중력 작용을 일으키는 암흑 물질이 존재하기 때문이다.

바로 알기 ㄱ. 우리은하의 물질이 중심부에 대부분 분포한다면 은하 중심으로부터 멀어짐에 따라 별의 회전 속도가 점점 감소해야 한다.
ㄴ. 은하의 회전 곡선은 물질의 중력 분포에 의해 결정된다. 따라서 이 자료는 전자기파를 방출하는 보통 물질뿐만 아니라 암흑 물질의 효과까지 합한 결과이다.

02 ㄱ. (가)에서 가까운 은하단 물질의 중력에 의해 밀려서 오는 빛의 경로가 휘어지는데, 이를 중력 렌즈 현상이라고 한다.
ㄷ. 전자기파로 관측할 수 있는 질량은 보통 물질의 질량에 해당하며, 역학적 질량은 중력과 상호 작용을 하는 물질의 질량으로, 보통 물질과 암흑 물질을 합한 질량을 의미한다. 따라서 아벨 1689 은하단에 암흑 물질이 존재한다면 광학적 관측으로 추정한 질량보다 역학적인 방법으로 계산한 질량이 더 크다.
바로 알기 ㄴ. 모양이 길쭉하게 휘어진 빛은 아벨 1689 은하단보다 멀리 있는 천체들이며, 중력 렌즈 현상에 의해 상이 왜곡되어 나타난 것이다.

03 ㄱ. A와 B는 Ia형 초신성이므로 가장 밝아졌을 때의 절대 등급은 동일하다.
바로 알기 ㄴ. A는 B보다 적색 편이량이 작다. 따라서 후퇴 속도는 A가 B보다 느리다.
ㄷ. 적색 편이량으로 추정한 거리는 허블 법칙으로 추정한 거리에 해당한다. 겉보기 등급을 관측한 결과, A와 B를 포함한 Ia형 초신성들은 대부분 가속 팽창하는 영역에서 분포하고 있다. 따라서 허블 법칙에 따라 일정하게 팽창하는 우주(가속 팽창 우주와 감속 팽창 우주의 경계)에서 추정한 거리, 즉 적색 편이량으로 추정한 거리보다 겉보기 등급을 관측하여 알아낸 거리가 더 멀다.

04 ㄱ. 우주의 급팽창은 빅뱅 직후 매우 짧은 시간 동안 지속되었고, 이후 우주의 감속 팽창이 한동안 지속되었다.
ㄷ. Ia형 초신성의 관측을 통해 우주의 팽창 속도가 점점 빨라지고 있다는 것을 확인할 수 있다.
바로 알기 ㄴ. 감속 팽창 시기에도 우주의 팽창은 계속되었고, 팽창하는 속도가 조금씩 줄어들었을 뿐이었다. 따라서 이 시기에도 우주의 크기는 계속 증가하였다.

05 ㄱ. A는 현재의 우주에서 가장 많은 비율을 차지하는 암흑 에너지이다. 암흑 에너지는 우주의 가속 팽창을 일으키는 원인으로 추정된다.
ㄷ. C는 전자기파와 상호 작용을 하는 보통 물질이다. 보통 물질은 대부분 수소와 헬륨으로 이루어져 있다.

바로 알기 ㄴ. B는 중력과 상호 작용을 하지만 전자기파와는 상호 작용을 하지 않는 암흑 물질이다.

06 ㄷ. 가속 팽창의 원인은 중력의 반대 방향인 척력으로 작용하는 암흑 에너지 효과가 상대적으로 커지기 때문이다.

바로 알기 ㄱ. 우주의 급팽창 시기에는 우주의 온도가 너무 높아 물질이 존재할 수 없었다. 우주의 보통 물질은 급팽창 이후부터 우주의 나이가 약 3분이 될 때까지의 시간 동안 생성되었다.

ㄴ. 표준 우주 모형에 따르면 암흑 물질은 우주 배경 복사가 형성되기 이전인 초기 우주에 이미 존재했던 것으로 추정하고 있다.

07 ㄱ, ㄴ. A는 중력 렌즈 현상을 관측하여 그 존재를 확인할 수 있는 암흑 물질이고, B는 별과 은하 등을 구성하는 보통 물질로 전자기파와의 상호 작용을 통해 그 존재를 확인할 수 있다.

바로 알기 ㄷ. C는 암흑 에너지이다. 암흑 에너지는 우주의 팽창과 관계없이 일정하지만 우주가 팽창함에 따라 보통 물질과 암흑 물질의 영향이 상대적으로 감소하기 때문에 암흑 에너지가 미래의 우주 팽창에 미치는 영향이 점점 커진다.

08 ㄱ. (가)는 우주의 곡률이 0인 평탄 우주이다. 평탄 우주에서 우주의 밀도는 임계 밀도와 같다.

바로 알기 ㄴ. (나)는 열린 우주로, 우주의 곡률은 (−)이다. 열린 우주에서 우주의 밀도는 임계 밀도보다 작다.

ㄷ. 우주의 밀도는 '(다) 닫힌 우주>(가) 평탄 우주>(나) 열린 우주' 순이다.

09 (가) 거리가 먼 은하일수록 후퇴 속도가 크다는 것은 우주가 팽창하고 있다는 것을 의미한다. 거리와 후퇴 속도의 관계를 나타낸 법칙을 허블 법칙이라고 한다.

(나) Ia형 초신성의 겉보기 등급이 예상보다 더 어둡게 나타나는 것은 예상했던 거리보다 더 먼 곳에 위치하기 때문이며, 이는 우주가 가속 팽창하고 있다는 근거이다.

(다) 나선 은하에서, 은하 중심에서 멀어지더라도 별의 회전 속도는 거의 일정하다. 만약 보통 물질만 존재한다면 은하 중심에서 멀어질수록 회전 속도가 감소해야 하지만 암흑 물질이 존재하기 때문에 회전 속도가 거의 일정하게 나타난다.

10 ㄴ. A 시기에는 암흑 물질의 비율이 가장 컸으며, 그에 따른 중력 효과가 우세하여 우주의 팽창 속도가 감소하였다.

바로 알기 ㄱ. 빅뱅 직후 급팽창이 일어났다. 그 후 우주는 감속 팽창하다가 다시 가속 팽창하고 있다.

ㄷ. 암흑 에너지의 밀도는 일정하지만 우주의 크기가 커짐에 따라 물질의 밀도가 작아지므로 중력의 영향이 감소하여 암흑 에너지의 영향이 상대적으로 커진다.

11 ㄱ. 약 38억 년 전에 A에서 출발한 빛이 우주의 나이가 약 138억 년인 현재 지구에서 관측되었다. 따라서 지구에 도달된 정보(빛)는 약 38억 년 전의 A 모습이다.

ㄴ. 현재 우주 배경 복사의 온도는 약 2.7 K이다. 따라서 우주 나이가 약 100억 년이었던 (가)에서 우주 배경 복사의 온도는 약 2.7 K보다 높았다.

ㄷ. 이 기간 동안에 우주는 계속 가속 팽창하였다. 따라서 우주가 (가)~(나) 기간에 팽창한 정도보다 (나)~(다) 기간에 팽창한 정도가 크다. 그리고 같은 기간 동안 우주 팽창에 따른 빛의 적색 편이량도 (가)~(나) 기간보다 (나)~(다) 기간이 크다.

12 ㄱ. A는 가속 팽창하는 우주 모형이므로 시간에 따라 팽창 속도가 증가한다.

ㄷ. C 우주 모형은 다시 수축하는 우주이며, 우주의 밀도가 임계 밀도보다 커서 팽창 속도가 감소하여 우주의 크기가 다시 작아진다.

바로 알기 ㄴ. B는 관성 우주로, 중력에 영향을 주는 물질이나 에너지가 전혀 없고 척력으로 작용하는 암흑 에너지도 없어서 현재의 팽창 속도를 일정하게 유지하는 우주이다.

통합 실전 문제 122쪽

| 01 ⑤ | 02 ② | 03 ① | 04 ⑤ | 05 ③ | 06 ② |
| 07 ⑤ | 08 ② | 09 ④ | 10 ② | 11 ① | 12 ② |

01 ㄴ. B는 나선팔이 존재하지 않는 타원 은하이다. 타원 은하는 편평도에 따라 E0~E7까지 세분하여 분류한다.

ㄷ. C와 D는 모두 나선 은하이다. 나선 은하는 나선팔 구조와 은하 원반이 존재한다.

ㄹ. 우리은하는 막대 나선 은하이므로 D에 속한다.

바로 알기 ㄱ. A는 불규칙 은하이다. 불규칙 은하는 성간 물질이 풍부하여 나이가 적은 별들이 많은 편이다.

02 ㄴ. (가)는 나선 은하이고, (나)는 타원 은하이다. 타원 은하는 나선 은하에 비해 전체 질량 중 성간 물질이 차지하는 비율이 작다.

바로 알기 ㄱ. 타원 은하는 나이가 많은 붉은색 별이 상대적으로 많다. 따라서 별의 평균 색지수는 (가)의 나선 은하보다 (나)의 타원 은하가 크다.

ㄷ. 은하의 진화와 은하의 형태 사이에는 아무런 관련이 없다.

03 우주 탄생 초기의 천체로, 매우 큰 적색 편이가 나타나며 별처럼 보이는 특이 은하는 퀘이사이다.

04 ㄴ. 제트는 핵에서 로브를 향하여 고속으로 뻗어나가는 물질의 흐름이다. 제트의 분출 모습은 전파 영역에서 특히 잘 나타난다.

ㄷ. 전파 은하는 우리은하에 비해 전파 영역에서 수백 배 이상의 에너지를 방출한다.

바로 알기 ㄱ. 세이퍼트은하는 은하 전체의 광도에 비해 중심핵의 광도가 비정상적으로 크며, 나선 은하로 관측된다.

05 외부 은하의 거리가 멀어질수록 후퇴 속도가 커진다. 후퇴 속도는 적색 편이량을 측정하여 알아낼 수 있다. 따라서 물리량 X로 적절한 것은 적색 편이량과 시선 방향으로 멀어지는 속도(후퇴 속도)이다.

06 ㄴ. 은하 사이의 거리가 멀수록 멀어지는 속도가 더 빠르다. 따라서 풍선이 팽창할 때 단추 A~C 사이의 거리는 ㉠보다 ㉡에서 더 멀다. 즉, 단추 A~C가 서로 멀어지는 속도는 ㉠보다 ㉡에서 더 빠르다.

바로 알기 ㄱ. 풍선 모형 실험에서 팽창하는 우주 공간에 해당하는 것은 풍선 표면이다.

ㄷ. 우주가 팽창함에 따라 우주 공간을 채우고 있던 우주 배경 복사의 적색 편이량이 커진다. 즉, 우주 배경 복사의 파장은 점점 길어진다.

07 우주론의 원리에 따라 은하들이 모든 방향으로 균질적이고 등방적으로 분포한다면 거리가 멀어지더라도 우주 공간에서 은하의 개수 밀도는 일정하게 유지되어야 한다. 따라서 은하의 개수 분포는 거리의 세제곱에 비례한다.

08 ㄴ. (나)는 지평선 문제이다. 급팽창 이론에 따르면 급팽창이 일어나기 전까지는 우주의 크기가 작아 정보를 충분히 교환할 수 있었다. 따라서 우주 내부의 빛은 충분히 뒤섞여 에너지 밀도가 균일해질 수 있었다고 설명한다.

바로 알기 ㄱ. (가)는 편평성 문제이다. 급팽창 이론에 따르면 우리는 전체 우주의 극히 일부분만을 보고 있는 것이기 때문에 우주가 둥근 풍선의 표면처럼 휘어져 있더라도 관측 가능한 우주의 영역은 편평하게 보인다고 설명한다.

ㄷ. (다)는 자기 단극 문제이다. 급팽창 이론에서는 우주가 급격하게 팽창하여 관측 가능한 우주 안에 자기 단극의 밀도가 크게 감소하여 발견하기 어렵다고 설명한다.

09 ㄱ. (가)는 시간이 흐름에 따라 우주의 크기가 다시 작아지는 닫힌 우주이다.

ㄷ. (다)는 우주의 팽창 속도가 점점 증가하는 열린 우주이다. 허블 상수는 우주의 팽창 속도를 나타내므로 미래의 허블 상수 값은 (다) 모형에서 가장 크다.

바로 알기 ㄴ. (나)는 평탄 우주이고, (다)는 열린 우주이다. (나)에서 우주의 평균 밀도는 임계 밀도와 같고, (다)에서 우주의 평균 밀도는 임계 밀도보다 작다.

10 ㄴ. B는 암흑 물질, C는 보통 물질이다. 암흑 물질과 보통 물질은 모두 중력과 상호 작용을 하므로 중력 렌즈 현상을 일으킬 수 있다.

바로 알기 ㄱ. A는 암흑 에너지이다. 전자기파와 상호 작용을 하는 것은 보통 물질이다.

ㄷ. 우주의 가속 팽창을 일으키는 원인으로 추정되는 것은 암흑 에너지이다.

11 ㄱ. Ia형 초신성 ㉠과 ㉡은 거의 일정한 질량에서 초신성 폭발을 일으키기 때문에 최대 광도가 같다.

바로 알기 ㄴ. Ia형 초신성의 관측 결과, 모형 A가 모형 B보다 관측 결과와 잘 일치한다. 따라서 가속 팽창의 원인이 되는 암흑 에너지 효과는 모형 A에서 더 크다.

ㄷ. 모형 A는 암흑 에너지에 의해 가속 팽창하는 우주를 나타내고 있다. 즉, ㉠에서는 적색 편이로부터 구한 거리(허블 법칙으로 예상한 거리)보다 겉보기 등급으로 구한 거리(관측으로부터 구한 실제 거리)가 더 멀다. 따라서 ㉠과 ㉡은 모두 적색 편이로부터 구한 것보다 더 먼 거리에 위치한다.

12 ㄴ. 우주의 밀도는 임계 우주인 B 모형보다 다시 수축하는 우주인 C 모형에서 크다.

바로 알기 ㄱ. 빅뱅 이후 현재까지 우주의 평균 팽창 속도는 우주의 크기를 우주의 나이로 나눈 값이다. 우주의 크기는 세 모형에서 모두 같지만 우주의 나이는 C 모형이 가장 작다. 따라서 우주의 평균 팽창 속도는 C 모형이 가장 크다.

ㄷ. 암흑 에너지는 현재의 우주를 가속 팽창시키고 있으며, 우주의 미래는 A의 가속 팽창 우주 모형에 가까울 것으로 예상한다.

128쪽

01 (가)는 핵, 제트, 로브가 잘 나타나 있는 전파 은하이다. 전파 은하에서는 중심부를 기준으로 강력한 물질의 흐름인 제트 가 대칭적으로 관측되는데, 이는 은하 중심부의 블랙홀과 관련이 있다. (나)는 나선 은하로 관측되는 세이퍼트은하로, 보통의 은하들에 비해 은하핵이 매우 밝으며, 스펙트럼 방출선의 폭이 넓게 나타난다. 세이퍼트은하의 중심부에도 블랙홀이 있을 것으로 추정한다.

(모범 답안) (1) 중심에 핵을 가지고 양쪽에 로브라고 불리는 거대한 돌출부가 있으며, 로브와 핵이 제트로 연결되어 있다.

(2) 스펙트럼에서 폭이 넓은 방출선이 나타난다.

	채점 기준	배점(%)
(1)	전파 은하의 구조적 특징을 옳게 서술한 경우	50
	전파 은하의 구조적 특징을 부분적으로 옳게 서술한 경우	20
(2)	스펙트럼에서 관측되는 특징을 옳게 서술한 경우	50
	스펙트럼 방출선의 폭이 넓다는 점을 언급하지 않고 서술한 경우	0

02 (1) (가)에서 파장 증가량이 8 nm이므로, 외부 은하 X의 적색 편이량(z)은 $z = \dfrac{\lambda - \lambda_0}{\lambda_0} = 0.02$이다. 외부 은하의 스펙트럼에 나타난 적색 편이량으로부터 다음과 같이 후퇴 속도를 구할 수 있다.

$$v = c \times z \ (c\text{는 빛의 속도})$$

(2) (가)에서 구한 은하의 후퇴 속도가 6000 km/s이므로 (나)에서 후퇴 속도가 6000 km/s에 해당하는 거리를 찾는다.

(모범 답안) (1) 파장 증가량이 8 nm이므로, 적색 편이량 $z = \dfrac{\lambda - \lambda_0}{\lambda_0}$ $= 0.02$이다. 따라서 후퇴 속도는 약 6000 km/s이다.

$$v = c \times \frac{\varDelta\lambda}{\lambda_0} = 6000 \text{ km/s} \ (c = 3.0 \times 10^5 \text{ km/s})$$

(2) (가)에서 구한 은하의 후퇴 속도가 6000 km/s이므로 (나)의 그래프로부터 X의 거리가 약 90 Mpc 임을 알 수 있다.

	채점 기준	배점(%)
(1)	적색 편이량을 이용하여 후퇴 속도를 구하는 과정을 옳게 서술한 경우	60
	적색 편이량을 이용하여 후퇴 속도를 구하는 과정을 일부만 옳게 서술한 경우	30
(2)	후퇴 속도를 이용하여 거리를 구하는 과정을 옳게 서술한 경우	40
	후퇴 속도를 이용하여 거리를 구하는 과정을 일부만 옳게 서술한 경우	20

03 (1) 허블 상수는 단위 시간 동안 우주가 팽창하는 정도를 의미한다. 따라서 우주의 팽창 속도는 A 시기가 B 시기에 비해 훨씬 크다.

(2) 우주가 현재의 우주 팽창 속도로 한 점까지 수축하는 데 걸리는 시간을 허블 시간이라고 한다. 허블 시간은 허블 상수의 역수이며, 이 값으로부터 우주의 나이를 추정해 볼 수 있다.

(모범 답안) (1) 우주의 팽창 속도는 A 시기가 B 시기보다 크다.

(2) • A 시기에 측정된 허블 상수로 구한 우주의 나이

$$\frac{1}{H} = \frac{1}{500 \text{ km/s/Mpc}}$$

$$= \frac{3 \times 10^{19} \text{ km}}{500 \text{ km/s}} = 6 \times 10^{16} \text{ s} = 19\text{억 년}$$

• B 시기에 측정된 허블 상수로 구한 우주의 나이

$$\frac{1}{H} = \frac{1}{72 \text{ km/s/Mpc}}$$

$$= \frac{3 \times 10^{19} \text{ km}}{72 \text{ km/s}} = 4.2 \times 10^{17} \text{ s} = 133\text{억 년}$$

허블 상수의 역수가 우주의 나이에 해당하므로 A에서 우주의 나이는 약 19억 년이고, B에서 우주의 나이는 약 133억 년이다.

	채점 기준	배점(%)
(1)	우주의 팽창 속도를 옳게 비교한 경우	30
	그 외의 답	0
(2)	A 시기와 B 시기의 우주의 나이를 옳게 답한 경우	70
	우주의 나이를 구한 값과 계산 과정 중 일부만 옳게 답한 경우	35

04 (가)는 가모 등이 주장한 빅뱅 우주론이다. 이 우주론에 따르면 우주가 초고온·초고밀도 상태의 한 점에서 팽창을 시작하여 점차 온도와 밀도가 감소한다고 설명한다. (나)는 호일 등이 주장한 정상 우주론이다. 정상 우주론에 따르면 우주는 무한하며, 시작도 끝도 없다. 우주가 팽창함에 따라 새로운 물질이 생성되어 우주의 밀도가 항상 일정하게 유지된다고 하여 연속 창조설이라고도 한다.

(모범 답안) (1) (가)는 빅뱅 우주론, (나)는 정상 우주론이다.

(2) (가)에서는 우주가 팽창함에 따라 우주의 크기가 커지고 온도와 밀도가 계속 감소한다. (나)에서는 우주가 팽창하더라도 새로운 물질이 생성되면서 우주의 온도와 밀도가 일정하게 유지된다.

	채점 기준	배점(%)
(1)	(가)와 (나)를 모두 옳게 답한 경우	30
	(가)와 (나) 중 한 가지만 옳게 답한 경우	15
(2)	두 우주론의 특징을 모두 옳게 서술한 경우	70
	두 우주론의 특징 중에서 일부만 옳게 서술한 경우	20

05 빅뱅 우주론을 지지하는 증거에는 우주 배경 복사 및 우주 공간에 존재하는 가벼운 원소의 비율이 있다. 정상 우주론으로 허블 법칙을 설명할 수는 있으나, 우주 배경 복사의 존재와 우주에 존재하는 가벼운 원소의 비율을 설명하지 못한다.

모범 답안 (1) (다), 정상 우주론과 빅뱅 우주론 모두 우주가 허블 법칙에 따라 팽창하고 있다고 설명한다. 따라서 우주의 균질적, 등방적 팽창은 두 우주론에서 모두 설명 가능하다.

(2) (가)와 (나), 우주 배경 복사는 과거에 우주가 매우 뜨거운 상태였으며 현재는 우주의 온도가 낮아졌음을 나타낸다. 또 우주에 존재하는 가벼운 원소들의 비율은 빅뱅 우주론에서 이론적으로 예측한 값과 거의 일치한다.

채점 기준		배점(%)
(1)	(다)를 고르고, 그 까닭을 옳게 서술한 경우	40
	(다)만 옳게 고른 경우	20
(2)	(가)와 (나)를 고르고, 그 까닭을 옳게 서술한 경우	60
	(가)와 (나)를 옳게 골랐으나 그 까닭을 옳게 서술하지 못한 경우	30

06 우주의 지평선 양쪽 끝에서 오는 우주 배경 복사는 거의 완전히 균일하다. 그러나 두 지역은 서로에게 영향을 주고받을 수 없는 위치에 있다. 급팽창 이론에 따르면, 빅뱅 직후 급팽창이 일어나기 전까지는 크기가 작아 정보를 충분히 교환할 수 있었기 때문에 우주의 지평선 양쪽 끝으로부터 오는 우주 배경 복사가 균일하다.

모범 답안 (1) 급팽창 이전에는 우주의 크기가 우주의 지평선보다 작았으나, 급팽창 이후에는 우주의 크기가 우주의 지평선보다 훨씬 커졌다.

(2) 급팽창이 일어나기 전까지는 우주의 크기가 작아 정보를 충분히 교환할 수 있었다. 따라서 현재 관측하는 우주 배경 복사가 방향에 관계없이 거의 같은 온도로 나타날 수 있다.

채점 기준		배점(%)
(1)	우주의 크기와 우주의 지평선을 옳게 비교한 경우	40
	우주의 크기와 우주의 지평선을 부분적으로 옳게 비교한 경우	10
(2)	급팽창 이론에 따라 지평선 문제를 옳게 서술한 경우	60
	지평선 문제에 대해 일부만 옳게 서술한 경우	30

07 Ia형 초신성은 매우 밝게 빛나기 때문에 거리가 먼 은하의 거리를 구하는 데 이용된다. 특히 Ia형 초신성은 최대 밝기가 항상 일정하므로 겉보기 등급을 관측하여 거리를 구할 수 있다. 관측을 통해 구한 거리는 허블 법칙으로 예상했던 거리보다 더 크게 나왔으며, 그 차이는 거리가 먼 초신성일수록 더 컸다. 이로부터 우주가 가속 팽창하고 있다는 것을 알 수 있게 되었다.

모범 답안 (1) Ia형 초신성은 가장 밝아졌을 때의 절대 등급이 항상 일정하다. 따라서 Ia형 초신성의 겉보기 등급은 거리에 따라 달라지고, 겉보기 등급을 알면 거리를 구할 수 있다.

(2) 허블 법칙으로 구한 Ia형 초신성의 겉보기 등급은 실제 측정된 Ia형 초신성의 겉보기 등급보다 작다(밝다). 이 차이는 거리가 멀어질수록, 즉 적색 편이량이 클수록 더 커진다.

채점 기준		배점(%)
(1)	Ia형 초신성의 특성을 옳게 서술한 경우	40
	Ia형 초신성의 특성을 일부만 옳게 서술한 경우	20
(2)	실제 측정된 등급과 예상했던 등급의 차이를 거리와 관련지어 옳게 서술한 경우	60
	등급 차이를 거리와 관련지어 일부만 옳게 서술한 경우	30

08 우주 팽창의 초기에는 물질에 의한 중력 효과가 우세하여 팽창 속도가 조금씩 줄어드는 감속 팽창을 하였으나, 암흑 에너지 효과가 더 우세해진 이후부터 가속 팽창하기 시작하였다.

모범 답안 (1) A 시기와 B 시기에 우주는 계속 팽창하여 크기가 증가하였다. A 시기에는 감속 팽창하였고, B 시기에는 가속 팽창하였다.

(2) A의 감속 팽창은 우주에 존재하는 물질(보통 물질과 암흑 물질)의 중력 효과 때문이고, B의 가속 팽창은 척력으로 작용하는 암흑 에너지 효과 때문이다.

채점 기준		배점(%)
(1)	우주의 크기와 팽창 속도 변화를 모두 옳게 서술한 경우	50
	우주의 크기와 팽창 속도 변화 중 일부만 옳게 서술한 경우	25
(2)	A와 B의 팽창 속도 변화를 모두 옳게 서술한 경우	50
	A와 B의 팽창 속도 변화 중 한 가지만 옳게 서술한 경우	25

09 (1) 비슷한 시기에 제안되었던 정상 우주론과 빅뱅 우주론이 대립하였으나, 우주 배경 복사의 관측을 통해 빅뱅 우주론이 옳다는 것이 확인되었다.

(2) 20세기 후반까지, 과학자들은 빅뱅 이후 우주가 꾸준히 팽창하고 있지만 우주 내부 물질의 중력 때문에 급팽창 이후 우주의 팽창 속도가 서서히 줄어들고 있을 것이라고 생각하였다. 그러나 Ia형 초신성을 이용하여 실제 우주의 팽창 속도를 측정한 결과 우주의 팽창 속도는 점점 커지고 있다는 사실이 밝혀졌다. 이러한 관측 결과를 바탕으로 암흑 에너지를 도입한 표준 우주 모형이 제안될 수 있었다.

모범 답안 (1) 우주를 구성하는 물질로부터 오는 빛의 스펙트럼을 관측하여 가벼운 원소의 비율을 확인하였고, 빅뱅 우주론의 강력한 증거가 되는 우주 배경 복사를 발견하였다.

(2) Ia형 초신성을 관측하여 우주의 가속 팽창을 알아내었다.

	채점 기준	배점(%)
(1)	우주 배경 복사와 가벼운 원소의 비율을 모두 옳게 서술한 경우	50
	빅뱅 우주론을 증명하는 두 가지 과학적 발견 중 한 가지만 서술한 경우	25
(2)	Ia형 초신성을 관측하여 우주의 가속 팽창을 알아냈다고 옳게 서술한 경우	50
	우주의 팽창 속도 변화를 관측하였다고만 서술한 경우	25

10 우주는 보통 물질과 암흑 물질, 암흑 에너지로 구성되어 있다. 우주는 탄생 이후 암흑 물질의 비율이 가장 높았으나, 현재는 암흑 에너지의 비율이 가장 높다. 우주가 계속 팽창하면서 물질의 밀도가 낮아지므로 중력의 영향이 줄어들었으나 암흑 에너지의 밀도는 우주의 팽창과 관계없이 일정하기 때문에 다른 것들에 비해 영향력이 커지게 되었다.

모범 답안 (1) A: 암흑 에너지, B: 암흑 물질, C: 보통 물질

(2) 우주의 팽창으로 크기가 커짐에 따라 우주의 전체 구성에서 A(암흑 에너지)가 차지하는 비율이 B(암흑 물질)와 C(보통 물질)에 비해 커졌다. 암흑 에너지는 척력으로 작용하므로 미래에 우주는 점점 더 빠른 속도로 팽창할 것이다.

	채점 기준	배점(%)
(1)	A~C를 모두 옳게 답한 경우	30
	A~C 중 일부만 옳게 답한 경우	각 10
(2)	A에 의한 가속 팽창을 옳게 서술한 경우	60
	A에 의한 가속 팽창을 일부만 옳게 서술한 경우	30

실전 문제

1 (1) 관측자의 시선 방향에 행성의 공전 궤도면이 위치할 때 행성의 단면적만큼 이 항성을 가려 항성의 광도가 감소한다. 이때 행성에 의한 중심별의 밝기 감소율 $\dfrac{\varDelta F}{F}$ 는 $\left(\dfrac{\text{행성의 단면적}}{\text{중심별의 단면적}}\right)$ 에 비례하며, 이 값이 클수록 외계 행성을 발견할 가능성이 높아진다.

(2) 외계 행성을 발견할 확률이 높아지기 위해서는 흡수선의 최대 편이량 $\dfrac{\lambda-\lambda_0}{\lambda_0}$ 이 커야 한다. 흡수선의 최대 편이량이 크려면 별의 후퇴 속도 v_r이 커야 한다.

$$\dfrac{\lambda-\lambda_0}{\lambda_0}=\dfrac{v_r}{c}\ (c\text{는 빛의 속도})$$

v_r이 크려면 별의 공전 속도 v_1이 커야 한다.

한편, 공전 주기 P가 일정하므로 케플러 제3법칙에 의해 a도 일정하다. $a_1 m_1=a_2 m_2$이고, $a=a_1+a_2$이므로, $a_1=\dfrac{m_2 a}{m_1+m_2}$이다.

$$v_1=\dfrac{2\pi a_1}{P}=\dfrac{2\pi}{P}\times\dfrac{m_2}{m_1+m_2}a$$

P와 a는 일정하고, $m_1+m_2\simeq m_1$이므로

$$v_1=\dfrac{2\pi a}{P}\times\left(\dfrac{m_2}{m_1+m_2}\right)\propto\dfrac{m_2}{m_1}\text{이다.}$$

따라서 별에 대한 행성의 질량비가 클수록 흡수선의 파장 편이량도 크다.

예시 답안 (1) F는 중심별의 밝기이고, $\varDelta F$는 행성에 의한 중심별의 밝기 감소량이다. 따라서 $\dfrac{\varDelta F}{F}$는 행성에 의한 중심별의 밝기 감소율에 해당하며 $\left(\dfrac{\text{행성의 단면적}}{\text{중심별의 단면적}}\right)$으로 나타낼 수 있다. 따라서 $\dfrac{\varDelta F}{F}=\left(\dfrac{R_P}{R_S}\right)^2$이다. 이 값이 클수록 별의 밝기 변화가 크게 나타나므로 행성의 존재를 확인하기 쉽다.

(2) 스펙트럼 흡수선의 최대 편이량은 $\dfrac{\lambda-\lambda_0}{\lambda}=\dfrac{v_r}{c}$($c$는 빛의 속도)이고, 이때 후퇴 속도 v_r은 별의 공전 속도 v_1이다.

$$v_1=\dfrac{2\pi a_1}{P}=\dfrac{2\pi}{P}\times\dfrac{m_2}{m_1+m_2}a\text{이고,}$$

$m_1+m_2\simeq m_1$이므로

$$v_1=\dfrac{2\pi a}{P}\times\left(\dfrac{m_2}{m_1+m_2}\right)\propto\dfrac{m_2}{m_1}\text{이다.}$$

즉, 별에 대한 행성의 질량비 $\left(\dfrac{m_2}{m_1}\right)$가 클수록 스펙트럼에 나타난 흡수선의 최대 파장 편이량 $\dfrac{\lambda-\lambda_0}{\lambda}$도 커진다.

2 (1) 제시문 (가)에서 $T=P\times\dfrac{\theta}{2\pi}$, $\theta\propto\dfrac{1}{a}$라고 하고, (나)에서

$P^2\propto a^3$라고 했으므로, 외계 행성에 의해 중심별의 식이 지속되는 시간 T와 행성의 공전 궤도 반지름 a의 관계는 다음과 같이 나타낼 수 있다.

$$T=P\times\dfrac{\theta}{2\pi}\text{이므로 }T\propto a^{\frac{3}{2}}\times\dfrac{1}{2\pi a}\text{이다.}$$

(2) 위 (1)에서 식 현상이 지속되는 시간과 행성의 공전 궤도 반지름의 관계를 유도했으므로 이 관계식에 지구와 목성의 궤도 반지름을 대입하면 식 현상이 지속되는 시간을 비교할 수 있다.

예시 답안 (1) 식 현상이 지속되는 시간 $T=P\times\dfrac{\theta}{2\pi}$이다. 이와 같은 관계에 $P^2\propto a^3$, $\theta\propto\dfrac{1}{a}$를 이용하여 P와 θ를 대신하면 T는 다음과 같이 나타낼 수 있다.

$$T=P\times\dfrac{\theta}{2\pi}\propto a^{\frac{3}{2}}\times\dfrac{1}{a}\propto a^{\frac{1}{2}}$$
$$T\propto a^{\frac{1}{2}}$$

즉, 외계 행성에 의해 식이 지속되는 시간 T는 외계 행성의 공전 궤도 반지름 a의 제곱근에 비례한다.

(2) 식이 지속되는 시간 $T\propto a^{\frac{1}{2}}$이므로

$$\dfrac{T_{\text{지구}}}{T_{\text{목성}}}=\left(\dfrac{a_{\text{지구}}}{a_{\text{목성}}}\right)^{\frac{1}{2}}\text{이므로, }\dfrac{1}{\sqrt{5.2}}\fallingdotseq\dfrac{1}{2.3}\fallingdotseq 0.43$$

그러므로 지구에 의해 식이 지속되는 시간은 목성에 의해 식이 지속되는 시간의 약 0.43배이다.

3 (1) 별의 밝기는 거리의 제곱에 반비례하며, 한 등급 간의 밝기의 비는 $10^{\frac{2}{5}}$배이다. 우주 공간에 절대 밝기가 동일한 별이 균일하게 분포한다고 가정하면 m 등급보다 밝은 별의 개수 N은 거리 r의 세제곱에 비례할 것이다.

$$N(<m)\propto r_m^{\,3}$$

거리가 멀어지면 겉보기 등급이 증가하고, 공간에 더 많은 별의 개수가 존재할 것이다. 이를 수식으로 나타내면

$$\dfrac{N(<m+1)}{N(<m)}=\left(\dfrac{r_{m+1}}{r_m}\right)^3=10^{\frac{3}{5}}\text{이고,}$$

양변에 로그를 취하면 [그림 1]에서 제시한 그래프의 기울기와 잘 일치한다.

(2) 눈의 감도가 지금보다 좋아져 5등급 간의 밝기 차가 현재의 $\dfrac{1}{10}$배로 줄어들면 한 등급이 차이 나는 공간의 거리 차도 줄어든다. 그에 따라 그 공간 안에 위치한 별의 개수도 줄어들 것이다. 따라서 [그림 1]의 그래프 기울기는 더 작아질 것으로 예상된다.

예시 답안 (1) 별의 밝기는 거리의 제곱에 반비례하고, 한 등급 간 밝기의 비는 $10^{\frac{2}{5}}$배이다. 따라서 겉보기 등급이 m, $m+1$인 별의 밝기를 l_m, l_{m+1}, 거리를 r_m, r_{m+1}이라고 하면

$$\left(\frac{l_m}{l_{m+1}}\right)=\left(\frac{r_{m+1}}{r_m}\right)^2=10^{\frac{2}{5}}$$ 이므로,

$$\frac{r_{m+1}}{r_m}=10^{\frac{1}{5}}$$ 이다.

한편, 겉보기 등급 m보다 밝은 별의 개수 $N(<m)\propto r_m{}^3$이므로

$$\frac{N(<m+1)}{N(<m)}=\left(\frac{r_{m+1}}{r_m}\right)^3=10^{\frac{3}{5}}$$ 이다. ························· ①

식 ①의 양변에 로그를 취하여 정리하면

$$\log\{N(<m+1)\}-\log\{N(<m)\}=\frac{3}{5}$$ ························· ②

식 ②는 겉보기 등급 m과 별의 개수 $\log N(<m)$ 그래프의 기울기에 해당한다. 자료의 [그림 1]에서 그래프의 기울기는 약 $\frac{3}{5}$ $(=0.6)$이므로 식 ②와 잘 일치한다.

(2) 5등급 간의 밝기 차이가 10배라고 가정하면 한 등급 사이의 밝기는 $10^{\frac{1}{5}}$ 배이다. 밝기는 거리의 제곱에 반비례하므로

$$\left(\frac{l_m}{l_{m+1}}\right)=\left(\frac{r_{m+1}}{r_m}\right)^2=10^{\frac{1}{5}}$$ 이고,

$$\frac{N(<m+1)}{N(<m)}=\left(\frac{r_{m+1}}{r_m}\right)^3=10^{\frac{3}{10}}$$ 이다.

따라서 [그림 1]에서 그래프 기울기는 $\frac{1}{2}$로 줄어들 것이다. 즉, 눈의 감도가 높아져서 겉보기 등급이 세분화되기 때문에 한 등급 간 별의 개수 차는 현재보다 줄어들 것이다.

4 (1), (2) 별이 우리은하를 회전할 때, 별에 작용하는 구심력은 별이 안쪽에 있는 물질로부터 받는 만유인력에 해당한다. 이 관계를 이용하여 별의 공전 궤도 안쪽에 위치하는 물질의 질량을 구할 수 있다.

(3) 우리은하에서 빛을 내는 성분들, 즉 보통 물질의 질량은 태양 질량의 10^{11} 배 정도로 추정하고 있다. 그러나 우리은하의 회전 곡선을 이용하여 계산한 우리은하의 질량은 태양 질량의 10^{12} 배 정도이다. 따라서 빛을 방출하지 않는 물질, 즉 암흑 물질이 우리은하에 존재하고 있다는 것을 추론할 수 있다.

예시 답안 (1) 태양에 작용하는 만유인력 $G\dfrac{MM_\odot}{r^2}$과 태양에 작용하는 구심력 $\dfrac{M_\odot v^2}{r}$은 서로 같다. 은하 중심으로부터 태양까지의 거리 r는 8.5 kpc이고, 회전 속도 v는 약 220 km/s이므로 태양 궤도 안쪽의 은하 중심부에 모여 있는 우리은하의 질량 M은 다음과 같다.

$$M=\frac{rv^2}{G}=\frac{(8.5\times3.0\times10^{19}\,\text{m})\times(220\times10^3\,\text{m/s})^2}{6.67\times10^{-11}\,\text{m}^3/\text{kg}\cdot\text{s}^2}$$
$$\doteqdot1.8\times10^{41}\,\text{kg}$$

(2) 은하 중심으로부터 30 kpc의 위치에서 별의 회전 속도는 (나)의 그림에서 약 250 km/s이다. 따라서 30 kpc 궤도 안쪽의 우리은하의 질량은 다음과 같다.

$$\frac{(30\times3.0\times10^{19}\,\text{m})\times(250\times10^3\,\text{m/s})^2}{6.67\times10^{-11}\,\text{m}^3/\text{kg}\cdot\text{s}^2}\doteqdot8.4\times10^{41}\,\text{kg}$$

태양 질량의 몇 배인지 알아야 하므로 $\dfrac{8.4\times10^{41}\,\text{kg}}{2.0\times10^{30}\,\text{kg}}=4.2\times10^{11}$

그러므로 우리은하 중심으로부터 30 kpc 거리 안에 있는 물질의 질량은 태양 질량의 4.2×10^{11}배에 해당한다.

(3) 과정 (2)에서 구한 우리은하의 질량은 빛을 내는 물질의 질량보다 약 4배 많다. 따라서 우리은하에는 빛을 내지 않는 암흑 물질이 보통 물질보다 훨씬 많다는 것을 알 수 있다.

하이탑은 '과학'을 잘하고 싶고, '과학'으로 대학을 가려는 학생들이
30년 동안 변함없이 선택해 왔던 믿음직한 과학 전문 브랜드입니다.

HIGHTOP

고등학교 하이탑
지구과학 I

과학 고수들의 필독서
30년 내공의 과학 전문 하이탑 시리즈

중학 과학 1, 2, 3

고등
통합과학
물리학 I , 물리학 II
화학 I , 화학 II
생명과학 I , 생명과학 II
지구과학 I , 지구과학 II

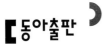

54400

9 788900 471502

ISBN 978-89-00-47150-2
ISBN 978-89-00-47108-3(세트)

📞 **Telephone** 1644-0600
🏠 **Homepage** www.bookdonga.com
✉ **Address** 서울시 영등포구 은행로 30 (우 07242)

• 정답과 해설은 동아출판 홈페이지 내 학습자료실에서 내려받을 수 있습니다.
• 교재에서 발견된 오류는 동아출판 홈페이지 내 정오표에서 확인 가능하며, 잘못 만들어진 책은 구입처에서 교환해 드립니다.
• 학습 상담, 제안 사항, 오류 신고 등 어떠한 이야기라도 들려주세요.